李英萱 丁亥

魍魎之匣

もうりょうのはこ

下

京極夏彦

KYOGOKU NATSUHIKO 作品集 03

下冊目錄

上冊目錄

7

真不知榎木津的駕駛技術該算高明還是差勁。若是只論技術方面他確實更勝於常人，可是開起車來依舊粗魯。讓他開起懸吊系統幾乎失去作用的冒牌達特桑跑車，坐在前座的我感覺就像犯人受到拷問，屁股被打好幾大板一般痛苦。

而且更叫我無法理解的是，視力顯然不佳的榎木津，為何得以獲准駕駛？

總之，榎木津的心情好極了。他大概是本次事件相關人士當中心情最好的一個吧。

若問為何——因為這個不負責任又毫無常識的偵探很輕易地就卸下了原本肩上的重擔。明白地說，他已經在開始進行調查之前就先放棄了柚木加菜子的搜索。

昨天——招待突然來訪的木場進房後，京極堂要求我們先行離開。他的行為彷彿想隔離我們與木場一般。

我無法接受這樣的安排。京極堂說——只要聽完木場的話應該就全部知道了，所以我們當然也有權利知道結論。

面對我的反對，京極堂如此回答：

「關口，這次的事件恐怕並**沒有**你想像中的那種連續發展。這些乍看之下彼此關聯的幾個事象之間**完全沒有關聯**。只要執著關聯性就無法看出事件的整合性，故最好的辦法就是別想太多，分別追查各個事件。聽過木場大爺的話所得到的結論改天必定會向各位報告，時間由你們決定即可——」

我個人很希望一起聽奇妙事件的當事人——木場修太郎的體驗談，但榎木津與鳥口並不反對京極堂的提案，迫不得已我也只好接受。

但面有難色的反而是木場本人。

木場以具相當魄力的粗厚嗓音叫罵起來：

「京極你這混蛋傢伙，老子可不是來找你

商量也不是來閒話家常的。我來是有話要問坐在那裡的關口。喂！關口，你的——」

「大爺。」

京極堂靜靜地一喝。平時木場並不會怕這種程度的威嚇，但京極堂緊接著說的意義深遠的台詞卻讓豪傑刑警有點退縮。

「現在聽我的話是**為了你好**。」

「什麼意思。」

木場把原本就細小的眼睛瞇得更細了。京極堂手摸著下巴，靜靜地說：

「想跟他們交換情報，是不可能不提——大爺你為何在思過中還如此積極，不，為何不顧有被罰閉門思過的危險卻仍執意要進行危險行動——**這項理由**的。如果你覺得無妨——那我也無所謂。」

木場沉默半餉。

「京極，你——知道些什麼？」

「別擔心，在場三人知道的情報我全都聽過，我會清楚地交代給你知道。恐怕目前的階段下，我是最能明白說明這些情報的人吧」

木場默默地坐下。

我們這群人則交替似地起身離座。

我實在不懂為何我們不該在場，也不懂京極堂對木場所說的具有什麼意義。

所以我也猜不到木場會說些什麼體驗談，也不知京極堂又該如何把榎木津聽來的柚木陽子的可憐過去告訴他。

接著——京極堂送我們到玄關，在榎木津耳旁小聲地說：

「榎兄，我仔細思考過了，我想你的偵探工作是不可能順利進行的。我看柚木加菜子是找不到了，或許放棄會比較好。」

聽到這話的瞬間，榎木津的表情立即開朗起來。

他很輕易地就放棄了柚木加菜子的搜索。

這就是榎木津心情好的理由。

我們在被京極堂趕出門後，稍微討論了一下今後的方針。

結果決定鳥口繼續負責追加調查御筥神的底細——如教主的家人、最初的信徒等，我則與榎木津——一半是情勢使然——決定去拜訪楠本家。但此行的目的乃是徹底為了與身為御筥神信徒的楠本君枝見面，瞭解她女兒賴子是否有成為新的分屍殺人的受害者之可能性。

而非為了尋找柚木加菜子的線索。

榎木津究竟打算該怎麼履行與增岡的約定呢？放任不管難道不會令他父親丟臉嗎？雖然是多管閒事，但我很在意這件事。只不過榎木津本人對我的掛心一點也沒放在心上。偵探一發現停在暈眩坡下空地的那輛赤井書房社用車，立刻高舉雙手歡呼，死纏爛打地拜託鳥口，要他在調查期間車子借他使用。鳥口一說答應，榎木津立刻宣布：

「這是，我的！」

那之後他的心情又更好了。

我與榎木津以及鳥口沒事先知會主人便決定三天後在京極堂會合後，暫時分道揚鑣。

然後過了一晚，也就是今天。

我與榎木津兩人正在前往楠本家的路上。

就算見到楠本君枝也沒什麼用，而是否真能有效防止犯罪也值得懷疑，但我們也想不到有什麼其他好法子了。

京極堂肯定知道些什麼內情，這點無庸置疑。他有事瞞著我們。公開他所知的豈不是更能朝事件解決的大道邁進一步嗎？那麼——為何保持沉默？

難以理解。

柚木加菜子的綁架事件、武藏野連續分屍殺人事件、封穢御筥神……這些難道不是一個巨大事件的**某一面相**而已嗎？散見的幾個事實之中富含了充分的暗喻，足以使人產生這般疑惑。而握有誰也不知道的情報的京極堂應該已經從這幾個面相之中見到了事件本體的原貌。對木場說的話與對榎木津的建言，想必都是基於這個原貌而來的吧。

我向愉快地握著方向盤的榎木津徵詢意見。

「不知道京極堂為什麼要把我們趕出去喔？他到底知道些什麼？木場大爺為什麼一聽他那麼說後就變得很順從？不方便讓我們知道的理由是什麼？有太多事我都不明所以了，榎兄你的意見如何？」

榎木津彷彿在侮蔑我似地扮出鬼臉，一臉覺得麻煩地說：

「你還是一樣遲鈍耶。小關，你就像隻烏龜，你這隻烏龜。」

「你回的是什麼話？我可不是在問你對我的感想。」

「阿龜，你為什麼連京極堂叫我們先回去的理由也不懂啊？木場修他啊，當然是對那個、叫美波絹子是吧？對那個女人一往情深啊，熱烈得很咧。」

「啊。」

原來是這麼回事啊！我對男女情愛之事確實有點遲鈍，但只憑那麼點情報為什麼就能導引出這個結論來？我看並非我太遲鈍，而是榎兄以小人之心做了過度揣測吧。榎木津帶著瞧不起人的語氣繼續說：

「要不是如此那個傻子怎麼可能主動參與會危害自己立場的事件。你沒看到他那張臉？那明顯就是心思細膩的笨蛋煩惱了好幾天的成果。那個粗獷粗心又沒神經的肌肉男，居然會如此纖細地煩惱，真是笑死人了。光看警察寫的報告就看得出木場修那傢伙有多麼熱心參與這個事件。那傢伙沒女人緣，別說被人喜歡，連怎麼去喜歡人也不曉得，所以才會以為只要一股腦地努力就能獲得成果吧，真笨。」

「會不會說得太過分了點？他是你的老朋友耶。」

「還是竹馬之友呢。」

榎木津照樣一副很開心的樣子。

木場不似外表，其實並不粗心，也不是榎木津所形容的莽撞之人。至少我這麼認為。只要跟他來往過，很容易就會發現他的慎重與略嫌神經質的個性。

只不過他有時就算自己並非這種類型，也常配合周圍的人對他的刻板印象來行動。這時便很難判斷他真正的想法是屬於哪邊。不過不管如何，我也還是注意到他的性格可說是那種所謂的純情男子漢。

那麼，如果木場真的迷戀上柚木陽子的話——一旦知道思念的人不為人知的過去，他究竟會怎麼想？嗎？

京極堂要我們先回去，就是顧慮到這點心情變得很複雜。

「京極堂——不知道會怎麼跟木場說喔？——我是說那個、陽子的過去。」

「讓他來轉達至少比你或我來好得多了啦。別擔心，又不是乳臭未乾的小伙子，三十好幾的男子漢大丈夫也不可能真的跟人商量起戀愛煩惱的。而且京極在這方面的說話技巧高明，一定會好好轉達的。只不過木場真是個傷腦筋的傢伙，真是笨蛋。」

要說傷腦筋的傢伙，我看我身邊的這個駕駛更勝一籌吧。

正想開口揶揄時車子停了下來。

「楠本家在哪邊啊？阿龜，把住址拿出來。」

我拿出那本名冊，告訴榎木津詳細地址。

這時我注意到，我昨天帶名冊到京極堂去

時是放進紙袋裡的，可是今天卻是直接帶出來。看來我把紙袋忘在京極堂了。紙袋裡除了名冊以外好像還放了什麼。

「啊，是〈匣中少女〉。」

「小俠女？阿龜你在說什麼？」

我原本就是打算讓京極堂過目才把小泉寄來的久保新作的排版稿帶去，結果忘記從紙袋中拿出來，直接擺在那裡了。京極堂多半會檢查內容吧，反正原本就是要帶去給他看的，這樣也好。

「怎麼回事，這一帶沒什麼路標，路好難找喔。方向好像不太對。」

榎木津哼著歌轉動方向盤。

「阿龜，我今天可是刻意為了你才跑這一趟喔，所以別楞在那裡快幫我認路嘛。」

「說什麼鬼話，為什麼是為了我來啊！」

「因為我早就沒事啦，我已經放棄找小女孩了。」

「我才剛想問這點哩。我是不知道京極堂憑什麼根據對你那樣說，可是榎兄這麼輕易就放棄真的好嗎？你打算怎麼向對方報告？」

「就說『找是找了，沒找到』不就好了？」

「可是你錢都拿了耶。」

「這是必要經費，他自己說有多的也不用還啊。」

「那令尊的立場又該怎麼辦！」

「我老爸大概連打過電話給我這件事都忘了吧。」

不愧是榎木津的父親。所以說，他打算報告自己束手無策嗎。可是京極堂又為什麼會說那種話？

榎木津大聲叫喊：

「就是這一帶。阿龜！我們到了！」

總算到達了。接下來該怎麼辦是好，我一點計策及準備也沒有。

增岡的資料與清野的筆記，我手中有這名即將與之會面的叫做楠本君枝的婦人的基本情報。資料上說，她是個三十五歲左右的製頭師傅。就我所知，女性的製頭師傅應該是很稀奇的才是。

聽說人偶工匠這種職業的學徒很辛苦，但技術好的話也能很快獨當一面。資料上說，她特別擅長製作的是人偶業界中的所謂三月物（註）——女兒節人偶。

是間小房子。

楠本家位在三叉路的一角上，因此兩邊都面對著馬路。這是間木造平房，靠馬路側有低矮的木板牆，牆內有片勉強能稱之為庭院的小空間。院子裡種著乾巴巴的柿子樹，高度只略比平房屋頂要高些。與隔壁房之間，隔了一小段距離，加上隔壁房子又是兩層的樓房，生鏽的鐵皮由瓦片屋頂的對面露了出來。另一邊則似乎是片空地。

由於缺乏比較對象，所以一不注意容易搞錯規模，令人錯覺這是建築模型中的迷你屋。

大門緊閉，有如被罰禁閉的武士之家般釘上了十字木板。但還不至於密不通風，看得出釘得很草率。

沿著木板牆繞一圈，空地方向有個後門。房子裡靜悄悄的，沒人在嗎？

「喔喔！在過年耶。」

門上裝飾著注連繩，又不是神社，無可否認地令人感到不合時令。

敲了兩、三次門，沒人回應。

「沒人在嗎。」

沒人在比較好，反正見了面也不知該做什

註：三月三日為女兒節，有女孩子的家庭習慣擺飾人偶來祈祝女兒的成長與幸福。

「木場修也住在這個小鎮嘛？真是鄉下地方。」

榎木津邊踢豎立在工廠旁的電線桿邊說。

「啊，有咖啡廳。」

明明視力不佳，觀察力卻意外地敏銳。定睛聚神朝他指的方向望過去，確實看到了一家名曲咖啡廳（註一）。

大約位於三百公尺遠的位置，店名叫做「新世界」。

異於豪華的店名，店本身的裝潢相當窮酸。打開塗成紅色、沒什麼品味的毛玻璃門，裡頭傳出聲音嘶啞的莫札特。

「這家店品味怎麼這麼糟啊。播這種音樂客人不用一分鐘就睡著了。來這裡商量公事的客人肯定會舉手投降的，對吧阿龜。」

榎木津似乎很討厭古典樂。

「榎兄的壞毛病就是老是以為大家都跟你的想法一樣。另外也請你不要叫我烏龜好不麼。

「可能只是裝不在。怎麼辦，阿龜，要不要強行突破？我來把門踢破好了？」

榎木津抬起腳，輕輕踹了下門。

「別這樣，下次再來吧。」

要是答應，榎木津肯定會很高興地把門踢破。

「還要再來一次很討厭耶，我們先去別的地方消磨時間好了。我想到了，阿龜，我們去咖啡廳吧。雖說跟你約會教人很不愉快，不過別擔心，我來請客，用偵探的經費。」

真是個過分的傢伙，不過我也想不到其他好辦法。把那台冒牌達特桑跑車停在後面空地後，我們朝著連是否有也不確定的咖啡廳出發。

只不過由這附近的街景看來，難以相信會有咖啡廳，到處是空地。

走個幾步之後見到一間落魄工廠。

好？」

採光不佳的店內十分昏暗，空間還算寬敞，而且客人也出乎意料地多。

沒有店員過來招呼，我們得自己找到座位。

榎木津漫無目的地向前走，見到空位就坐了下來。這種照明之下，榎木津看起來就像石膏像裡的赫密斯（註二）。只要不說話、不活動，肯定很受異性歡迎吧。家世與容貌都好得無話可說，卻年過三十還沒結婚，肯定是又說又動的緣故。

結果我這麼一想，榎木津居然真的不動了。原本滔滔不絕的賤嘴也閉上了。女店員來拿點好的菜單時一句話也不說，就只是盯著我的方向看。但他並不是在看我。他兩隻大眼放空，卻又一動也不動。

我不得已先點了兩杯咖啡。

「怎麼了？榎兄，怎麼突然僵住了？」

「嗯嗯，你先待在這裡。」

榎木津靜靜起身，走向我背後的方向。離我們間隔兩個位子上坐了個男人。

榎木津站在男人面前。

他看見——什麼了嗎？

沒錯，肯定如此。據說榎木津看得到平常人看不見的事物。京極堂說他看見的是他人的記憶片段。如果是事實，他應該看到了某人的記憶吧。那麼，他看到的是誰的記憶？我扭轉上半身朝後面一看。榎木津遮蔽了我的視線，無法確認對方的容貌，只聽見對話聲。

「抱歉，我是個偵探，你——你認識加菜

註二：日本流行於五〇～六〇年代的一種店內播放古典名曲供人欣賞的咖啡廳。
註三：希臘神話裡的旅行之神、商業之神、小偷之神等，同時也是眾神的信差。

子嗎？嗯，你確實知道——」

「你、你想幹什麼？偵探？加菜子？她是誰我不認識，突然冒出來質問他人，真是失——」

「你在說謊，明明就知道。那——」

「我說不知道就是不知道，你這個人怎麼這麼失禮啊，我才沒聽過那個——」

「那、那個窗裡的女孩子是誰？鑲在窗框裡的——」

「說什麼窗子框子的，一句也聽不懂。如果你還繼續騷擾我，我就——」

雙方都在聽完對方的話以前就搶著先發言，遮蓋了彼此的言語。

忙碌的你來我往。

等等，我似乎聽過這個聲音、這個語調。

我離開座位走到榎木津旁邊。

「幹什麼！真是令人不愉快的人，你太放肆了吧！」

男子起身，看到我。

「關、口巽——先生？」

男子說。

男子原來是——久保竣公。

榎木津看我。

「什麼？小關，原來是你的熟人啊？」

我窮於回答。

「既然是熟人你也幫我問一下嘛，這個人知道加菜子的下落耶。」

「關口先生，這位失禮的先生是你的熟人？如果是也請你幫我轉達一下，我並不認識他說的那個加菜子。」

兩人的話語近乎同時由各自的口中發出，連我自己也感到不可思議，竟然能分辨出雙方的話來。

久保為什麼會在這裡？京極堂說這世上的泰半事情皆是基於偶然，但如果連這件事也是偶然，未免也太巧了吧。

久保一如往常，頭髮整理得整整齊齊，眉毛像是用眉筆畫出來般纖細，一雙丹鳳眼又細又長。身穿天鵝絨材質的外套，以領巾取代領帶，看來紳士極了。相對於此，榎木津在那對有如整團黏上的濃眉底下半張著驚人的大眼，表情鬆垮。紅色的毛衣雖很隨興，但穿在他身上倒還挺有模有樣的。

這兩人都給人一種**人造物**的感覺，但彼此沒有半點相通的部分，各自擁有互不相容的世界。對他們彼此而言，對方就像是異世界的人。

「喂，小關，你發什麼呆啊？你果然是隻烏龜，你這隻烏龜。算了，更重要的是你！」

「敝姓久保。」

「你真的敢說你不認識加菜子？那你就看看這張照片。要是看了之後才說果然認識的話，我可不原諒喔。」

榎木津不知為何語氣很得意，自褲袋中掏出照片遞給久保。

久保訝異地拿過照片，他今天依舊戴著白手套。

遞給他的應該是從增岡那裡拿到的加菜子的照片吧。可是仔細想來，便可知久保沒理由認識柚木加菜子。連在這裡遇到久保都可說**太過巧合**了。要是久保看到照片之後，真的有什麼奇妙反應的話，便已超乎巧合而是一齣鬧劇了。因為這種劇情，只有在巧合主義的三流偵探小說中才看得到。

然而——

久保凝視著照片，跟剛才的榎木津一樣僵直不動。他拿著照片，白手套上的幾根欠缺的手指正微微發顫。

「看，你果然認識吧。你是騙子。」

「不——我不認識——」

「還死不認帳。小關，你的朋友怎麼那麼多騙子啊，這叫物以類聚嗎？」

榎木津的粗暴發言並沒有傳到久保耳中。

「這個──女孩，叫做加菜子嗎？」

「對啊。怎麼，原來你不知道名字喔？糟糕，姓名是叫啥去了？」

「柚木。這女孩子的名字叫做柚木加菜子。久保，你該不會──真的見過這女孩吧？」

我懷著無限複雜的思緒質問久保。

「不──當然沒見過，只是──」

無精打采的，這不像我認識的久保竣公會有的反應。眼前的久保已不似剛見面時那樣帶有小刀般的銳利。明明僅見過一次面，我心中已塑造出一個名為久保竣公的虛像。或許那只是我個人的過度想像罷了，那麼現在我感受到的不調和感或許也只是他初次見面給我的印象過強所致罷了。

「你們在找──這女孩嗎？」

「嘿嘿嘿，正確說來，是『找過這女孩』才對，只不過現在已經沒打算認真找了。」

久保冒著汗，透過空氣的傳達我感覺到他的情緒非常激動。

久保果然知道內情嗎？

「這張──照片，可以借我嗎？」

怎麼會說出這種話來！他的回答超乎我的預料。

「久保、你、你在說什麼？」

「不、不是的，關口先生，我並非直接認識她，不過多少知道點線索。如果能找到這女孩，對你們應該多少也有點幫助吧？」

「多少是有沒錯。」

怎麼回事，這是多麼勉強的回答啊！我怎麼聽都只覺得這是苦無對策下的勉強藉口，可是榎木津卻全然毫無所感。

「那麼，我很樂意循我所知的線索幫你們尋找，或許能因此找到她的所在。對，這樣比較好。關口先生也同意吧？這樣做比較──」

「好啊。」

榎木津搶先回答了對我的發問。

我實在跟不上眼前的這幕鬧劇。

榎木津從久保手中拿回照片，在背面寫上自己的聯絡方式再交給久保。在這段期間久保像是失魂落魄，茫然地呆站著。就算他有線索又會是什麼線索？我覺得至少該先問過這個問題，但榎木津似乎漠不關心。一拿到照片，久保又開始猛盯著瞧，眼神非比尋常。

對我而言，這兩個男人都是——異類。

「好了小關，我們也該回座位了！你看服務生從剛剛就一直站在那裡不知如何是好呢！粗心的你難得細心為我點的寶貴咖啡就要冷掉了。趁還熱著的時候快喝吧。」

榎木津輕快地轉過身來，一回頭剛剛那位店員正一臉困惑地端著咖啡站著。

我還是很在意久保。我覺得還有很多事必須詢問久保。

但我自己也一團亂，不知該從何問起。

對了，御筥神的——

正當我想到時，榎木津已經回席，並大聲喚我過去。久保的眼裡絲毫沒有我的存在，一直看著加菜子的照片。

我邊在意著背後的久保，邊回到座位，開始覺得即使發問也沒有用。

在這種如鬧劇般的事態發展中，這點小事一點意義也沒有。

問了也沒用。

我一坐回座位，榎木津就對我招手，把臉湊向我，說：

「喂，小關，你的那個朋友很怪耶。」

關於這點我是沒什麼意見，但要是聽到這種話出自榎木津這種人嘴裡，我想他本人也會很意外吧。榎木津降低音量接著說：

「他是專門烹煮野味山產的廚師？還是阿茲特克的神官？至少不是醫生吧，看起來不像。」

「你在說什麼？」

他舉的例子半個也不像。應該不是基於服裝或言行舉止而來的聯想。我告訴榎木津他跟我一樣是小說家。也不知榎木津是否聽進去了，只是隨口回應了一下。

我們之間沒什麼對話，不過也還是消磨了約一個小時。

這段期間，我整個心都在久保身上。定期回頭一看，他都只是低著頭不動，還是一直看著照片。

這種距離感很不自然。明明是熟人，卻不同席，可是也沒理由繼續裝作不知道。我開始討厭起這種感覺。與他的作品〈匣中少女〉一樣，餘味很糟。到最後，我們還是連聲招呼也沒打地先離開了「新世界」。

「那傢伙大概是在等人吧。」

榎木津說。

回到楠本家時，發現有個少女站在後門弄得吱吱嘎嘎作響，似乎是在開門。她的身軀瘦小而纖細，穿著深藍的西裝外套與同顏色的裙子，應該是制服吧。少女一心一意地忙著，沒注意到我們的接近。

「打不開嗎？還沒人回來啊？」

榎木津一如往常地貿然開口。

少女反射性回頭。

是個美貌的女孩子。

「──你們是誰？」

露骨地表現出懷疑的表情，這也難怪。

「我們是偵探，妳是這個家的──」

「妳是楠本賴子的朋友嗎？」

我在榎木津想出人名前先接著說了。要是全交給榎木津處理恐怕會把女孩子嚇跑吧。

「我就是楠本賴子，有事嗎？」

這個女孩就是楠本賴子——嗎？

「啊，那太好了，母親不在嗎？」

「你們是——討債的？」

「剛剛就說是偵探了嘛。」

狐疑的神色不減反增。

由還只是中學生的小女孩會誤把我們當成討債人這點看來，表示楠本家的經濟果真很窘迫吧。

但既然是本人，為什麼連自家的門都打不開？

少女交互比對似地繼續瞪著我與榎木津。我無法直視她的眼眸，那會令我覺得自己像是個污穢的髒東西，使我有強烈的低人一等的感覺。純潔少女的視線是種劇毒，足以射殺我這種人。

或許是看到我不知所措的模樣，少女的警戒心明顯地升高。

我情急之下想到個藉口。

「我們是警察的，對了，是木場刑警的熟人。不相信妳可以去確認看看。所以別那麼警戒，請相信我們。」

根據增岡律師拿來的警察資料顯示，這個少女——如果她真的是楠本賴子的話——應該認識木場。

「木——場先生的？」

「小關，你幹嘛扯這些藉口啊。我們又沒做什麼壞事，只要正大光明的說不就好了，沒必要牽扯到木場那個笨蛋吧。喂！」

「——你們有什麼事？」

「我們來找妳母親，不在嗎。」

「我媽她——應該在，只是上了鎖——所以我也進不去。一定是趁我不在時上鎖的。」

「那還可真是個壞母親，她總是這樣？」

「——也不算——總是這樣。」

「哈哈，也就是說，偶爾會這麼做囉？」

真叫人吃驚——雖然還有些猶疑，但楠本

賴子已經逐漸對榎木津敞開心房，連我介入的餘地也沒有。但是這麼聽下來便可以瞭解，榎木津不管對象是誰，真的是一律平等地以相同態度來對待。

「請問——你們真的是木場刑警的朋友嗎？」

「那個方型臉的傢伙？是啊，是朋友。很討厭的朋友對吧？他的臉真的很恐怖對吧。」

「我是不覺得恐怖啦——那，你們是來問加菜子的……」

「咦？」

少女的情緒似乎有點激動。

「如果你們是來問加菜子的事我什麼也不知道。我已經全部告訴警察了，沒什麼好說的了。」

「跟這件事無關，反正早就結束了。今天來是專程來找妳母親的。妳母親是不是在做一些奇怪的事？用木板把玄關釘死的是你母親吧？她瘋了嗎？一點也不正常嘛。真是個怪人。」

聽見榎木津毫不猶豫的否定，少女急速取回了安心。但是我實在無法理解榎木津的神經是怎麼長的，居然面對小孩子說母親壞話。只是少女聽到這些壞話似乎也不覺得厭惡，既不生氣也不高興。

「我也不懂我媽的想法——請問，我跟人有約，能先離開嗎？」

少女的態度意外地冷淡，但在提到母親時似乎皺了下眉頭。

「當然可以！只不過——嗯——對了。」

「什麼事？」

「不，沒事。再見。」

「我先走了。」

提起放在旁邊的學生提包，楠本賴子朝我們來的方向小跑步離去。榎木津歪著頭目送她離開。我似乎從頭到尾只扮演了笨蛋的角色。

「那是青春痘嗎?還是瘀青?不過她居然能在那種地方發現這個。」

榎木津又開始說起莫名其妙的話。

「那角度太怪了——只不過這麼說來那女孩今天**不惜請假**也要去跟人會面耶。」

「對喔!今天是星期四,要上課。」

完全沒注意到。現在還不到中午,學生們當然在上課。

「剛剛那個男的——住在這附近嗎?」

「剛剛那個男的……你是指久保?」

「名字隨便啦。那女孩跟他相識嗎?」

「不可能吧。我是不知道久保住哪兒啦,不過應該沒這麼巧吧。」

「是嗎——」

榎木津似乎很不以為然。他憑藉的根據肯定不是常人所能計量的,所以與他也根本沒什麼好爭論的。

門冷不防打開,我嚇得兩腳發軟,差點跌倒。

「啊!果然在家!小關,高興吧,我們總算能遠離『白跑一趟』這四個空虛的字了!」

一名女性從房裡出現。

屋內一片昏暗,沒有電燈。

原本以為——房間是一片狼籍,但實際情形並非如此。因為這個家連足以稱為狼籍的財產也沒有。窮困到如此地步,也不難理解她為何面對初次見面、又不知身分的可疑二人組會毫無防備地讓他們進門了。這種防人之心似乎早就在她的生活之中,不,在她的心中磨滅殆盡。

眼睛花了一段時間才適應屋內的黑暗。

房間裡連個坐墊也沒有。房間角落擺了看似米袋的東西,上面插著幾顆人偶頭。從遮蔽窗戶的布縫中洩進來的光線在人偶頭上留下了朦朧的陰影。只有一顆還沒刻上眼鼻的頭受到明亮的光線照射。畫筆、雕刻刀等等工具隨意棄置在米袋四周。看來已經有段時間沒有工作了。

房間正中間不知為何擺了磨缽。細粉灑在榻榻米上，磨棒躺在粉堆之中。剛剛大概在進行著什麼工作吧。

不可能在這種地方做菜，所以多半是在磨製製作人偶不可或缺的白色顏料。不過附近並沒有用來溶解粉末的開水。那麼這個缽應該也是幾天前的生活痕跡吧。

榎木津保持沉默。

君枝也不發一語。

她只是打開房間，聽從我們的要求讓我們進門。

君枝比我想像的年輕許多。臉上完全沒有化妝，破舊的衣服也早就超乎質樸的範圍。照理說這身打扮會讓人看起來蒼老十歲以上，但君枝依然顯得十分年輕。就算用嚴格的標準來看也仍算是與實際年齡相符。或許原本就長得比較年輕吧。眼睛、鼻子的輪廓清楚，可說是個美人。

我在磨缽旁邊沒沾到粉末的地方坐下。榎木津站著。

「為什麼——把妳女兒……」

「賴子不在，要找賴子的話請回吧。」

「不，不是的。妳女兒我們剛剛就遇過了。我是想問，為什麼把賴子關在門外？妳人應該一直都在屋子裡吧？」

沒有回應。不知該說是憔悴還是疲憊，君枝好像心不在焉。

但決不是悲傷或痛苦。

君枝的氣色不佳，我想那或許不是由於處境不幸，而是生活不正常或營養失調的緣故。兩眼眼神渙散應該也同樣是這個理由吧。

君枝意氣消沉地把弄著榻榻米上的磨棒，眼睛呆滯無神。

「妳剛剛想自殺吧？」

榎木津唐突地問。

一回頭——看到梁上綁著繩索，底下放著一個木箱。典型的上吊自殺的準備。

「這位太太，妳別想不開啊！」

「喔。」

由她抬起來的臉上我看不到深刻的表情，只是充滿了疲勞與困頓。感覺不到一絲一毫前一刻正打算了結自我性命者的悲愴。

「原本打算——女兒離開之後就……不過——你們來了，所以——」

怎麼回事？這有如用菜刀刀背切東西般滯鈍的回答是怎麼回事？這名女性不是正打算自殺嗎？自殺這種行為難道就**這麼不值得一提**嗎？

「那，妳打算等我們離開就去死嗎！」

「這個——我也不知道——」

她不是在開玩笑，當然精神也沒異常。

現在的她已經處於極限狀態。只不過對我來說無法理解罷了。

這時，我痛切地感受到：人與人之間不可能進行真正的溝通。靠言語無法相通，心意更是不可能交流。

對我而言的現實與對她而言的現實之間有段極大的距離。有多少意識就有多少現實。有一百人就有一百種，有一千人就有一千種的現實，這些現實彼此互不相同。而且還不是稍微不同，而是完全不同。若不把勉強自己相信這些現實相同作為前提，溝通就無法成立。只要能勉強自己去相信就沒什麼問題；但若是稍微產生了一點點疑問，這種互信立刻就會產生破綻。

否定自己以外的一切，人就會令自我陷於孤立；而否定了自己的話——下場我比誰都還清楚。因此，

不管是久保的話、賴子的話、還是君枝的

話，對我而言都像是異國的言語，完全無法理解，無法溝通；明明無法溝通，卻又勉強自己裝作完全能理解。

榎木津也這麼覺得嗎？

所謂的事件，是人與人——許多的現實——的相互關聯中產生的故事。

那麼，故事的脈絡——事件的真相也同樣是有多少人就有多少種吧。說真相只有一個只不過是種欺瞞。事件的真相只不過是牽涉其中的人們為了方便起見所創造出來的一種欺瞞罷了。

這麼一來，或許正如京極堂所言，動機也只是為了方便起見創造出來的一種約定俗成罷了。

若真是如此，解開犯罪真相又有何意義！如果能防範未然或許還有點幫助，如果是去干涉已經發生的事件，豈不是一種巨大的無意義嗎？

那麼，所謂的偵探豈不就單單只是一種把事件——別人的故事——變換成**偵探自身的故事**的小丑罷了？證據就是坊間流傳的偵探故事中，與偵探扯上關係的人到最後都一個接一個死去，若非如此他們的故事便無法成立。

犯罪是只要有犯人與被害者就能完結的究極的兩人戲劇。而偵探就像是在戲劇中途忝不知恥地冒出來、任意修改劇情的小丑。那些老愛挺身而出，主動扮演起如此愚蠢角色的低級趣味傢伙們就是所謂的偵探。

難怪會說對這種角色敬謝不敏。我似乎稍微能理解京極堂隱居的理由了。

「喂！小關！你怎麼這麼失禮啊。這位女士都特意延後自殺來見我們了，你幹嘛悶不吭聲？有想問的問題就快點問。」

「啊。」

榎木津的斥責打斷了我的思考。

他對於碰上這種場面似乎沒有半點感觸。甚至還去確認上吊用的繩子的強度是否足夠。

雖被人催促，我卻想不出有什麼好問的。畢竟本來就不是特意前來的。而且，我的話多半傳達不進這位女士的心裡，而她的回答我也無法理解。在我保持沉默的當兒，榎木津又開始大聲地說：

「這位太太！這根樑木不行，沒足夠強度支撐妳的重量。不信妳看，輕輕一扯就彎成這樣。」

君枝帶著難以理解的表情看榎木津。樑木的確正發出吱吱嘎嘎的聲音彎曲著。

不過在我眼裡，只覺得榎木津正使出渾身力氣將繩子往下拉。我不相信君枝的體重有這麼重。

「要不就是放棄自殺，要不就是改變方式，否則這個房子會先垮了喔。房子垮了，妳也沒有自殺的意義了吧？」

「嗯嗯——那的確很傷腦筋。」

傷腦筋？

「這是什麼意思？」

為什麼我老是跟不上別人的話題？榎木津似乎已經與君枝立於相同領域之上了。那麼我剛剛所做的思考，終究只是我個人的妄想罷了。除了我以外的世界早就共有著相同的故事。

雖然我完全看不出榎木津的應和具有什麼意義，但因而導引出的君枝的回答卻非常有意義。雖然她的話只有個別的片段，但組合起來多少使人能理解君枝難以理解的思考方式。聽她描述自己錯綜複雜的人生，就像是在觀賞一幅錯覺畫（註）。

註：一種藝術形式，有很多類型。例如典型的一種就是利用透視法讓人產生空間的錯覺。

君枝的父親是自江戶以來淵遠流長的著名人偶師傅的小弟子。廣受讚譽的師傅與師兄們之盛名連我這個對人偶業界不熟的人都聽說過。君枝之父的技巧出眾，特別擅長製作太閤、神天、金時(註一)類的人偶，年紀輕輕地便自立起門戶。

但是他依然很窮，而且還熱中於賭博。人偶有分旺淡季，君枝之父特別擅長製作五月用的人偶(註二)，因此收入總是集中在春天。不過集中並不代表可以無限供應。他沒機靈到要趁空閒淡季時先做好囤積，而且材料的準備也有問題。不過最主要的問題還是在於性格吧，君枝說父親原本就是個生性懶惰的人。

負債越積越多，最後被趕出租屋，一家四分五裂，流落街頭。那時君枝才年僅十五歲。家庭是真的四分五裂，往後君枝就再也不知道失散的年幼弟妹度過了什麼樣的人生。

當然，這些話並非按照順序講下來的。

不知為何，榎木津似乎從她的話中找不到**感興趣**的話題。她每講一段話榎木津總是沒什麼興趣地急忙想把話題結束，又接著講出些缺乏前因後果的話。但受到榎木津的話語影響，君枝似乎一一回想起早已忘懷的過去，一一道出。

我雖不相信榎木津是早就預期到會有此效果才故意這麼做，但以目前情況來說，這種特異的詢問方式反而可說很有效果。

君枝結婚是在十九歲的時候，對象是越後出身的浪人廚師。乍聽之下似乎是個不起眼的職業，其實收入意外地不錯。第一年君枝過著無拘無束、幸福的每一天。就我聽到的，這一年大概是君枝一生中最安穩，也是最幸福的日子吧。

但是好景不常。昭和十三年的秋天，賴子

誕生了。

一般而言，除了極端窮苦的人家以外，有了孩子應該是非常令人喜悅的事吧。對某些人而言，甚至如達幸福之頂。對於琴瑟和鳴的夫婦而言，孩子的誕生絕不可能是什麼壞事。

但是對君枝而言，卻不是這麼一回事。

君枝的丈夫討厭小孩。

雖說君枝早就覺得——這個人似乎不怎麼喜歡小孩。但至少從懷孕到生產的這段期間丈夫都肯幫忙照顧，也沒表現出非常困擾、厭惡的樣子。更重要的是他從沒說過要君枝墮胎之類的話。因此在賴子誕生之後，君枝對於丈夫的驟變感到無所適從。

世上肯熱心照顧嬰孩的父親的確很少，可是再怎麼不關心，多少會疼愛頭一胎孩子總是人之常情。但君枝的丈夫——如果她的話屬實——很顯然地異於常人。不光只是不願意照顧、疼愛孩子，而是連碰都不願意碰，也不願看到孩子的臉。不只哭聲，連聽到嬰兒發出一丁點聲音都憤怒得有如烈火在燃燒。

而且孩子剛生下的前半個月內已算是很忍耐了，那之後表現得更是冷漠。說到當時發自丈夫口中的話，君枝記憶中就只有——吵死了、令人不耐煩、讓她住嘴、滾出去——這些而已。

君枝以為是自己的養育方式不好，拼命努力地彌補過錯。

害怕嬰兒夜哭，半夜背著她到外面過夜。

但就算如此，丈夫也還是怒不可遏地嫌孩

註一：太閤為對太政大臣的敬稱，指豐臣秀吉。神天則是指日本神話中的第一位天皇——神武天皇。金時乃鯛田金時，為童話中的打鬼名將源賴光底下的四天王之一，即金太郎。

註二：五月五日為端午節，同時也是男孩節。常擺一些雄赳赳氣昂昂的武士人偶以作慶祝。

子煩人；說嬰兒令他難以忍受，無法成眠，令他沒辦法專心工作，只能整天在家休息。丈夫在家時，君枝母子便不能待在家裡。即使在秋風的季節過去，冬天來訪之後，君枝在外面的時間依然比較多。

這種生活自然不可能持續下去。

君枝向丈夫哭訴，丈夫動粗，無理取鬧地責備君枝為何不能像過去那樣乖乖待在他身邊。如果反駁他的話就會演變成吵架。一吵架小孩就哭，孩子一哭丈夫更生氣。最後丈夫暴力的魔掌伸向了孩子。要是沒這種**東西**就好了——丈夫說。

那天，君枝提出離婚了。透過熟人仲介，離婚談判極為輕易地被接受了。同時，抱著嗷嗷待哺的孩子，君枝失去了安住之家。

之後等待著君枝的是被好幾個男人欺騙、嚐遍辛酸的漫長歲月。但縱使遇到這些挫折，君枝仍沒想過要放棄賴子，含辛茹苦地將她養大。

戰爭爆發後，君枝靠著過去的關係寄居於父親師兄的家裡。師兄很照顧君枝，對賴子也很好。君枝說，師兄的故鄉在福島，因此跟著一起去避難時，在那裡學會了製作人偶的技巧。

師兄比父親的年紀更大，當時已年近六十。有妻有子，也有了孫子。雖然這也不代表什麼，不過君枝真的想都沒想過親切的代價竟是肉體關係的要求。

或許該拒絕才對吧。

但愚昧的君枝為了報答恩義，默默忍受了。

但這是個錯誤的決定。君枝被罵做是母豬、偷腥的貓，最後跟賴子一起被趕出去這個家。

師兄或許是可憐君枝的身世，也可能是感到愧疚，最後還是幫她介紹工作。君枝就這樣被半強迫地成為一個人偶師傅了。

十分苦悶的故事。我實在難以相信眼前的這名女性怎麼能在不陷入男性恐懼症情況下，還能維持如此強健的精神繼續扶養賴子。

與她走過的人生相比，我的人生是多麼平淡無奇啊。但是我卻常因一些小事就瓦解了自己與社會間的均衡，對於人生的去向感到迷惘。但是這也不表示她就比普通人堅強許多，或許只是我的人格過於脆弱罷了。

回到東京的君枝遇見了一名江湖藝人。這個擁有好幾個化名、一看就覺得可疑的男子最後成了君枝的第二號伴侶。說是江湖藝人，其實跟流氓也沒兩樣。鎮日不務正業，去賭博比去表演的日子還多得多。君枝的第二任丈夫就是這樣的一個人。

說她是沒男人運的女人也好——或說是不知反省，一一中了壞男人陷阱的女人也罷——這麼形容君枝並沒有錯。整體說來雖是如此，但那時的君枝多少有點不同了。

她不是跟江湖藝人結婚，而是跟他擁有的**這個家結婚**。

當時的君枝年紀已經二十過半，二十年多來苦求不得的「家」總算在今日到手了。只要有家，就不至於骨肉離散，再也不必擔心得背著幼子流落街頭。

君枝認為自己不幸的根源在於缺乏一個「足以安住的箱子」。她渴望著一個總是位於同一場所、裡頭住著家人、只要住在裡面就能保護自己不受外敵入侵的溫暖而堅固的堡壘。

君枝固執於「家」的概念。

江湖藝人擁有的家——也就是我們所在的這間房子——聽說是從賭博的抵押而來的。總之不是靠正當手段獲得的房子。

但是管他來歷是什麼，君枝根本不在乎。當時的她想都沒想過這會成為未來使自己煩惱不已的根源。

男人的酒品不好，跟賴子也不親，一喝醉就會動手打人。但是跟第一任丈夫相比，**這點小事**根本不足掛齒。他平時靠著君枝的收入當小白臉，但有時也會突然不見蹤影，隔天帶了大筆錢財回來，或者是抱著堆積如山的牛肉罐頭或巧克力回來。這種時候他心情總是很好，老說著想要自己的孩子之類的話。

「在這之前還算好，不過很快就又變糟了。那個男人叫做直山，直山跟我女兒合不來，女兒討厭新爸爸。」

「這種事常聽說。話說回來，那個背著箱子的怪男人是誰？作那種打扮，肯定是瘋了。」

「這個嘛，教主大人教誨我要把房子賣了才能得到真正幸福。」

「哈哈，原來是個跟不動產業者沒兩樣的傢伙。那，妳也知道妳女兒從紙門背後全都看到了？」

「隱隱約約覺得——好像被看到了。可是，我也沒辦法拒絕直山的索求。沒理由拒絕。而且要是害他心情不好又有可能被趕出門——」

「我才不想聽妳的風流韻事。總之妳自己也感覺到女兒的視線就對了嘛。這就是所謂的隔牆有耳，是吧。」

「嗯嗯，我一直以為那女孩就是魍魎。」

「魍魎？這位太太，妳女兒是妖怪嗎？」

君枝的記憶錯綜複雜。

榎木津的問話方式也支離破碎。

我拼命地整理他們的對話。

賴子似乎沒辦法喜歡新爸爸——直山。君枝害怕要是被直山拋棄的話，就真的得流落街頭了。因此一方面拼命討他歡心，一方面也盡量安撫賴子，拜託她跟新爸爸好好相處。

但是這些努力終究還是失敗了，而且不只在父親與女兒之間作出一道鴻溝，連與母親之間也變得疏遠。

君枝懷疑賴子討厭父母的原因之一或許是由於她偷看見夫婦的閨房密事所致。當時的賴子正處於進入青春期前心思最複雜的時期。如果這是事實，會在賴子心中形成某種心理創傷也是可以想見。

但不知該說幸還是不幸，直山某天離家出走之後就再也沒回來了。

那之後曾寄了幾封信回來，不過上面沒寫住址。第一封信寫著：**千載難逢的好機會卻押錯寶**，暫時回不去了。

第二次則寄了離婚申請書跟土地房子的所有權狀、讓渡證明等等資料回來。

看來直山本人意外地耿直。缺乏法律知識的君枝為了這些事沒日沒夜地東奔西走——雖說她也是想趁戰後混亂期趕緊處理——總之最後結果是她與直山正式離了婚，而所有權狀與登記簿上的名字也易主，成功獲得土地與房子。

既然房子已經到手，對君枝而言，男人怎麼樣都無所謂了。不如說，目前的情況下男人反而是種妨礙，不在或許更好。不知直山是去犯罪還是去借債，那之後就再也沒回來。或許死在某地也說不定——君枝毫無所感地說。

接下來的幾年君枝辛勤工作，與賴子之間也風平浪靜，維持了表面上的和平。但君枝說：

「想要守護這個房子的淺薄之心逐漸變成想過更寬裕生活的慾望，也希望賴子將來別跟我一樣過著愚蠢的人生——是有幾個男人追過我，但在我看來，他們都很像來騙房子的——考慮到賴子的心情，實在沒辦法點頭答應。慾望的表皮一直膨脹，我的心一點也不安穩，好寂寞。」

似乎並沒有因此就過著順遂的人生。

我想到昨天聽過的柴田耀弘的故事。與他一手打造而成的巨大財富王國相比，君枝的財產僅是滄海一粟。不，這間破房子可說近乎於零。但是，迴盪在兩人的心中卻是同質的不安。

「可是我知道，要是沒有這個家會更好。這個家把我變成了魍魎。我實在無法放棄這個家，無法捨棄執著。辦不到這點，我就沒辦法獲得幸福。」

她的話中出現了魍魎，應該是御筥神的教誨吧。在聽過她的半生之後，這個教誨顯得十分殘酷。

「本來就是了。」

榎木津贊同，他的想法似乎與我不同。

「快快放棄這個家，跟女兒和好不就得了。」

「別說得這麼簡單，對她而言這個家是——」

「說的也是——」

我的辯護又白忙了一場，被君枝本人打斷。

「——就是因為我做不到這點，所以不管我喜捨多少都沒用。我自己也很清楚。」

看來又只有我一個人跟不上話題了。

「可是這位太太，妳剛剛說房子壞了妳很傷腦筋，表示妳想把房子留給女兒吧？管他是魍魎還是高粱，妳死了之後女兒繼承了房子，不就會害妳女兒變成魍魎了嗎？那太可憐了，這麼可愛的女學生怎麼能讓她變成妖怪啊。」

不知榎木津真懂還是假懂，總之裝作很懂的樣子在勸君枝。

「您說的是。」

君枝看了看窗子。

「賴子討厭我，不對，是憎恨我。這也無可奈何吧。畢竟我的話沒辦法傳達給那孩子，她想的事情我也完全聽不懂。後來，我開始覺得我不斷工作不斷工作卻還是沒辦法幸福都是她害的。我產生了——那孩子是魍魎，只要有她在我就不可能獲得幸福——的錯覺。這麼辛苦，這麼辛苦，結果卻還是很悲慘。」

君枝的眼神一瞬間閃爍出悽慘的光芒。

表面上安穩的每一天，母女之間的鴻溝卻以看不清的速度不斷增寬。

「但是這種想法本身正是我自己才是魍魎的證據，所以被那孩子討厭也不得已。所以，我離開這個世間才是對那孩子好。」

君枝的話說到一半以前還算有點道理，但接下來似乎在哪裡欠缺了一環，好像說不通。

似乎有所欠缺。沒錯，欠缺了君枝如何成為御筥神信徒的決定性證言。所以才會怎麼聽都覺得不對路。

我問了這個問題，君枝似乎不知如何回答。她能毫無抵抗地回答榎木津支離破碎的問題，面對我循序漸進的疑問卻停滯良久。我實在不能理解為何如此，不過對她而言，這個問題似乎太過理所當然而不知該如何說起。

就像是被人問說「妳是日本人嗎」的感覺。

於是我改了一下問題。

「妳第一次聽說御筥神是在什麼時候？是誰介紹妳去的？」

她停頓了很久。

「是笹川——告訴我的。」

「笹川？他是誰？」

「在吉祥寺教人製作錦緞木偶（註）的老師。他召集家庭主婦提供家庭手工的賺錢機

註：一種裝飾華麗的木雕人偶。木偶上刻有溝槽，錦緞塞在溝槽中固定起來作為裝飾。

會，教她們製作木偶的方法。完成的木偶跟我做的頭組合後就算成品。錦緞木偶最近賣得很好。」

「是那個人帶妳去的？」

「是。之前就聽說很靈驗。常去笹川那裡的一個太太是信徒，她說可以幫我們引見，就跟著去了。」

原來她不是中了陷阱，而是自願跳入陷阱。

「為什麼？」

「當然是想變成幸福。」

「太太，妳很想跟女兒和好吧！」

「這個嘛——」

以榎木津而言很稀奇地說出正確的——倒不如說是正常的發言。

但接下來的發問卻很亂來。

「那太太妳幸福了嗎？如果幸福了就好，那我跟這隻像烏龜的傢伙就要回去了。」

「這個嘛……」

幸福的人哪有可能想自殺，這麼簡單的事情用膝蓋想也知道吧。可是榎木津並非故意諷刺，而是非常認真地詢問；而君枝也很認真地思考他開玩笑似的問題，似乎不知該如何回答。

我開口說：

「很抱歉，我認為妳接受御筥神的教誨之後，絕對沒變得幸福。」

「沒這回事。」

「但是妳不是想自我了斷生命嗎？」

「那是為了女兒好。」

「妳死了妳女兒就會高興嗎？」

「當然會高興啊，那女孩討厭我嘛。而且，我的心已經被魍魎佔據了，已經不能活下去了。」

沒完沒了，話題又回到老路子上。

君枝總算第一次正面朝向我。她的兩眼充

血，不是哭過的關係，我想應該是眨眼次數變少的緣故。

表情缺乏變化。

果然還是無法跟她溝通。

到這個地步，我已搞不清楚到底是我不正常還是她有問題了。

總之我先把我想表達的說出口。

「我明白地說好了，御筥神是騙子，是詐騙集團。妳沒發現妳變得比開始信奉之前更不幸了嗎？」

「沒這回事。多虧教主，我才能分辨什麼是正確的事與不對的事。比起原本懵懂無知的生活——幸福得多了。」

「怎麼可能——」

「而且教主大人不是騙子，他一切都看得一清二楚。」

「不對，那是因為……」

我原本想說，那是因為他用了詐騙的手法。但是就算我說出口，君枝也不會接受吧。我不如京極堂擁有三寸不爛之舌，有本事能駁倒並說服對方。

「但是——老實說，妳現在的生活依舊很痛苦，不是嗎？」

「——是沒錯，如果要說這是不幸的話，那是我本身的不幸。可是會感覺這是不幸就是不對的。如果在你眼裡我看起來很不幸的話，那就是我的行為跟思想有所不足的關係。」

「有所不足——在這之上妳還想付出什麼？妳不是甚至還不惜借錢去喜捨嗎？」

「不對，借錢是為了生活。」

「有什麼不對？我覺得這兩種說法都一樣。」

「我們不應該賺取超過必須限度的不淨之財，更不能囤積財產。我很笨，不會衡量所謂的必須限度到底是多少，所以我賺的錢全部喜捨出去了。因此沒錢過生活，所以我才會借錢

——而且，現在沒在工作了——所以也不需喜捨了。」

沒喜捨了?那就更危險了。

「那麼妳不就已經遵照教誨，過著清白的生活了?沒什麼不足的啊。」

「不對，我還有這個家。這個家不好，是靠不正當手段得來的，是會帶來壞因緣的財產——所以只要我一天不放棄這個家，就不可能真正遵照教誨過活。」

「可是妳卻——辦不到——是嗎——」

結果又回到老問題上，思考邏輯再次循環。

她現在絕對稱不上幸福，反之也可說決不可能變得幸福。

她的話語很明顯地有所矛盾，但哪裡有問題卻說不上來。連傾聽者都搞混了。

看來要我說服她不去信仰實在辦不到。

眼神，眼神不對勁。

御筥神其實早就無所謂了，對她而言，真正信仰對象早就存在於自己心中。

因為她信仰的是自己，所以別人也無從救起。

我覺得再繼續談論信仰的問題，我會很痛苦。

「最近，妳女兒——賴子有什麼奇怪的舉止嗎?」

「不知道，我跟賴子幾乎不見面了。」

「不見面?」

「偶爾才回家一趟。」

「她都外宿嗎?」

沒立刻回答，君枝低著頭。

「確實——您這麼一提，我才注意到她的舉止好像真的——突然變得很奇怪，有什麼問題嗎?」

被反問也沒辦法說明問題的本意，總不能

說「妳女兒可能會被人分屍」吧？我無法回答。君枝自顧自地繼續說：

「——不知從何時開始的，她夜半出外的次數增加了，罵她也不聽。想說只有我這個單親媽媽念她不行，所以也拜託笹川幫我說說她，可是她根本理都不理。不久之後事件就發生了。」

所謂的事件，應該是指柚木加菜子的自殺未遂事件吧。

「就是——上個月中旬，賴子朋友在她面前跳下月台自殺的事件。我很害怕，所以暫時都不讓她出門——可是不到半個月她又回到老樣子。我想可能是魍魎作祟，就請教主大人來幫我們看一下——」

據君枝所言，御筥神教主曾來過這個家幫她們封住污穢，還順便幫她們看風水。門口釘死，後門掛注連繩就是當時的指示。但是教主說這只是應急措施，這個家的壞因緣只靠著這點措施是無法根治的。

「然後到了這個月，她的態度突然變化——原本是個很乖巧的女孩子，突然變了個人似地活潑起來——不，不是變得很開朗。她對我比以前更疏遠，還對我動粗過好幾次。最近她很少回這個家，也不知道有沒有去學校——不過她朋友有來找過好幾次，但我怕和她們見面——」

君枝垂頭喪氣地說。

聽起來就像陷入谷底的人生，在我所能理解的範圍內，御筥神的祈禱對這對母女根本沒半點效力。

只有提到賴子時，君枝快磨滅的人性才會產生些許反應，幾乎沒有表情的容貌也隨之表現出喜怒哀樂的痕跡。

這些事暫且不提。從君枝的話可知賴子態度產生變化是在本月初，也就是加菜子被人綁架後才發生的。很難相信沒有關聯。

「哎，太太，話說回來妳也真敢對我們這兩個陌生人說這麼多有的沒的耶！多少保持一點警戒比較好吧。」

榎木津突然講了這句笨話作結。

他把發問的主導權交給我後，跑去插插拔拔米袋上的人偶頭，又去旁邊玩弄櫃子上的東西，一副很無聊的樣子。不過似乎也不是完全沒注意我們在說什麼，他敏感地察覺到我已經沒話好問了。

君枝聽榎木津這麼說，好像也沒什麼感覺。還是老樣子，彷彿在數榻榻米的格子數量般一直低著頭。

榎木津開朗地接著說：

「太太，我們其實是比那個箱子混蛋更靈驗、更尊貴的人喔。我賜給妳幾個忠告吧。首先，自殺不好。若問為什麼不好，因為只會害妳女兒事後處理很麻煩而已。上吊自殺會弄得很髒，而且樑木也會彎掉，妳們家又沒錢辦葬禮，最好別幹這種傻事。另一個忠告就是，等妳女兒一回來就別讓她出門，學校也別去了！」

「為──什麼？」

「妳女兒被壞人盯上了。有個腦子壞掉的殺人魔在這附近打轉。太太妳想拜箱子還是拜豬都隨便你，可是女兒的性命另當別論吧？看是要死命拜託她還是乾脆用麻繩綁起來都行，最好現在立刻去找到她，然後綁起來。」

「綁起來？」

「妳不是說女兒不聽妳的話嗎？所以綁起來比較快，至少比被殺掉好。」

「被殺掉？」

「會死喔。」

「這、這是──真的嗎？」

「當然是真的。」

「你們──到底是誰？」

「哈哈哈哈，總算想到要問我們的身分了嘛！平常人一開始就會問了耶。實不相瞞，反正本來就沒在隱瞞，總之我們可是日本之中首屈一指的靈媒，名號就叫御龜神。這位就是本尊！」

多麼亂來啊！別的不說居然說什麼御龜神，隨口亂說也該有點節制吧。

榎木津恭敬地指著我，我訝異得嘴巴合不攏。

「我們及早預知到妳女兒會有災難才連忙趕來這裡相助。但是太太妳已經先信了箱子教，所以我們才會問東問西的，好確認這個箱子神是不是有什麼通天本領來保護妳女兒。可是這箱子沒用，完全沒用。因此現在得靠妳自己的力量來保護女兒！」

此時君枝的表情明顯產生了變化。困惑，君枝正感到相當的——困惑。

「很抱歉，就算求我們也沒用，因為我們不救其他宗教的信徒，所以妳想得救就自己去得救吧。只不過也要記得順便救妳女兒。好了，龜神大人，我們回去吧。」

榎木津催促我起身離開。君枝比我早一步起身，說：

「你、你們少隨口說說這些胡言亂語！別想騙我。」

「我們又不收錢，騙妳有什麼好處？我們是聖人，只是來告訴妳真實而已。如果妳不相信的話，」

榎木津凝視君枝的後方。

「妳第一任丈夫——剃五分頭，左半邊禿了約有五公分左右，頰骨突出，鼻子右翼有顆大黑痔。第二任丈夫右側臉頰有燙傷的傷痕，有點暴牙，上門牙跟下門牙各缺一根。另外看起來很溫柔的——那個男人——是妳父親——的師兄嘛。他一頭稀疏頭髮向後梳，蒼蒼白眉，有一點點斜視，戴著玳瑁

鏡架的眼鏡。」

「啊啊！」

君枝的臉色突然一片蒼白。

榎木津正在說的是他所見到的君枝的記憶──嗎？

「賴、賴子──很危險？那為什麼、你們剛剛不趁機阻止她！」

君枝驚慌失措，不過她的指責很有道理。

「自己假裝不在家還反過來指責我們，臉皮會不會太厚了點？那時我們又沒辦法肯定她會出事。如果妳知道她可能上哪兒去的話趕緊去找吧。總之記得要小心謹慎。走吧，龜神大人。」

面對這幕突然的發展我還在莫名其妙之中，忘了要起身。

「賴子真的很危險嗎？」

「小心為上。」

楠本君枝精神變得有點恍惚，不斷喊著女兒的名字。

「賴子──賴子──賴子。」

※

「賴子。對，楠本，楠本賴子小妹。」

「楠本同學嗎？」

有點神經質的白皙少女皺著眉頭作出厭惡的表情。

「楠本同學做了什麼壞事嗎？」

另一個發育良好的大個子女孩則在一旁笑瞇瞇的。

總覺得很不擅長應付這年紀的女孩子。

直到問到這兩人為止，福本花了一小時以上的時間在校門口問話。經過錯失時機的五十人以及沒成果的二十人後，總算碰到認識賴子的少女。

今天早上，木場來到派出所。

福本吃了一驚。

加菜子遭人綁架的那天之後，在還不清楚發生什麼狀況當中，木場就已經被神奈川縣警帶走了。那是福本最後一次看到木場。

福本早以為今後再也沒機會見到木場，擅自認定從此永別今生。

福本覺得木場這個人很厲害，碰上如此悽慘的遭遇仍不氣餒。福本雖不知他受到什麼懲罰，總之應該是遭到很悽慘——例如拷問——的對待吧。福本的想法彷彿古裝片的劇情般陳腐。

福本自己則是好像是受到訓誡或訓告，被痛揍兩頓並減薪。光這樣福本就覺得受夠了，覺得還保能住飯碗就不錯了。告誡自己以後別強出頭，乖乖執行自己的勤務就好。

突然來訪的木場簡單說明自己正被罰閉門思過中，可是事件在表面下仍持續錯綜複雜地發展，而搜查本部又沒注意到這點。他帶著沉穩的魄力要求福本協助。

說實話，福本一點也不願意。

福本已經確實學習到所謂的正義感、功名心、真理的探求——諸如此類，是多麼麻煩又令人疲累的事；而福本現在也不具有足以擊退這些麻煩的活力之源——動機。

木場的請求如下：

他希望福本去查問楠本賴子的同學。首先是對賴子的評價，再來是加菜子的評價。接下來則是是否曾在學校學習過以下這些詞。

天人五衰、屍解仙、羽化登仙，木場給他的紙條上寫著如上的詞彙。福本不認識這些詞。木場說他也沒聽過。福本總覺得問女學生是否知道這些詞似乎也沒用。

木場看起來很認真。看著他認真的表情，福本實在無法拒絕這些奇妙的拜託。

說簡單的確很簡單，不過對外表凶惡的木

場而言，或許頗有難度吧。如果手上有警察手冊還另當別論，但他目前被罰閉門思過當然不可能有。另一方面福本一看就知道是警察，所以由他問話簡單多了。幸虧此時派出所裡只有福本一個，只要巧妙進行，幫忙這個不良刑警的事情——應該不會被發現吧。

福本不得已，接受了他的請託。

「說實在的，楠本同學是個、有點奇怪的人。」

「她很不起眼，不過最近好像對自己又有點誤解，對吧？」

「對對，她個性很陰沉，又沒朋友。」

才問一句便得到許多超乎需要的回答。

「誤解？什麼意思？」

「我不太會說，就是覺得她的對抗意識好像變強了。」

「明明就沒人理她，怎麼說呢，應該算自我意識過強吧？」

「對對，不過她最近一直請假。」

這兩個女孩子幫彼此補充，輪流說明，說好懂確實很好懂。

「她都，沒來學校嗎？」

「都沒來耶。聽說她經常進出咖啡廳，是個不良少女。」

「這些事都是柚木同學教她的。柚木同學死了以後，她還以為自己變成柚木同學了呢，真好笑。」

「妳們說的那個柚木同學是指柚木加菜子嗎？」

「對！警察先生知道啊？她自殺了，跳月台自殺的。警察先生應該知道吧，當然。」

「老師什麼也沒說，不過我們大家都知道。居然自殺了，真不敢相信！對吧？」

看來在同學之間柚木加菜子被當作自殺。但對於這件事情，她們的感慨卻只有一句「真不敢相信」。

「柚木同學是個怎樣的人？」

「柚木同學也很奇怪。」

「一樣也是沒有朋友嗎？」

「沒有是沒有——」

「不過跟楠本同學不同。大家不是不想跟她交朋友，而是不知道該怎麼接近她。」

「對對，有種難以靠近的氣氛。」

「成績也很好，並不討人厭說。」

與賴子對加菜子的印象有點細微的差異。

「可是她也是不良少女？」

「不知道耶——只知道她常去咖啡廳。」

「我有看過喔，我曾經看到她走進彈簧工廠旁的咖啡廳。那裡我覺得好可怕。」

「她的用詞也很獨特。我曾聽我媽媽說過。」

「說？」

「我媽說，絲聲籽果然不一樣。」

「絲聲籽是什麼？」

「沒爸爸的人啊，聽說楠本同學也是。」

「是喔？」

大概是說「私生子」吧。福本不敢斷言沒有父親的環境對小孩的行為與性格的形成完全沒有影響，可是只因沒有父親就被人貼上標籤真是情何以堪。

這是種——歧視。這些女孩子的母親們在不知不覺中把歧視的心態灌輸到女兒身上。福本覺得有些悲傷。本想苦言相勸，不過覺得不合自己的立場於是作罷。

福本也是年幼喪父。

他已經沒心情繼續聽下去了。

「謝謝妳們的幫忙。最後我想問個怪問題，這些詞——妳們在學校學過？」

少女們看了紙條，一起搖搖頭。

福本看著離去少女們的背影，感覺到近似全力奔跑後的劇烈疲憊。只不過，完全沒有運動完時的舒暢感。

「賴子小妹原來被班上同學討厭啊。」

福本發出聲來，自言自語地說。

※

把福本捲進來或許是失策吧。

木場有點後悔。

這名叫福本的年輕人是個很叫人在意的人。說老實話，木場非常討厭他的遲鈍，同時諂媚的態度、以及與木場大不相同的感性也叫人非常厭惡。可是，

——不知為何，總讓人無法棄之不顧。

所以木場很在意他。協助木場或許又會有災難降臨在他頭上，可是現在也沒其他更好的法子，總不能乖乖等到閉門思過結束吧。而且，木場也覺得這個事件必須要趕在閉門思過期間結束前解決才對。

昨晚從京極堂那裡聽來的關於陽子的情報，對木場果然還是相當具有衝擊性。

京極堂說：

「現在，大爺該去做的是想辦法撫慰陽子小姐的傷痛，而不是像個笨蛋似地一心想打倒她的敵人。聽完你的部分，我已經捕捉到整個事件的大致輪廓，只不過還有一些必須確認的部分，請暫且容我賣個關子。」

——說啥「請暫且容我賣個關子」。

既然知道就說出來嘛，不管他說什麼都沒什麼好怕了。

京極堂又說：

「只有一件事我必須先聲明：分屍殺人事件與加菜子綁架事件是分開的，加菜子殺人未遂事件應該也是別的事件。這些事件雖**共有**某個部分，但彼此其實是完全無關的。拉扯其中一端，其他就跟著往錯誤的方向前進。請你務必要小心。」

——鬼才相信！

不，或許真的。但京極堂在這次事件中，說起話來總是吞吞吐吐的，所以無法信任。

難道說他有什麼事不想讓木場知道？

京極堂頻頻勸木場去見陽子一面。木場本來就打算如此，自然沒有異議。只不過京極堂接下來要木場調查的內容對閉門思過中的木場來說有點困難。靈光一閃，腦中浮現福本的臉。

——現在才問這些有啥意義？

木場不懂。所以直接把聽來的話原原本本傳達給福本。那個狗一般的傢伙應該能完成任務吧。木場在路上一直想著這些事。他在逃避。因為他害怕自己會去想到，當他的步伐停止時——也就是到達目的地之後，與陽子的相會。

木場從榎木津交給京極堂保管的那份增岡請神奈川警察製作的資料——這份資料的來源關係是多麼複雜啊！——中得知了陽子的住址。

所在位置與木場的住處隔著車站，位於另一側。木場沒去過這個方向。雖是在同一個鎮上，卻感到很陌生。看似相識，實則未知，很不可思議的風景。

標示區劃號碼的牌子釘在電線桿上。在下一條巷子轉彎後，立刻映入眼簾的是——

一道黑牆。一間小巧雅致，整理得很乾淨的屋子。

——就是，這裡了。

宛如出現在古裝片裡的小妾之家，如果庭院裡還種了松樹的話根本就一模一樣了。不對，或許只是受到京極堂昨天對木場說的陽子的過去影響所致。

木場感覺無所適從。

——自己該裝作是與三郎還是蝙蝠安

（註）？

繞過黑牆走向後門，這種情形還是該從後門進出比較合乎習慣吧。別想太多，讓腦子保持放空。打開房子後面的木門。

小巧的庭院。

陽子在。陽子穿著和服，面向書桌在寫些什麼。

一時之間不知該出聲說什麼比較好。喊「有人在嗎」很蠢，可是說「冒昧造訪」又太像古裝片的味道——

「啊。」

原本低頭寫字的陽子抬起頭來，注意到木場的來訪，先出聲了。

「木場——先生。」

「打擾了。」

這麼講應該還可以吧。

木場穿過院子，在窗外的狹廊前停下。

「您——總是在這麼巧的時機出現呢。」

陽子似乎正在寫信。她靈巧地收拾好手邊的東西，轉身面對木場。

「我倒總是碰上最不巧的場面。有空嗎？」

木場在狹廊上坐下。他害怕與陽子正面相對。

「請上來坐吧，讓您坐在屋外太不好意思了——」

「不，我坐這就好。我再怎麼厚臉皮也不至於忝不知恥地踏進單身女子的房裡，況且我也不認為妳有那麼信任我。」

「沒這回事——」

陽子想了一會兒之後，拿了個坐墊請木場坐。

「前陣子給您添麻煩了，真是抱歉。」

「我是憑自己的意志做事，沒道理該受妳道歉。先不管這些，妳心情平復下來了？」

陽子幽幽地笑了。

「神奈川那群傢伙最近跟妳聯絡了嗎？」

「還沒有。請問——」

陽子的視線集中在木場的背上。

「您是否——知道什麼了嗎？」

「嗯。」

「您去——調查過了？」

「嗯——」

木場盯著院子裡的草木。隔壁家院子裡的栗樹，枝椏長到這邊來了，不久就會結果了吧。

「——增岡他，來通知過柴田耀弘死去的消息了？」

與其半調子地婉轉老半天，還不如單刀直入最快，那樣較合乎木場的性格。

「是的。」

看不出驚訝的樣子。陽子這名女性比想像中的乾脆果汁。

陽子又再次邀請木場進屋內，木場最後還是接受了。

佛龕裡擺著兩張照片。

一張是加菜子，另一張大概是已去世的母親吧。母親的照片被撕去一半，照片右邊原本應該是父親的部分，如今只剩下肩膀部分。

兩張照片同樣都已褪色。

註：歌舞伎名作《與話情浮名橫櫛》中的角色。故事敘述江戶某大商店的少爺與三郎在木更津對女子阿富一見鍾情，兩人互通款曲。但阿富是當地老大的小妾，兩人的情事曝光之後，與三郎被老大派來的人砍傷，阿富跳水自殺。不過幸好兩人命大，勉強保住性命。之後阿富被某大盤商收留為妾，與三郎則在與家裡斷絕關係後成了混混。因全身上下三十四處傷疤的相貌很恐怖，故以「傷疤與三」為名。後來與三郎跟混混朋友蝙蝠安上某大盤商家勒索，作夢也沒想到阿富居然在那裡，而且又是當人小妾。與三郎為此憤恨不平，阿富則訴說自己的一往情深與清白。正當兩人爭吵之際，大盤商家的掌櫃登場，阿富情急之下說與三郎乃是自己的哥哥。掌櫃勸和，給了與三郎與蝙蝠安一筆錢讓他們離開。後來發現掌櫃原來才是阿富的親生哥哥，他其實知道一切內情，特意現身來讓兩人和好的。

上面擺飾著加框的手印，聽說是加菜子中學入學紀念時留下的。

「木場先生——最後還是讓您給查出來了呢。」

陽子端茶過來，木場不知該怎麼回答。

「對不起，我說謊了。但是——我不希望讓您……」

「別說了。」

「我不希望讓您知道這些過去。」

陽子說，眼睛望著遠方。

紙門全部拿下了，家中的格局一覽無遺。

房子並不算很大，卻透著一股寒意。有種難以忍受的失落感。這裡欠缺了某種重要部分。

「這裡也——變得很寂寥了呢。」

原來如此，欠缺的是原本住在這裡的人——陽子的家人。

「那邊原本是加菜子的房間，對面的房間則是雨宮的起居空間。」

「妳跟雨宮一直同居？」

「不，是搬來這裡之後才開始的。」

雖然木場沒開口問，陽子自己講了起來。

「不管原本是什麼關係，在一起十四年的話感覺也和家人沒兩樣了。不過，雨宮本來就是個本性誠實的人——自他被柴田家派來監視開始就是了。」

——十四年前，昭和十三年，與現在相同的季節裡。

柴田耀弘之命令下，一名叫做雨宮典匡的青年被派往陽子身邊。

直接受命於有大恩的柴田會長，雨宮自覺責任重大，必須認真執行。但是對自己而言，要像個間諜般巧妙地如影隨形、隨時監視畢竟是辦不到的事。仔細思考後，雨宮對陽子說——

——希望今後能以家人親戚的關係相處，相互信賴的話，就沒有必要相互刺探。不知該說他很誠實還是很愚蠢，或者根本就是不得要領，總之雨宮向陽子提出了這個不該由監視者口中說出的提議。

於是，雨宮就在當時陽子們居住的大雜院裡租了一個房間住下。他的工作與其說是監視，更像是負責照顧她們一家人。陽子雖然有柴田家幫忙支付的養育費與醫療費，但自己的生活費仍需自己賺取。相對於此，雨宮只要每個月交出報告就能領到薪水，所以說清閒也是很清閒。因此雖然沒人向他要求，他還是主動幫忙照顧剛出生的加菜子，還每天到醫院看護陽子的母親。

「加菜子算是由雨宮一手扶養長大的。那孩子，稱呼自己的生母為姊姊，很見外地稱呼養育自己的人為雨宮先生。自出生以來，我賦予那孩子的就是這樣的一生。」

陽子的眼神很悲傷。

「母親走後不久，戰爭爆發了。我們一家到外縣市避難時，雨宮也一樣為我們盡心盡力——那時我已經把他當作是家人一般了。很可笑吧。對他而言，這只不過是工作而已——但，他真的對我們很好。」

「妳、對雨宮、難道……」

「請別誤會，他不是那種人。我們之間什麼也沒有。請您——務必相信我。」

木場覺得這點應該值得信任。

木場想起了雨宮那張——缺乏凹凸起伏的面貌。但那個男人的人生也可稱之為坎坷的一生吧。

根據增岡的資料，雨宮原本是柴田製絲的子公司柴田機械的員工。雖不知他原本擔任的什麼樣的工作，據說是技術方面的員工。

如此平庸的人生不知在何處出了什麼差錯——但不管如此，造成這個局面的無疑地是木場眼前的陽子。

「我當上女演員後，雨宮成為我的助理，幫我打理身邊的雜事。加菜子也成長到不需隨時關照的年紀——因此經濟上開始漸趨穩定。我會成為女明星真的是偶然的機緣。靠著年輕時當收票員的關係，找到了在攝影棚打雜的工作——」

「這件事我有聽過。」

美波絹子的成功故事很有名。當時雜誌也報導過好幾次，即使不是影迷多半也曾聽過。不過並不包含沒沒無名時的悲戀故事；至於她已經有小孩，且小孩還是柴田財閥的公子哥兒的骨肉，跟班是柴田家的監視人——這類聽似胡扯的故事更是誰也不會相信吧——

一般人更關心的倒不如說是絹子突然息影的理由。

木場趁機詢問此事。

「算是——為了加菜子吧。」

陽子微笑，看起來像是在——裝傻。

「而且柴田家對我拋頭露面的行為也不太高興——我自己對謊報年齡也有點愧疚。」

算了，理由確實很充分。只不過木場認為，如果柴田家對此事不太高興，恐怕根本不會讓她出道吧。木場提出自己的看法，陽子有點困擾地笑了。

「他們原本以為我就算出道也不可能成名吧。而且好笑的是，他們覺得我還蠻可信賴的。因為雨宮每次都會按時呈上報告，而我自己也從來沒打破過約定——而且那時，那個人也早已不在世間了。」

「妳真的從來都沒想過要見柴田弘彌？」

「從沒想過。我們的關係大概在那時就已經結束了。」

「妳是說那並不是可歌可泣的悲戀？」

「現實與演戲不同呢。那個人——如今已是久遠過去的事了——弘彌先生當時大概只是同情我的遭遇而已。」

「只是同情會發展成私奔？」

「弘彌先生他真的很溫柔。對他而言，愛我跟給演員紅包、給畫家買畫具的資金沒什麼不同。而我——那時我一直在照顧生病的母親，真的打從心底倦了，很想很想逃離這一切。現在回想起來，我們之間的關係與一般男女的情愛或許並不相同吧。」

「那，同情與逃避現實之下懷的孩子——為何拚了命也想生下？」

陽子一瞬間退怯了。

這問題對她來說或許太過痛苦吧。

「所以才更要——生下來。小孩子是無辜的。」

如果不考慮——面子或保身、產後的辛苦等等自己的問題，的確就如陽子所說的一般，不管是因什麼理由懷下的孩子都是無辜的。墮胎可說是父母單方面的自私行為。

「說的也是，這種說法——對加菜子太可憐了。」

聽到木場之言，陽子哭了，表情依舊堅毅，只是臉頰多了兩行清淚。她的表情就像個年幼的孩子在撒嬌。似乎忍耐不了失落感，陽子低頭呼喚女兒的名字。

「加菜子——加菜子。」

可是既然這麼為女兒著想——

「為什麼要拒絕遺產？」

「我不想——讓加菜子知道她的身世。」

啊，原來如此。若據實以告，勢必只有木場剛剛說的那種說法。

「難道不能說謊嗎？說實話並不見得永遠是好事，什麼謊言都好——」

「我已經**說了太多謊了**。繼續說謊下去，只會在謊言上累積更多的謊言。我是個騙子。」

沒這回事。這名女性完全說不了謊。這名叫做陽子的女性，似乎真的只能以這種正直得有點傻氣的方式活下去。真沒想到她以這種性格還能當得成好演員。

不，也不算好演員吧。

陽子繼續哭泣。

接下來該怎麼辦。繼續待在這裡，會產生**就這樣持續下去也好**的錯覺。那個超乎常理的事件與現在的狀況之間有道很大的隔閡。

事實是，加菜子與雨宮都消失了，陽子正在哭泣。但事到如今，面對這一切木場都無能為力。該怎麼做才能讓她不再哭泣？要填補這股失落感需要時間，恐怕也只能仰賴時間。解決事件，解開真相，揪出犯人，以上的任何一件事似乎都對她沒有幫助。「打倒敵人」恐怕是與現在情況最不相配的一句話了。沒有意義。

——京極堂他，

早就看出這種狀況了吧。

——豈能任由他擺佈！

在自己眼前消失的加菜子、消失的雨宮、被殺害的須崎——

就算真如京極堂所言，分屍殺人與加菜子的事件是不同的——

就算真是如此，也不能就此放任不管。

在木場的心中已經逐漸忘記原本渴望的目的。木場已經不確定究竟自己在那個階段開始產生目的意識，至少現在已逐漸脫離了「為了陽子」的層級。如果把「為了陽子」視為最重要的項目，就該遵從京極堂的建議，**維持現狀**什麼也不追查，守護她直到恢復才是最好的方式。但是不行。

這個事件已經演變成木場自己的故事了。擔任配角時要他放任不管還成，一旦成為主角就辦不到。木場必須靠自己的行動，導引出與符合木場個人特質之結論。

「——妳與美馬坂是什麼關係？」

陽子拿著手帕擦淚。

「他是──我的一個──老朋友。」

回答得不明不白。眼淚令話語斷斷續續。無法判別回答的真假。

木場沒來由地認為美馬坂是本次事件的重要因素。

既然他的唐突登場是陽子的安排，向陽子詢問理由也是理所當然。

「很難想像受學界放逐的天才外科醫師與賣票女孩之間能有什麼交集。就算當上女演員以後也一樣。妳跟他在哪認識的？」

「他是──我父親的──」

「父親？妳父親是做什麼行業的？」

「也是個──醫生。」

所以說，美馬坂是陽子父親的朋友嗎？由里村的話推測起來，陽子與父親住在一起時，美馬坂尚未被驅逐出醫學界，正是他以天才之名縱橫醫界之時，因此陽子曾聽說過他的聲名也不奇怪。但是既然是朋友，表示陽子父親也是醫學界的核心人物嗎？

「妳父親──是怎樣的人？為什麼會把妳們母女趕出去？」

「我父親──我不太願意回想當時的事。那時父母之間感情很不好，」

陽子帶著哭聲啜泣，輕輕拭去眼角淚水後沉默了片刻。

「是因為母親的病。」

「病？可是你父親不是醫生嗎？」

「是的──但母親得到的是不治之症。」

「不治之症？科學這麼進步，還有治不好的病？」

木場對醫學方面完全無知，以為現代化之後醫學昌明，所有過去治不好的絕症全都能根治。

「她得到的病叫做肌無力症，是種肌肉萎縮無法活動的病症，手臂跟雙腳抬不起來，連眼瞼都無法自由張闔。」

「──木場先生曾想過外表會改變一個人的個性嗎？」

陽子露出無比悲傷的眼神看著木場。

「母親原本是很美麗、心地很善良的人。但是受到病魔纏身的母親很醜陋。我並不是指容貌。她的心、她的靈魂變得像是魔鬼一樣。沒人受得了跟那樣的人相處的。您或許想說身為家人、身為夫婦更應該撫慰母親的心靈是吧？但只憑這些美麗的口號並無法支持日常生活。身為醫生的父親似乎認為──既然無法治療心靈，至少也想治療好母親的身體。我想他也只知道以醫生身分來面對母親吧。只是──到最後還是沒辦法令母親痊癒。」

陽子的視線投向佛龕的照片。

「與母親的生活讓我清楚地瞭解到這個事實。我自己也曾無數次想拋棄母親。所謂的地獄或許就是指那樣的生活吧。我對母親仍有一絲親情，所以更覺得痛苦。這種痛苦驅使我做

「治不好嗎？」

「嚴重的話聽說很難治好。家母不幸得到的是重症──」

語氣很平淡。

「──很不可思議地，隨著表情從臉上消失，人的感情彷彿也跟著一起消失了。本來這是一種神經產生問題造成的疾病，可是母親的心卻也隨之病了，一天比一天嚴重，到最後好像整個換了個人似的。」

「那妳父親也沒道理拋棄妳們吧！本職是醫生就更不用說了，治不好就想法子找出療法啊！」

「父親他──致力於從醫學途徑上尋找解決方法。但那跟日常生活是兩回事。」

「妳被父親拋棄，害得要過苦日子，為啥還想為他辯護。」

平常人連恨都來不及了。

一切不幸是由於父親無情的行為開始的。

出私奔的幼稚行為——所以，要我無條件地責備父親，我辦不到。當然我也不敢說我不恨他——」

聽完陽子的告白，木場不知該如何回應。也覺得不管說什麼都沒有意義。就算陽子壓抑對父親的恨意，向木場說謊，揭發這件事也沒有任何意義。

而且，木場也開始覺得繼續聽陽子的過去事件很**痛苦**的事情。不管經歷過什麼事情，陽子仍是現在的陽子，知道她的過去只是種無意義的行為。木場本來就只知道陽子作為電影明星的虛像的那一面。

對木場而言，一開始，不同於女明星美波絹子的現實——柚木陽子是個重擔。但是到現在，她的過去與女明星的虛像早就合為一體，無所謂了。

不知不覺間——大概是想通了的那天開始——木場受到現實的柚木陽子所吸引。昨天京極堂對他如此暗示，木場在朦朧之中再次體認了這件事。

越說陽子越悲傷，越聽木場越疏遠。木場的故事與陽子的過去無關。重要的是今後該如何處理——這才是問題。

「增岡——他好像雇了偵探咧。」

「偵探？」

「大概覺得交給警察處理不放心吧。可惜的是他雇用的傢伙是世界上最沒用的偵探，肯定沒辦法找到加菜子。對了——增岡那傢伙除了柴田的訃報以外還跟妳說了什麼？」

「一個月——一個月內，如果**無法確認加菜子死亡**時，將視我為代理人，繼續展開遺產相關問題的交涉。」

「原來如此，那，妳打算怎回應？」

「沒什麼好問的——只要一個月內加菜子回來的話——一切照舊。」

陽子還沒放棄希望嗎？

「沒回來的話咧？」

陽子瞪了木場一眼，木場的問法的確很討人厭。

「我打算繼承財產。」

「為何妳會改變心意？」

木場覺得很意外。

以沒有理由接受來拒絕柴田家微不足道的援助；只因不想傷害女兒，一直頑固拒絕繼承天文數字的莫大財產。連增岡也不得不承認她對錢毫無興趣。這樣的陽子，居然願意繼承財產？

「我開始覺得，真的不想讓加菜子知道的話，這才是最好的辦法。當然，這也——考慮到加菜子回來後的事才下的決定。」

表示——她真的還沒捨棄希望嗎。

木場實在無法相信加菜子還會回來。

木場認為加菜子絕對已經死了。聽來或許殘酷，但這就是現實。柴田家也只是還無法確定加菜子死亡而感到困擾。在眾多關係人當中，到現在還相信加菜子還活著的——

木場想，恐怕只有陽子一個而已吧。

「加菜子活著回來的話，一定需要很多治療費吧。當然，就算身體沒有問題，也還是需要很多錢——一想到無辜的她被捲入我們這些大人間的糾紛我就——」

陽子又再度流下眼淚。

「一切，一切都是我不好，一切壞事的元凶都是我，所以——」

語尾發抖，轉為啜泣。

「而且——說不定那孩子已經**知道自己不該知道的事**了。那麼，如果真是如此，現在說再多也……」

「妳是說加菜子知道自己出生的祕密了？妳認為是增岡洩露出去的？」

「增岡先生做事不可能這麼急躁，所以我想應該不是增岡先生。但是——若不如此猜想。」

「妳認為那就是自殺的理由，嘛？」

多愁善感的少女知道了自己可恥的身世，厭倦人世，企圖自殺。到此為止聽起來還像老套的不幸故事之發展，但是——

九死一生的少女於生死之境徬徨後又被捲入難以費解的犯罪之中，最後還遭人綁架。少女沒有罪過。如果這是事實，那麼與其稱做不幸或災難，更不如說是悲劇。

正如陽子所言，加菜子才是受到大人們自私想法作弄的被害者。

木場只是個外人，但陽子是這女孩的母親。

母親啜泣個不停。

不管是什麼情況，總希望女兒能回來吧。

而情非得已的遺產繼承應該也是為了將來——不，為了在記憶裡留下加菜子曾存在過的遺痕。

神奈川那群傢伙竟懷疑如此可憐的母親？到現在也仍繼續懷疑？雖說，陽子的確做了許多偽證。

「神奈川那群傢伙知道多少妳的底細？」

「我除了——加菜子是柴田的直系子嗣以外——什麼也沒說。但是既然木場先生都已經知道了——多半——」

「這妳倒是可以放心，那群無能的傢伙不可能知道。」

木場會知道陽子的過去也是一種偶然。

正常之下不可能得知。

陽子帶著複雜的表情聽木場的話。

對陽子而言恐怕還是沒辦法放心吧。

那群傢伙很無能——就代表他們也沒辦法找到加菜子。而且不只如此，這同時也意味著神奈川縣警完全缺乏解決這次事件的能力。

——沒辦法，這是事實。

——他們連陽子撒的一個謊也看不穿。

原本打算如果中途知道答案的話就不問了，不過木場還是決定問最後一個問題。

「只不過啊，姑且不論妳的底細——妳騙了神奈川那群人吧，為啥？」

「咦——？」

「我在說戴黑手套的男人。妳或許不知道，我人其實一直都在後面的焚化爐前，我很清楚妳根本沒進森林。」

「那是因為——」

「至少讓我知道妳的真正用意。為什麼妳要讓那群本來就是烏合之眾的笨蛋更加混亂？越說謊就更不容易找到加菜子吧！妳——不可能真心希望如此吧？」

「因為警察們——只知道懷疑雨宮跟木場先生你，以及我而已，所以……」

「所以希望警察們把焦點放在外面是嗎？」

原來如此，這麼說來這招的確有效。

聽青木說，那些笨蛋們被先入為主觀念所束縛，絲毫沒考慮其他情況，陽子的偽證實際上也讓他們開始注意到其他的可能性。

「而且，那女孩——楠本賴子的證言如果是真的，那個戴手套的男人不是很可疑嗎？

——雖說這只是我以外行人眼光所作的猜測。」

這麼說也沒錯。

如果加菜子不是自殺，目前最有嫌疑的只有手套男。如果這是事實，認為他與綁架事件有關也不奇怪。再加上手套男同時也是分屍殺人的嫌疑犯。

——賴子。

也必須去見楠本賴子一趟。

陽子凝視著木場。她已不再哭泣，但長長的睫毛上還沾著淚珠。宛如賽璐珞娃娃般的皮膚依舊白皙，只有口紅格外鮮麗。

——居然染上了顏色。

這不是螢幕也不是劇照。

這女人活生生地存在著。

——混蛋京極，自作聰明說啥鬼話。

當務之急乃是該想著如何撫慰陽子女士的傷痛，

——別插手了。

而不是像個笨蛋似地去想著如何打倒她的敵人。

——別做多餘的事。

難道不是這個意思嗎？

確實，那樣做或許對陽子比較好。

陽子能重新來過的機會只有現在，也只有木場能伸出救援之手，幫助她忘懷一切不合常理的過去。

同時那或許也對木場本身較好。

多少得花點時間，木場只需在一旁守候，等待新的故事誕生即可。

心情逐漸動搖，名為木場的箱子即將開啟。

陽子輕聲細語地說了。

「木場先生——您還打算繼續插手介入我們的事嗎？」

「嗯，當然會。」

木場急忙把箱蓋蓋上。

「為什麼——呢？」

「因為啊，這已經是**我的事件**了。」

木場站起來。

陽子默默地抬頭看他。

「問了這麼多深入的問題，希望沒讓妳感到不愉快。妳看也知道，我天生就比較粗線條。」

多麼裝模作樣的藉口啊。

「如果，」

木場迴避陽子的視線。

「如果您更早一點介入就好了……」

「打擾了。」

「是您的話……」

「我會再來的。」

是您的話——

木場沒聽到最後就轉過身。

也不知道陽子是否把話說完了。

箱蓋要開啟還早。

木場想。

採訪筆記／關於持箱幽靈

●聽說出現了一個穿燕尾服的年輕男人的幽靈。手裡拿著箱子，走路非常快。看到他的人會生病。三班的堀野同學看到他的隔天就請病假了。

八王子・十歲・男

●那是一個抹髮油的男幽靈。聽說他在去結婚典禮的路上死掉了，小心翼翼地拿著箱子。

八王子・十三歲・女

●有個手跟臉會發光的亡靈出沒，身上穿著黑衣，好像剛從葬禮回來的樣子。手上捧著小小的棺材，裡面有小矮人的屍體。

田無・十一歲・男

●白手妖怪帶著箱子來到這裡，就出現在交通號誌的對面那一帶。

田無・九歲・男

●那是個穿喪服的男幽靈。聽說臉上沒有器官，不過聽親眼目擊過的朋友說還是有。小心翼翼地抱著箱子。我自己沒看過，不過聽說他走到寺廟那邊了。聽說有五個人看過。看起來走得很慢，但怎麼追都追不上。

調布・十一歲・男

●身穿禮服的男子抱著箱子走路。臉蛋像是娃娃一樣，我覺得他的舉動很奇怪。

昭和町・十五歲・女

●黑衣幽靈抱著箱子繞來繞去，被他偷窺的家庭會得病。他抱著的箱子裡面裝滿細菌。

昭和町・十歲・男

●有個不認識的男人出現在葬禮上。他是幽靈。沒發覺就不會有事，要是有人發覺了近期內又會有人去世。幽靈抱著箱子，所以一看就會發覺到。所以參加葬禮時最好不要東張西望

多磨靈園附近・十六歲・男

●身穿禮服的男子在墳場徘徊。見到喜歡的墳墓就把箱子埋進去，然後墳墓所有者一家人都會得病。

多磨靈園附近・十四歲・女

●手腕發光身穿喪服的男子手裡拿著從墳場裡挖出來的箱子，他是幽靈。

多磨靈園附近・十五歲・女

●無臉怪抱著箱子追人，被他追到三年後會死。

蘆花公園附近・十歲・男

●有個黑衣外國幽靈。語言不通，所以被他作祟的話沒辦法驅除，念經也沒效。手上的箱子裝了骨頭。

蘆花公園附近・十二歲・女

●白色手腕在路上爬行，追它它會逃進箱子裡。是箱子的主人飼養的。

田無・十歲・男

●帶著箱子的怨靈把活生生的手臂放進箱子裡，一遇到人就會把手從箱子裡放出來，手會追人追到天涯海角。隔壁鎮上的少年就被追進廁所裡，隔天一看，手夾在廁所

牆壁與圍牆之間動彈不得死掉了。所以說手臂如果不在當天回到箱子裡會死。

田無・十一歲・男

●最近有個穿禮服的幽靈抱著箱子出沒。明明腳都沒動卻移動得很快。好幾個人都有看到。

登戶・十三歲・男

●從鎮外箱館逃出來的妖怪到鎮上吃屍體。牠把屍體撕成碎片放進箱子裡當作便當。聽說不趕快抓到牠會發生很糟糕的事情。

登戶・十五歲・男

我到訪時，京極堂正抱著頭瞪著矮桌。

京極堂夫人說自從前天木場離開後他就一直這副德行。

前天朋友家守靈，夫人去幫忙打點事情，回來時恰好碰上木場正要離開，從那之後到現在還沒聽過丈夫開口。

「昨天他一早就出門，直到晚上才回來。可是回來了也還是這副德行。結果我能談話的對象只有貓，差點忘記人話怎麼說了呢。」

夫人說完，露出苦笑。

所以說，京極堂昨天很難得地主動出門調查了嗎？

「因此昨天聽您聯絡說今天很多客人會來，心情上彷彿得救了一般。剛剛有位似乎叫做青木——的先生打電話過來，說待會也會來。」

「青木？青木刑警嗎？」

夫人說她不清楚。

如夫人所言，我這個朋友真的徹底不發一語，一動也不動。我好歹也算是客人，可是他連看到客人坐在旁邊還一聲招呼也不打，實在很過分。沒辦法，我只好觀察起他身邊的事物。

增岡律師給的資料之類的文件整齊地堆放在榻榻米上。旁邊擺著《畫圖百鬼夜行》系列全十二冊。後面則依開數大小整齊地排放了許多不明所以的漢籍或古文資料。他身邊則有許多堆積如山的書籍與筆記本。京極堂這個人意外地幾乎不做筆記，因此他記了些什麼倒是很叫人好奇。另外，對面也可看到堆了許多雜誌。他身旁的空間被書籍所填滿。書店跟書齋還沒話說，現在連客廳也被佔領了。

京極堂突然轉頭看我。

「怎麼，你在看什麼，真噁心。」

我才覺得噁心，害我嚇了一大跳。

「讓人等半天，你好意思一開口就說這種

話嗎？這麼專心是在想什麼？」

「嗯。」

京極堂簡短地應了一聲，轉頭望著庭院。

「說到這個。」

他從由我這裡看不清楚的書堆中抽出一疊雜誌放到桌上。

放在最上面的是個紙袋，是我大前天拿來的紙袋。

「我看你把這東西丟在這裡，擺明是要帶來給我看的，所以就讀了。」

是久保的排版稿。

「啊，那個本來就是想讓你看才帶過來的，你讀過了當然是最好。那，看完感想如何？」

「問題很大。」

他回答得很冷淡。什麼意思？

「這個待會兒再說。另外裡面還有封寄給你的信我也不小心看了。讀到一半才發現是私信，但已經來不及了。」

「信？啊，小泉的是嘛？」

「沒錯，被我看過了喔。」

「嗯，沒關係，反正也沒寫什麼見不得人的事。」

「對你來說沒關係，對我來說關係可大了。結果害我在意起你作品的刊載順序，又把你寫的那堆陰鬱的私小說全部看過一遍了哪。」

京極堂指著桌上的那些雜誌。

原來是過期的《近代文藝》。

「全部？你什麼時候看的？你不是很忙嗎？」

「昨天晚上。信是前天看的，不過昨天接到木場的報告電話後又突然想起來。」

「因為大爺的電話而想起來？那又是為什麼？」

「這不重要。話說回來，你還在煩惱順序

嗎？」

老實說，我已經忘了。

這幾天忙著注意事件，我連單行本出版的事都忘了。正確而言並非完全忘記，只不過被塞進腦袋的角落裡，遠離了我的意識。

不過也不可能老實地這麼說，只好含糊地說我還沒決定。

「既然如此，我就說說我思考事件的過程中順便產生的見解好了——」

京極堂從雜誌堆底下抽出一張紙交給我。

「這是什麼——？」

我看了一下。

紙片上紀錄了我作品的一覽表。

「有幫助就拿去當參考吧。」

京極堂裝作很不以為意地說。雖然到最後都沒機會找他商量，不過我這個細心的朋友還是主動替我考慮了刊載順序。

一覽表分做上下兩段。

上段看來是依刊載於《近代文藝》的順序做排列。

昭和二十五年五月三十日〈嗤笑教師〉

昭和二十五年九月三十日〈意識型態之馬〉

昭和二十六年一月三十日〈E・B・H的肖像〉

昭和二十六年四月三十日〈天女轉生〉

昭和二十六年七月三十日〈帶著蒼白的臉色〉

昭和二十六年十月三十日〈舞蹈仙境〉

昭和二十七年五月三十日〈溫泉鄉的老爺〉

昭和二十七年八月三十日〈目眩〉

「你是作者當然一看就懂吧，上段是發表於雜誌的順序。只不過如同小泉女士於信中所言，脫稿的順序是〈帶著蒼白的臉色〉比〈天女轉生〉更早；若更進一步著眼於著手順序，則〈舞蹈仙境〉又比〈蒼白〉更早。關於這些事情的經過我也聽你提過，她的見解並沒有錯，而撰寫者的你自己也想必再清楚不過了。接下來——若要我表示個人意見，我認為你的作品依以下的順序來閱讀或許比較好吧。當然，這只是個參考罷了。」

下段也是我作品的一覽表，不過順序不太一樣。

大正～昭和初期─幼少期〈帶著蒼白的臉色〉

昭和七年前後─少年期〈溫泉鄉的老爺〉

昭和十四年─青年期〈E・B・H的肖像〉

昭和十五年─學生時代〈嗤笑教師〉

昭和十七年─戰時〈意識型態之馬〉

昭和二十年─終戰〈天女轉生〉

昭和二十二年─戰後〈舞蹈仙境〉

昭和二十七年─現在〈目眩〉

「這是——按什麼順序來排的？」

「少來了，上面不是寫得很清楚嗎？這是作品內的時間順序。你的作品表面上的風格雖然很扭曲，說穿了還不就是私小說，一看幾乎就能知道各篇描寫的是你哪個時期的經驗。〈帶著蒼白的臉色〉應該是基於你幼年時期的恐怖體驗印象撰成的故事，〈天女轉生〉則是以終戰時期的焦土為舞台。大致的時代都設想得到。所以我就按照這個順序排列了一下。」

「嗯嗯。」

正是如此。這種排法的確很通暢。如此理所當然的排法我之前卻想不到。

光只是注意那些書寫時期、連載順序的問題。

「內在時間是種很主觀的東西，所以算不

上真正意義下的時序。所以說，我列出的順序也不見得就是正確的。總之這只是芝麻小事，覺得我太多事的話丟了即可。」

「不，怎麼可能丟了。我覺得這應該是目前最理想的排法了。你幫了我一個大忙。」

「那就好。」

京極堂以更冷淡的態度回答後，盯著我拿出來的清野名冊，再次陷入沉默。

不久，榎木津與鳥口來了。

客廳被我們這群怪人團體所佔領。

「京極，省點麻煩，快快開始吧。」

榎木津不斷催促。他今天心情也很好。

京極堂心不甘情不願地開口說：

「那你們又是為了什麼還在今天集合？說要開始是要我做什麼？」

「事到如今你還在說什麼傻話，說要跟我們報告那天之後的事的不就是你自己嗎？」

我興奮得有點臉紅。想聽結論，心急得不得了。

榎木津很難得地站在我這邊。

「沒錯，你有說過。還說日期由我們自行決定，所以我就自行決定了。你八成以為我不愛聽話而小關記憶力又很差，所以隨口說說也沒關係對吧！我可不會讓你矇混過關。」

京極堂大大地嘆了一口氣。

「我沒想過要矇混過關。我的確這麼說過。但我原本那麼說就是為了支開日期，你們現在卻又聚在一起。要對你們講的另有其話哪。好吧，總之你們先向我報告再說。」

京極堂說完又嘆了一口氣，似乎真的覺得很討厭。

我先做了前天的報告。因為榎木津又先躺下了，變成全部由我來報告。我描述了偶遇久保、與賴子的對話、以及君枝的話等事之經過。雖然有很多對話只有榎木津才懂，不過本人並沒有特別出面解說。鳥口聽到御龜神的部

分大笑了起來，京極堂也一起苦笑了。榎木津起身，

「不過啊，後來想想應該說御猿神比較有信服力，我已經在反省了。可是當時真的覺得烏龜比較好。」

他很認真地說。

「話說回來榎兄，那些楠本君枝的丈夫們的容貌都被你說中了，你真的看見了嗎？」

我真的很想知道這件事的真相。

「嗯，看見了看見了。我看見那個茶櫃上有張老照片。然後旁邊還有張發黃剪報，剪報上有個戴眼鏡的老頭喔。」

「咦？」

「不過啊，照片太小了，看不出是禿頭還是受傷，所以我就隨口瞎說。哪個是哪個我也是亂猜的。剪報上有寫名字，但我當然記不住所以就沒說了。我想大概是那個女人自殺前變得多愁善感，才會拿照片出來緬懷一番吧。」

原來是——**親眼看到的**嗎？

「什麼嘛，原來是詐騙！」

「才不是詐騙，她也真的在回想那三個人咧。」

「關口，不管是哪種都無妨吧。總之榎兄的策略成功了，那不就得了？」

「策略？那個御龜神是策略嗎？」

我完全沒發現。

「什麼？關口，原來你向我報告，自己卻連這點小事也看不出來？你真的是完全不能信賴的敘述者哪。聽你說話的人全都會搖頭嘆息吧！這可是榎木津偵探難得會令人鼓掌叫好的妙招啊。」

可是我還是不知道帶來了什麼效果。我忍辱詢問。

「你知道嗎？關口，楠本君枝因為轉而相信起靈媒御龜神而**無心自殺**了哪。當然一方面是對御筥神產生了不信任感，另一方面則是因

擔心女兒，顧不得原本自殺的打算。」

「啊。」

確實，那之後君枝臉色大變，立刻出門尋找賴子了。如果我們什麼也沒說就離開的話，難保她不會真的自殺。就算當場再怎麼阻止也沒用，畢竟我們也不可能一直監視她。

「對了，榎兄，你那時在賴子背後看見了什麼？」

「看到痘子，還有那個怪男人。」

「久保嗎——這可不妙。那，後來是否找到賴子了？」

這我們就不知道了。

「是嗎——」

京極堂又再度抱著頭煩惱起來。

「痘子長在**哪裡**？」

「這一帶吧。」

榎木津抓住我的脖子，把我拉到他身邊去，用食指戳我背後指示位置。

「大概是這一帶。」

那是在第七頸椎下方接近胸椎的部分。所以已經不算頸部，與其說後脖子不如說背部上方比較對。

京極堂注意地看著。

「那鳥口你呢——結果如何？」

話題突然被帶到鳥口身上。榎木津把我一把推開。

「等很久了。」

鳥口因總算輪到自己而顯得很有精神。

「要找出第一個信徒真的很費功夫。那本信徒名冊基本上是以五十音排序，而且也有很多部分變隨便的，因此對於找第一個信徒一點幫助也沒有。所以我就去找經常出入箱屋的人偶業者打聽囉。可是這些業者就算沒信徒那麼凶，也多半不是朋友是信徒，就是師傅是信徒，所以大家警戒心都很高，一點也不肯透露消息。於是我又朝別的方向去打聽，這次就很成功，幾乎可以肯定第一個信徒是誰了。」

「為什麼說幾乎？」

京極堂不開口，所以我就問了。

「因為沒辦法向本人做確認嘛，所以我也不確定他的名字叫什麼。女兒節人偶不是有牛車、方形大箱之類的配件嗎？第一個信徒就是專門**塗裝**這些配件的工匠，名字好像叫山內或山口。當時寺田木工也有承包這類裝飾配件的製作。上一代的技術差勁，不會製作這類手工藝品。不過兵衛的手很靈巧，所以也接起這方面的工作。工作比例大約是鐵箱一半、木箱一半、手工藝品少量。他就是手工藝品方面的客人。」

「為什麼不確定名字？」

「因為大家都只叫他的外號阿山。我說的另一個方向就是那些搬木材之類材料進箱屋的業者，或金屬加工機器的製造商這類人。他們跟人偶業界沒直接關係，與阿山是透過寺田木工認識的，除了在箱屋有機會碰面以外沒其他接觸。這群人在箱屋變成御筥神後就逐漸疏遠了。不過剛開始應該還是常進出箱屋，所以我料想他們應該有聽說過些什麼謠傳。」

「這個著眼點很敏銳。」

京極堂讚美。

「可是連名字也不知道的話，沒辦法斷真假哩，鳥口。」

「名字並不重要。」

京極堂照樣擺著一張臭臉，毫不客氣地否定掉了我對鳥口的追究。

「然後？」

「那個男的——我忘了說，他是男的，總之我們姑且稱呼他山口好了。山口因為自己的不小心害孩子受傷，夫婦因而感情失和，讓老婆給跑了。之後他就一直很灰心喪志。不過不知道為什麼，山口不斷受到兵衛的鼓勵。那個沉默寡言又不親切的人居然會鼓勵人——所以大家都很驚訝。」

「你說兵衛**鼓勵**他嗎？」

「是的，鼓勵他，而不是用一些什麼**不可思議的**咒法。是類似美國流行的那個什麼心理治療的行為。」

「有聽說是怎麼個鼓勵法嗎？」

「有聽說了。當時很多人在討論這件事，說那個木頭人是在胡說些什麼。當時兵衛好像是這麼說的：『阿山，我會把你的不幸封進箱子裡，別再失意了，早點打起精神吧，小孩的傷雖然沒辦法恢復原狀，但時間會解決一切的』——大致如此。中禪寺先生，您覺得如何？」

「非常普通的鼓勵法哪。跟靈能毫無關係，任誰都說得出來的騙小孩式的鼓勵法。不過跟你說這些事的木材行或機器行的人確定不是御筥神的信徒嗎？」

「我確定不是信徒。他們都是一些拿聖經擤鼻涕、取符咒擦屁股的沒信仰的人。有好幾個人記得阿山這號人物，不過大多都很相似，都是沒信仰的傢伙們。」

「這件事是何時發生的？」

「山口的孩子在去年正月受傷，他老婆跑掉則是二月的事。」

「嗯嗯。」

「也就是說，山口受兵衛鼓勵是在御筥神建道場之前，澡堂老爹找到福來博士的『魍魎之箱』之後。因此要問我他是不是就是第一個信徒，其實我也不敢斷定就是了。」

「不，這就夠了，我想知道的就是這個。」

京極堂說完抬起臉來。鳥口雖被誇獎，接下來卻很沒用地說：

「只不過關於兵衛的家人嘛，這邊就——」

「查不出線索？」

「是的。不過有聽到一個值得注意的消息，聽說常去箱屋的人當中有個奇怪的傢伙。」

「奇怪的傢伙是指？」

「這個嘛，大概是二十歲前後的年輕人，他不是人偶業界的人，要說是來訂做箱子的客人似乎也有點奇怪。聽說他出入得很頻繁。」

「說頻繁，是到什麼程度？」

「這個嘛，據說是前年年底開始就常見到。這是剛剛提到的那個當時還很常到箱屋的沒信仰的木材行老闆說的，他說這個年輕人看起來就很可疑。木材行老闆當時大概每個星期都會到箱屋一、兩次。箱屋算不上大客戶，但畢竟是從上一代就開始的老交情，自然不敢怠慢。然後——他說他每次去都看到年輕人在。只不過從不跟兵衛講話，只是靜靜地待在工廠角落。也曾看過他進出工廠後面的住處，所以猜他或許是兵衛的家人。」

「原來如此。照前幾天鳥口所言，兵衛結婚大約是二十一、二年前，因此若說那位年輕人是他的兒子在計算上也吻合。」

沒錯，這麼算來的確吻合，這點我也還記得。

「可是呢，也有些地方令人難以相信這兩人是父子。」

「什麼，不是嗎？」

我每開口一次京極堂就瞪我一下。鳥口繼續說：

「各位還記得我上次說過的豆腐店老闆的證詞嗎？御筥神的道場完成是在去年夏天，當時有個訂製大量大型木箱的客人——我應該有說過吧？」

「確實說過。」

「這個奇怪的年輕人似乎就是訂做大箱子的客人。」

「怎麼知道的？」

「因為他們都有**戴手套**。」

「手套？」

「據說他的手套要當作冬天用的略嫌太薄——像司機或照相師戴的那種——不過他一直戴著。這是木材行說的。另一方面，豆腐店則說夏天卻還戴手套實在很奇怪。」

「啊對了，前天遇到的那個怪傢伙也有戴手套嘛。」

「咦？」

對了，**他是久保**。

「關口！久保竣公有戴手套嗎？」

京極堂大聲地問。這大概是他這兩三天裡發過的最大聲音吧。

我回答：

「他——我不是很清楚，不過聽說他失去了幾根手指，因此總是戴著手套——就是剛才鳥口形容的那種薄手套。只不過，我也才只見過他兩面而已，不敢保證。」

「這下子越來越糟了。」

京極堂手按著額頭，腦子似乎正以劇烈的速度運作思考中。

「不，是我過慮了吧——」

「京極，你應該知道真相了吧。」

榎木津追問。

「嗯，知道是知道。這次的三件——應該是四件吧——事件當中有兩件已經知道了。剩下的——我想，等聽過你們的報告後應該就知道了。」

「原來還不知道啊。」

「就是知道了才覺得困擾。」

京極堂站起來。

「總之我先跟青木聯絡一下。」

京極堂說完離席，事情到底變成怎麼回事我真的看不出來。鳥口似乎也與我感想相同。至於榎木津則又躺了下來。

看來夫人說的青木果然是青木刑警。

京極堂很快就回來。

「沒聯絡上，他剛好朝這裡出發了。」

京極堂在與剛剛分毫不差的地方以分毫不差的姿勢坐下。

「快點說明吧，京極堂。你有事瞞著我們，又不肯履行約定向我們報告。一方面說著自己已經瞭解真相，另一方面卻又裝神弄鬼的。別再隱瞞了，快點告訴我們吧！反正你連刑警也叫來了。」

「再等一下吧，關口。木場大爺很快就到。今天找木場大爺與青木刑警來就是打算先把那邊的問題解決，反而你們才是半途闖進來的哪。」

「那豈不剛好？」

榎木津插嘴。

「能一次解決不是很有效率嗎？只不過啊，木場就不用等了，要等他我看我們都得在這邊過夜。十八年前我跟那傢伙約好早上十點集合，結果他居然下午四點才到。所以我們早點進行吧。」

榎木津人名記不住，卻老是記得這些無聊事。

京極堂托著腮幫子，低著頭眼珠子翻上看了我們幾個一輪後，揚起單邊眉毛，大大嘆了一口氣。不知他今天已嘆氣過多少回。

「我原想區隔外行人與內行人各自的舞台。這次的事件混沌不明，沒必要的偵探卻又有四、五個之多——」

「你想隱瞞事情才是最不應該的。」

我最不能接受的就是這點。

京極堂表現出情非得已的樣子，擺著臭臉交代了木場告訴他的那場奇妙體驗記。在武藏小金井車站碰上的柚木加菜子自殺——殺人？——未遂事件。

奇妙的美馬坂近代醫學研究所。

綁架預告信的發現。

神奈川警察愚昧至極的警備。

以及在眾人環視之中忽然消失的少女——

加菜子綁架事件的發生。

拘留，閉門思過。

這些內容多半都是增岡給的資料之補足，但充滿了若非當事人絕對不可能察覺的臨場感，帶來了詳細的事實描述及許多提示。

而京極堂的轉述功力又十分優秀，他所轉述的內容恐怕比本人的敘述更能重現當時狀況。

接著京極堂說起木場在自己經驗以外得知的事實，以及木場自己的推理。

楠本賴子難以理解的心境與家庭的問題。

青木向他報告的警察內部的種種問題，以及民間的恐怖傳說。

里村對木場說的見解——木場似乎是在我離開不久就到了。里村把對我說的事又對木場說了一次。

前天武藏小金井站前派出所的警員問來的關於加菜子與賴子的評價。

以及與柚木陽子的對話。

「——我沒仔細問過陽子女士與大爺談了什麼，只從電話裡聽了個大概。好，這就是木場大爺給我的全部情報了。現在我們所擁有的情報已經共通了。這樣總行了吧？」

「才不好，你不是還隱瞞著你打一開始就知道的事嗎！」

「我不是打一開始就說過了！那跟你們的事件沒有關係，你還不懂嗎？加上剛剛說的情報就能完全把握現在的情況，光知道這些你們就該跟我一樣感到緊張了。」

「缺乏你握有的情報真的能懂什麼？我就不懂。鳥口不是也不懂嗎——」

由我的位置看不到榎木津。

「那是只有你不懂。」

京極堂對我投以輕蔑得無法再輕蔑的視線，之後這長達數秒的難堪沉默在來訪者的到達聲中閉幕。

「打擾了。啊，大家都到齊了嗎？中禪寺先生，昨天承蒙幫忙，真是感激不盡。」

在夫人的引導下，長得像小芥子木偶的青年很客氣地進入客廳。

京極堂以一副久候多時的態度說：

「青木，你來得正好。不好意思，雖然你剛來，能不能麻煩你調度一下？現在立刻派人保護住在武藏小金井的那名叫做楠本賴子的中學生。看是要跟本廳還是地方警局聯絡都行。理由待會我再來——」

「楠本？是那個加菜子事件的目擊者少女嗎？我知道了，那不好意思，府上電話先借我用一下。」

青木刑警的位子還沒坐熱，立刻又在夫人的引導下去打電話。

「喂，京極堂，為什麼必須保護楠本賴子？難道你已經掌握到御筥神與分屍殺人之間有所關聯的確實證據了？可是就算如此，危險的女孩子也不只賴子一個，不是還有好幾個候補嗎？我們那天會去調查楠本家也只是順便而已啊。」

不管我如何高聲質疑，京極堂依舊保持緘默。鳥口拼命思考著，榎木津則——一如往常，由我的位置無法看見他。

青木回來了。

「我立刻拜託木下幫我處理了，現在應該已經跟當地警署聯絡上了吧。」

「有勞了——雖說仍然無法放心，只不過——我們民間人士只能仰賴警察，此外也無更善之策了。」

京極堂撫著太陽穴凝視桌子一下子，立刻抬起頭來，請青木在鳥口身邊坐下。

「你們都認識青木吧？啊，應該還沒跟鳥口介紹過是嗎？」

「久仰大名了。先前曾經在相模湖見過一次面，不過沒來得及自我介紹。我叫鳥口，是三流雜誌的編輯，今後請你多多指教。」

「嗯嗯，我還記得。也請你多多指教。」

鳥口靠左讓出位子，青木坐下。

我小聲詢問：

「京極堂，你昨天找警察協助了？」

可是我那極力不張揚的詢問換來的卻是明明白白的責罵之言。

「你也真笨哪，關口。完全相反，是我們協助警方辦案啊。你的發言實在是不知天高地厚的最佳範例。」

這麼說是沒錯啦，可是沒必要說得這麼難聽吧。

「而且聯絡警察本來就是我們一開始就預定採取的行動。只是剛好你辛辛苦苦抄寫好要交給里村的御筥神名冊，在交到警察手中以前先落入了木場大爺的手中，而他現在在閉門思過，自然得將之與警察機構分開考慮才行。所以我才主動跟青木聯絡。」

回應京極堂的視線，青木說：

「中禪寺先生，我昨天只問了關於分屍殺人事件的可能性。既然楠本賴子必須接受緊急保護的話，表示那之後又有什麼新進展了？在不妨礙到您考量的範圍內能不能向我說明一下？」

青木小心翼翼地看著京極堂的臉色接著說：

「當然了，我也能理解中禪寺先生盡力想防止木場前輩的莽撞舉動的用心。對了，請問您聯絡過木場前輩了嗎？」

「沒有。不過我昨晚叫他今天一定要來一趟。」

榎木津翻身起來。

「所以說你笨。我剛剛不是說了？木場九成九不會來。喂，京極，光靠道理是不可能制止木場的。你如果真的為木場著想，現在立刻用我也能懂的方式說明一下，然後委託我保護木場才有用。」

「說的也是。」

總算，總算京極堂有那個意思說明了。

「——我還是要不厭其煩地說，這次的事件並非一連串的連續事件，而只是共有了某個部分，或是在與本質無關的地方上產生了因果關係，導致各事件彼此掩蓋了各自的真相罷了。」

京極堂說完這句之後，緩緩地環視在場人士後接著說：

「當中有幾個事件已經結束了。要追查這些事件的真相——我認為並非明智之舉。」

「請問為什麼？」

青木問。身為法律守護者，會有這般疑問是很合理的。

「因為將這些真相揭發出來，只會有許多人感到悲傷、不幸、或是前程受阻——卻沒有半個人會感到喜悅、感到幸福的。再加上各自的事件裡雖然確實存在著那種該受到法律制裁的、所謂犯人的人——但真正應當受罰的人在法律上卻什麼罪也沒犯；而犯人們在某種意義下也是受害者——所以將真相揭發出來的話，只會帶來餘味很糟的結果罷了。縱然如此，也還是該挖出真相嗎？——我一直在思考著這個問題。」

——我的意思是，餘味很不好。

記得京極堂前天也如此說過。

鳥口帶著溫順的表情說：

「可是如果有犯法還是應該懲罰啊——對吧？」

大概是顧慮到青木才作此發言吧。

「當然應該。特別是現在有警察青木在現場，既然這件事已經被他知道了，自然不可能睜一隻眼閉一隻眼。這樣也好。只不過我認為有時間投注心血在這些**已經結束的事件**上，還不如盡全力先解決現在進行式的事件比較好。」

「剛剛您說有四個事件是吧？」

鳥口說。

「那四個是什麼跟什麼？當中您所說的**已經結束的事件**又是哪些跟哪些？」

「關於這個嘛，首先是柚木加菜子**殺害未遂**事件，這是第一個。接下來是柚木加菜子**綁架未遂**事件，這是第二個。再來是須崎太郎殺害暨柚木加菜子綁架事件。最後是連續分屍**屍體遺棄**事件。」

「慢著慢著，加菜子綁架事件有兩個哩。」

我幫他作了統計。

「當中一個是加菜子綁架**未遂**事件哪。」

「說什麼未遂，明明就被綁架了啊！」

「加菜子綁架的**草率**計畫最後以失敗告終，但卻在計畫者之外的別人手中完成了。如不這麼推理，有太多部分都說不通了。」

「那麼，您的意思是犯人有四人或是四組了？」

青木思考了一陣後提出問題。

「在一般情況下會被稱作犯人的實行犯有四個吧——大概。」

「什麼意思？」

他的講法有點吞吞吐吐。

「就如剛剛說過的，因為犯人也算是被害者，是法律上無法懲罰的——所謂非犯罪事件的被害者。不僅如此，表面上雖死了很多人，在這四個事件當中，真正能稱為殺人事件的，只有最初的加菜子殺害未遂事件，以及第三個的須崎殺人事件而已。而且最初的事件也是未遂。」

「分屍案——應該是殺人事件吧？」

青木問。很合理的質疑。

那不叫殺人又該叫什麼？

「這點我原本不確定——不過在今天聽過

你們說的話後就懂了。那個該算是……對了，該算傷害致死——才對吧。以及屍體損壞、遺棄。嗯，沒錯。」

「嗄？」

「實際上能肯定的只有屍體遺棄事件而已，不應草率妄加評斷。但總之必須絕對尊重里村的意見就對了。」

「——那是指，犯人沒有殺意的意思嗎？」

「沒錯。現在進行式的事件就只有分屍事件而已。繼續放任不管可能會產生新的被害人，所以最少這個事件必須阻止其繼續發展下去。可是在追查分屍事件時又會扯上其他事件，原本沒必要揭發的祕密也不得不將之揭發。所以我才很煩惱。總之找到分屍事件的犯人是當務之急。」

「你本來不知道誰是分屍案的犯人嗎？」

榎木津問，京極堂笑了一下，回答：

「是啊，只有這點不知道。」

「那其他都知道了？」

「所以才很煩惱。明明是該最優先揪出的犯人，我卻不知道。」

「那你其他的是怎麼知道的？」

「因為我手上握有情報。就是關口每次每次不斷指責的『只有我知道的情報』。那個情報在四個事件當中只對解決加菜子綁架未遂事件有效。公開這個情報對解決分屍事件一點貢獻也沒有，甚至還可能把其他事件牽引向不好的方向——所以我才不願公開的。只要知道一個，自然不難知道其他。旁證也會一一出現。」

「所以說？」

「嗯，聽完你們的話後，我幾乎完全掌握了。」

京極堂說完，由和服的襟口伸出手來。

「中禪寺先生，您是說，您總算知道誰是

連續分屍事件的犯人了嗎？」

青木有點過度興奮。

「所以才要我緊急保護賴子嘛！」

京極堂搔著下巴，說：

「只是，知道歸知道，目前還是欠缺決定性證據，所以正確說來是有點頭緒而已。不過如果我的推理沒錯，那麼我們要應付的人很危險，能趁早準備最好。」

「犯人是誰？」

榎木津問。

「我想，犯人應該是久保竣公。」

京極堂毫不遲疑地說出名字。

「是否──有通緝的必要──？」

青木問。

「我想，只要能順利保護楠本賴子就沒有必要──畢竟目前缺乏證據，也不能多說什麼。」

「總之請您先說明理由吧。」

青木有點僵直。

「首先我必須說，分屍屍體遺棄事件與御筥神之間沒有直接性的關聯，但有強烈的間接關係──我不太會解釋，總之繼續說下去你們應該就懂。接著，將分屍事件與御筥神結合在一起的是久保──這點或許也有些難理解吧。總之，這該從何說起呢──」

要說明真的這麼困難嗎？京極堂很難得地陷入了思考。青木嚥著口水等候他開口。說明突然地開始了。

「分屍事件的被害人，我想應該就是警方比對出來的那三位沒錯，理由待會詳述。警方不敢斷定的理由只因為這三人之間的共通項目太少罷了，對吧？」

「是的，就是如此。雖然有可能是臨時起意的殺人，但範圍橫跨一都三縣，四處遊走物色目標的殺人魔似乎又太虛幻了。所以我們推測要不是有不為人知的地區性理由，就是被害者之間有共通點——例如具有相同興趣、或者以前幹壞事的同伴。不，就算彼此相互怨恨也行。例如說三人的父母曾是一起幹壞事的同伴，後來鬧翻了，犯人為了報一箭之仇才殺死他們女兒等等。」

「那祖先是源氏，犯人是平家末裔（註）怎麼樣？」

榎木津又開起玩笑了。

「嗯，這也行啊。但就是連這類的也沒有，沒有共通項目。」

「只有御筥神吧。」

「是的。但這能成為動機嗎？例如說，對天台宗有恨意的犯人專找信徒下手，這聽起來也太不合常理了。這麼一來必須大量殺戮才行啊。」

鳥口反駁說：

「——天台信徒多如繁星，可是御筥神的信徒才區區三百個耶。」

「可是就算如此，也殺不了三百個吧？況且既然規模小，對該宗教團體有恨意的話，應該會先殺教主吧？大型宗教團體的話目標很多，但御筥神只有教主一個。但不管如何——實際上被殺的並非教主也非信徒，而是信徒們的女兒。」

鳥口提出我們前幾天討論過的御筥神犯人說。

「就是這點。我會注意到御筥神就是因為我懷疑御筥神本身是犯人。御筥神的系統非常可惡，會害信徒越不幸就越想捐錢出來。所以我想，會不會是專找喜捨金額很少的犯人為目標，進而詐取金錢——」

「關於這個意見我也聽中禪寺先生說過了，可惜——並不能套用在這次的被害者上。我說的沒錯吧？中禪寺先生。」

京極堂點頭同意。

「為什麼？京極堂，你不同意鳥口的意見

嗎？為什麼？」

「關口，還有鳥口，你們聽好。之前我也說過，清野的註釋算是過度洞悉的看法。」

「嗯嗯，你說喜捨金額少的人會發生不幸的看法是受到了先入為主的觀念影響嘛？你說那是偶然——」

「不算偶然，但是是帶有先入為主觀念的看法。前幾天我說這份清野帶來的名冊不該解讀成『喜捨金額少的信徒遭到不幸』，而是該解讀成『因為變得不幸，所以增加喜捨金額』比較妥當。不過實際上這兩種說法都一樣，**不能套用**在被害人的家庭上。」

「請問這是什麼意思啊？」

「清野獲得這份名冊時，這三個家庭——埼玉的淺野家、千住的小澤家、以及川崎的柿崎家都**尚未發生不幸**。那只是清野依自己的先入為主觀念所寫下的預言。」

「可是實際上——」

「沒錯，不幸事件的確如預言所示發生了，但這三家的喜捨金額並沒有在發生不幸後增加。不，不只如此，不幸發生後這三家全部都**捨棄信仰**了。」

「嗄？」

鳥口嘴巴張得大大的。

「鳥口，你的想法著眼點還不錯，只不過你受到清野這個陰沉的男人影響太深了。」

「嗄嗄？」

「清野希望雜誌能刊登中傷、攻擊御筥神的報導，所以才會想盡辦法讓你相信他的話吧——不，或許他自己也深信不疑，總之鳥口可

註：在民間故事中源氏與平氏為日本平安朝末期的兩大武士家族。平氏掌權後驕縱奢靡，致力剷除政敵源氏，後受到源賴朝、源義經等源氏的反撲，終於衰亡。故民間經常有源平不兩立的印象。不過史實上並非如此單純，在此不多贅述。

說完完全全著了他的道。唉，我自己也好不到哪兒去，在昨天看過青木帶來的詳細資料前，我也沒捨棄過這個可能。」

「那，你說放棄信仰的意思是？」

青木回答：

「不管多麼認真地信仰，卻還是碰上這種結果，任誰也不會信這種教了吧。應該說，女兒都失蹤了，怎麼還有時間去拜箱子？平時就已是家庭失和、經濟不佳的家庭了，很不幸地在事件發生後，柿崎照相館倒閉易主，淺野離婚辭去教師之職，小澤神經出了毛病入院中。各自的處境悽慘，根本沒心情增加喜捨。這幾家的太太原本都是信徒，現在一問起御筥神的事情都只有怨懟辱罵。所以搜查過程上很早就排除了這個可能性。」

京極堂緊接著追擊：

「為了提高喜捨金額而犯下殺人，而且還是駭人聽聞的分屍殺人，這個風險實在太高，就連黑道也不會這麼做。之所以不覺得不合理，是因為有新興靈媒這種非日常的固定觀念帶來的幻影所導致吧。」

鳥口似乎還無法由衝擊中回復。我代他詢問：

「那麼——鳥口辛辛苦苦做的御筥神的調查，完全只是白跑一趟？」

「不，幫上大忙了。」

「嗄？」

鳥口再次張大嘴巴。

「御筥神是被人塑造而成的靈媒。可是如果我的猜測正確，其理由十分可笑。」

「被人塑造？被你說的那個背後操縱的幕後黑手？」

「那個幕後黑手應該就是久保。」

京極堂再次乾脆地斷言。

久保是御筥神的黑幕？這個結論是怎麼導出的？難以拭去的牽強附會之感令我無法立刻

接受。

但是——比起作為御筥神信徒對之五體投地的久保，毫無疑問地在背後冷笑的樣子更忠於我對他的印象。

「根據是？」

「久保與這次事件的牽連方式總令我有說不上來的不協調感。他總是在他沒有必要出場的地方出人意表地登場。這是因為我們原本把御筥神或分屍事件當作主體來思考的緣故。要是將久保當作主體，再結合這兩端來思考便可發現十分合理。」

的確，不管是在御筥神名冊上發現名字時，還是在武藏小金井的咖啡廳碰上時，我都感覺到異樣的不安。我對京極堂說了這個感想，京極堂笑了，手裡拿著清野的名冊說：

「你本來就無時無刻不安哪。算了不提這事，總之，我們判斷這是御筥神的名冊是錯誤的。這並不是信徒的名冊。」

「那你說這是什麼？難道內藏什麼暗號？」

京極堂聽了更是大笑，說：

「你真笨哪，這本名冊雖然基本上依五十音順排序，但你可以注意到淺野後面卻排了會田（註），可說極為隨便，相信是每增加信徒便在其下添寫。但這也沒辦法。信徒每個月都會有所增減，若要很整齊地依五十音排列，勢必每回都得重新抄寫不可。但是為何又如此拘泥於五十音？如果是這種性質的帳簿，依月別入信順序來排還方便得多了。」

「可是帳簿依五十音順序來排的並不少見吧？」

「話是沒錯。不過既然是帳簿，實在沒有必要連住址也寫上，加上上面也**沒有**合計欄，

註：會田念成あいだ，在五十音順序中理應排在念成あさの的淺野前面。

可知這並非拿來當作帳簿使用。因此，在別處應該有更確實的帳簿才對。這本冊子當作帳簿是暫時性的，我猜原本是聯絡處一覽表。這應該只是**普通的**聯絡簿。」

鳥口歪著頭。

「可是中禪寺先生，如果那只是普通的聯絡簿也很奇怪啊。住址電話的後面是喜捨金額的記錄，這麼一來每當喜捨欄寫滿時就得重新抄寫住址電話吧。由剩下的空間看來恐怕撐不了三個月耶。」

「確實如此哪。但是這本名冊是活頁的，看來不用擔心這種問題。」

名冊是活頁裝訂，以繩子串成。

「這個後面開了洞，用繩索串好。原本似乎是筆記本，因此每個項目到下個項目之間原本應該還有好幾頁，可以一直登記喜捨金額。這麼看來，原本五月下旬以前的聯絡簿應該是因某種理由無法使用，所以才轉抄到這本筆記本上面，然後又順便寫上喜捨金額吧。只是這本筆記好不容易做好，才用了兩個月就被清野偷走了。六月開始使用，八月就被偷走，故只登記了兩個月份的資料。這份資料大概是清野把偷來的筆記本的封面撕掉，捨去空欄中間的空白頁，只留下必要部分重新串成的吧。」

「這樣我就懂了——只是，這又有什麼意義嗎？」

「當然有。所以我的意思是，這本名冊上登記的名字並不是只有信徒而已哪。」

鳥口大聲叫著說：

「啊啊，原來如此！如果是聯絡簿，信徒以外的人也會登記上去嘛。所以說沒有喜捨金額的不是信徒。」

「而是關係人士。附帶一提，沒有喜捨的人上面總共有二十一個。清野預言當中九個會遭遇不幸。他的理論會說中是理所當然的。由我昨天去調查的結果看來，九個當中有四個死亡。但是原因其實不過是年事已高罷了。當中六月七月之間就死了二個，沒有喜捨也是理所當然哪。」

蓋子掀開一看——真相也不過是如此。

「然後，當中有五名放棄信仰。順帶地說，這五名當中，與警察失蹤少女一覽重複的有三個家庭。也就是說這三個家庭的女兒失蹤了，但全部都是在分屍案發生前，也就是八月中旬發生的，因此並不在警方懷疑的被害人名單內。所以說，發生不幸就會增加喜捨金額的公式在此也被推翻了。接下來嘛，問題是清野無法預測的十二人，當中有九人完全能夠去除。理由很簡單。雖然這九個人被登錄在此，其實只是經常出入箱屋的業者罷了，與靈能方面毫無瓜葛。那麼剩下的只有三個。」

京極堂恢復成平時俐落的樣子，大概是看開了吧。

「一個是吉村義助，另一個是二階堂壽美，最後是久保竣公。前兩個鳥口你也很熟。」

「嗄?不認識耶，沒聽過這兩個名字。」

「吉村義助就是那個嘛，御筥神鄰居『五色湯』的老闆哪。二階堂則是御筥神裡負責事務處理的那位女性的姓。上面的住址是她的老家。」

「唔嘿!原來是這樣啊，那我就認識了。」

鳥口很沒用地大吃一驚。

「寺田兵衛的交遊範圍太狹窄了，所以察覺得太晚。如果上面有更多熟人朋友或出入業者的資料或許立刻就發覺了吧——不過若真是如此，反而會難以縮小範圍。總之，在此久保的地位——也顯得很特殊。」

「京極堂，可是就算知道這些也完全無法證明久保是幕後黑手哩。只知道久保應該不是信徒，其他什麼也無法斷定啊。」

「當然，所以一開始我也只是有點在意而

已。對了，關口，你看過久保的本朝幻想文學新人獎得獎作品〈蒐集者之庭〉嗎？」

我沒讀過。

「怎麼會突然問這個？我是沒讀過——」

「原來如此。既然連關口都沒讀過了，在場的其他人應該也沒讀過吧。」

沒人回答。這些人也不像平時會讀小說的人。

「喂，京極堂，那又怎麼了？你是說讀了小說就能瞭解到什麼嗎？上面總不會寫了什麼犯罪動機吧。」

「我可沒這麼說。我只是想說，讀過便知道御筥神與久保的關係匪淺罷了。有所研究的人——就看得懂。」

京極堂稍作停頓，接著說：

「這篇名為〈蒐集者之庭〉的小說雖是久保的處女作兼成名作，內容相當特異。主角是伊勢神宮的神官，以蒐集他人的懊惱為畢生職志。他將眾人的人生封入石塔中，立於自家宅第的庭院裡。每天晚上將耳朵貼在石塔上，聆聽煩惱痛苦之聲。不久，石塔的數量日益龐大，他的庭院裡充斥著無數的悲鳴慟哭及欷噓。一個聽到這個消息的山伏——他是英彥山的修驗者——前來相勸。他對神官說蒐集這種邪惡之物對世人沒有好處。接下來就是沒完沒了地進行著修驗者與神官的問答。神官在問答之中吐露了自己深刻的惡業，最後連自己也化為石塔。但是窺見了神官精神上的空無的修驗者也成了其黑暗面之俘虜，成為神官之『庭』的繼承者——故事的梗概大致如此吧。」

真是個怪故事——榎木津說。

「可是聽這個故事的哪邊能知道什麼？」

「唔，我不是提到伊勢神宮的神官與在英彥山修行的修驗者嗎？」

「我就是在問那又如何了啊？」

京極堂作出困擾的表情，但不懂就是不

懂，我也沒辦法。

鳥口啪地擊掌，說：

「啊，記得英彥山好像是在九州嘛——這麼說來中禪寺先生，您前天提到了伊勢及築上是吧。好像是問寺田兵衛在伊勢或築上有沒有親戚——」

聽鳥口這麼一說我就想起來了，京極堂的確問過這件事。

「沒錯，我就是指這個。當時我還沒將久保拉進來考慮。關於這個問題隨著久保的登場也獲得了解決。根據刊載〈蒐集者之庭〉的《銀星文學》上關於久保的報導所言——」

京極堂從背後的書山中抽出一本雜誌翻閱。大概是刊載久保得獎作品的那本吧。

「我看看——得獎者久保氏於福岡佐井川上游度過幼年時期，青年時期則是住在伊勢神宮附近。佐井川上游一帶為山岳宗教興盛地，久保氏自述此段幼年經驗帶給本作品莫大的影響。他也提到自己對伊勢神宮的神事（註）很有興趣。實際上若無這段深受信仰與宗教儀式影響的獨特生活經驗，亦不可能有本作品之誕生——大致如此，十分單純明快、直截了當的解說。因此他就是與築上、伊勢兩地有關的兵衛的熟人。」

「問題是，為什麼是伊勢跟福岡？」

我開始覺得不耐煩了。

安靜聽下去京極堂應該也會逐漸導出結論，忍耐也是要理解他的論旨的必經之途。但這麼漫長的解說總希望他能乾脆跳過兩段比較快。

「是因為御筥神的祝詞哪，關口。你不是也聽過了？雖說你就算聽了大概也不明所以，

註：祭神的儀式。

不過懂的人一聽就懂。」

連跳兩段的結果也還是不懂。他說的祝詞，應該是指鳥口錄下來的那段聽不出是日語的奇妙咒語吧。

「久保與御筥神的創建十之八九有關。那段祝詞若非熟知伊勢神宮的祝詞者絕對作不出來。不可能是隨便亂湊恰巧湊出來的。你們先看看這個。」

京極堂從放在身邊的筆記本中拿出一本放到桌上。上面以說不上高明還是拙劣的筆跡寫著咒文。

——天神御祖有詔曰，
若有痛處者，今此十寶，
謂一二三四五六七八九十，
布留部，由良由良止布瑠部——

——天神御祖有詔曰，
若有痛處者，
今此 ashinoutsuho 之 shinpi 御筥，
so te na te i ri sa ni ta chi su i i me ko ro shi te ma su
shihuru huru yura yura shihuru huru——

「後面這段以片假名寫成的（註一）是由鳥口錄音的祝詞聽寫而成的。前一段則是《先代舊事本紀》中的十寶祓的祝詞部分，原本全以漢文寫成。所謂的十寶是指十種瑞寶，即天孫降臨（註二）之際，天神賜予饒速日命的十種寶物。」

鳥口與青木靠過去看筆記。

「哈哈，真的很像，完全是在模仿嘛。這本叫做什麼仙台抽籤（註三）的書很古老嗎？」

鳥口問。

「很古老哪。依其序所言，可以上推到推古天皇的時代，於聖德太子死後撰寫而成的。如果囫圇吞棗信任這段記載的話可說比古事記還古老。」

「唔嘿！那真的很古老，原來有這麼古老的書喔？」

「京極堂，可是那是偽書吧？」

憑我拙劣的記憶，我聽說那是假的。

「嗯嗯，這本書的確完完全全是本偽書，大概是在平安時代完成的。一般認為應該是物部氏（註四）的祖先撰寫的，平田篤胤（註五）也曾指出這點。我想這些說法基本上都沒錯。不過就算書的完成時期很晚，也無法由此確定祝詞本身的成立年代。畢竟這類咒語經常是以口耳相傳的方式保存下來的。」

「你到底在說什麼？」

榎木津無法理解。

可是我也一樣不懂這個謎題。所以老實地發問了。

「真難懂耶。總之這兩個並排之下，就算是我也能一眼看出御筥神的咒文完全是模仿《舊事本紀》而來的。只不過是把十寶置換成『ashinoutsuho之shinpi御筥』而已。這部分應該是『葦之空穗之神祕御筥』——沒錯吧？」

一開始聽到那段時完全不明所以。

「——可是這又如何？改法很單純，只要有看過《舊事本紀》任誰都會修改吧？」

註一：原文中刻意只用片假名標示發音來表現出只知其音不知其義的效果。

註二：根據《日本書紀》記載，神武東征之際，天照大神命令饒速日命先行下凡到河內國，臨行之際給了他十種寶物。與另一常見的天孫降臨神話——邇邇藝命（漢字或寫作瓊瓊杵尊）下凡代替其父統治瑞穗之國的故事屬不同系統的神話。

註三：鳥口的同音冷笑話。仙台與先代同音，舊事與抽籤同音。

註四：奉饒速日命為始祖的古老氏族，掌兵器管理。本文中後面提到的石上氏乃是物部氏的後裔。

註五：西元一七七六年～一八四三年。江戶時代後期的國學家（相對於中國的漢學、西洋的蘭學之稱法，指研究日本獨自文化的學問）、神道家。

我無法由京極堂指示的事項中導出伊勢與築上來。

「關口，你說得倒簡單，這麼說雖然有點失禮，但你真的認為不學無術的木工能想到《舊事紀》？縱使寺田兵衛讀到中學畢業，不全然算是不學無術，但我不認為他知道《舊事紀》這本書。若他有收集古書的癖好，偶然得到這本書的話尚且不論，或是從古事記引用的話也還能理解。好吧，我再讓個一百步，就當他知道好了，可是這樣也還是無法創出這個御筥神的祝詞哪。」

「為什麼？」

京極堂翻開筆記，指著某一部分。

「青木，這段你怎麼念？」

上面寫著——一二三四五六七八九十。

「當然是『ichi』、『ni』、『san』、『si』、『go』、『roku』、『shichi』、『hachi』、『kuu』、『juu』啊。」

「一般念法的話，的確如此。可是還有別的念法。」

「您是說『hii』、『huu』、『mii』的那個吧？」

鳥口一臉得意地回答。

「沒錯——這是石上鎮魂法。石上神宮是物部氏管理的神社，亦即物部神道。這裡要念作『hihumiyo』、『imunaya』、『kotomochiro-rane』。但是叫人傷腦筋的是，《舊事紀》並沒有標上念法。因此在漫長歲月裡，有許多人替這段**想**出種種念法。」

「擅自地？」

「沒錯，擅自地。他們將符合各自理論的言靈填入一二三四五六七八九十這幾個簡單的文字裡。不知有多少兩部神道(註)及天台學僧解釋過《舊事紀》，從中發現了神祕。而御筥神則將此讀為『so te na te i ri sa ni ta chi su i i me ko ro shi te』。」

「那個不知在念什麼的部分原來是在數數字啊？」

「沒錯。而且，用這種念法來讀一二三四五六七八九十並運用在祝詞之中的是中世紀**伊勢神宮的神官**。」

「啊，所以才！」

伊勢總算出現了。

「所以說，就算手中有《先代舊事本紀》，**不知道伊勢神宮的祝詞**也無法創造出這篇祝詞哪。另外就是——」

京極堂拿回筆記本。

「另外就是關於『shinpi』之御宮這個稱呼。『shinpi』通常寫作神之祕密的神祕，但我認為這應該寫作深邃祕密的深祕才對。若果真如此，應該就與築上的深山裡的山岳宗教有關。不，應該就是如此沒錯。」

「為什麼？」

「據剛剛雜誌的解說可知，久保與其說是在築上長大的，直截了當地說就是在佐井川上游長大的——對吧。」

「直截了當什麼？」

「久保成長之地佐井川上游有座叫求菩提山的山。恰好位於作品中登場的英彥山之東北角上。在山八分高處上有座鬼神殿，是座很少見的專門祭祀鬼的神社。開闢求菩提山的是位叫做猛覺魔卜仙的修行者，名字很奇特。鬼神殿裡祭祀的是他擊退的鬼。神社定期舉行一種很少見的活動，名稱就叫做鬼會。現在是否依然舉行我並不清楚，但能肯定的是一直到明治初年時仍有舉行。這是一種舉辦於舊曆年的鬼之慶典，當中特別奇怪的是一種叫做『千日行者修法』的神事——」

註：一種以佛教真言宗的立場來解釋的神道。屬神佛習合思潮之一。

又開始說起聽都沒聽過的稀奇古怪話題。雖不知這些話與什麼有關，反正插嘴也只會讓自己更聽不懂，所以我這次便乖乖聽完。

京極堂面露嚴肅表情，說：

「——這個鬼神殿裡祀奉的御神體居然是個——箱子。」

「箱子？又是箱子嗎？」

鳥口似乎很受不了地說。

我很能瞭解他的心情，又是——箱子。

「而且，箱子被嚴密地封印起來，裡面有壺，猛覺魔卜仙擊退的**鬼被封印**於壺中。神事舉行時，封印揭開，由前年的神官以祕法傳送給次年的神官。被解放的鬼經過鬼走儀式後再次被捕回，重新封回箱內。而這個封印鬼的箱子就叫做『深祕御筥』。」

「哈！真的不知道這種儀式耶。不，連聽都沒聽說過。」

鳥口甚感佩服，青木也相同。我亦是感到無話可說。只要是知道這間神社或這個神事的人，一聽到御筥神時恐怕任誰都會立刻將兩者聯想在一起吧。可是就我的所知範圍，除了京極堂以外，沒人知道這些。

京極堂繼續說：

「而且，這個箱子也寫作上竹下呂的『筥』。」

「與御筥神——同字嗎。」

「一般而言我們並不會使用這個字。這個字的意思是以竹子編成的用來放帽子的圓盒，沒有什麼特殊理由的話，通常不會用來表示四角形的箱子吧。所以我認為，沒聽過求菩提山的鬼神殿者不會取御筥神這種名號。再加上——鬼神殿的御神體深祕御筥的樣子，正好跟福來博士的千里眼鑑定組一模一樣。」

沒錯，完全相同。

嚴密封印起來的筥，裡面是壺。壺中封印

的一方是鬼，另一方，

——是魍魎。

「可是，兵衛未曾離開三鷹一步，不可能聽說過九州深山神社裡的御神體與神事。因此我認為一定有人教他這些。」

「所以中禪寺先生您才問說——寺田兵衛在伊勢與築上是否有親戚是吧？」

鳥口很佩服地低下頭。

「嗯，不過只要有久保一個就夠了。所以雖然沒有證據，但我認為——久保無疑地正是創造御筥神的幕後黑手。」

接下來京極堂看著青木，像是在表示接下來輪到他了。

「接下來，這是今天才知道的新消息——」

青木似乎有點困惑，他還不習慣京極堂的作風。

「——由關口那邊聽來的消息，據說久保竣公似乎有**戴手套的習慣**。」

「咦！」

青木的驚訝超乎了必要程度。

「那、那個叫做久保的男人戴著手套嗎！」

沒錯，他正是——手套男子！

不知為何，我明明早就知道**這件事實**，卻又不自覺地迴避思考這個問題。

「雖然不敢確定，不過他似乎經常都會戴著手套。記得青木你——正在追查手套男子是吧？」

「是的。據說分屍案的被害人之候補柿崎芳美與小澤敏江在失蹤前曾跟手套男子在一起。再加上楠本賴子也作證說推落柚木加菜子的是個戴手套的男子，而柚木陽子也說曾在綁架加菜子的現場附近目擊過手套男子。這種季節會戴手套的男子並不多，很難相信是別人。」

青木似乎很興奮。

「哼哼哼，那可不見得——」

京極堂臉上露出難以理解的微笑。

「──總之絕不能放過三個失蹤少女中有兩個人曾跟手套男子在一起的證言。再加上御筥神草創期有如家人般自由出入的年輕男子以及大量訂製木箱的熟客也都戴著手套對吧？」

「據說是如此。」

青木有點受不了地看著搶著回答的鳥口。

「這麼一來雖然只有手套作為線索，也不能輕忽。而且前天，楠本賴子附近也出現了戴手套的男子。」

──久保竣公。

我眼前的這位朋友說，這名男子就是連續分屍殺人事件的犯人。當然京極堂一開始就這麼說了，但我到現在才逐漸理解那具有什麼含意。

如果這是事實，

如果真是如此，我，

我等於是在一頭闖入事件的當天，同時也認識了犯人。

那麼不就表示，在稀譚舍的接待處，總編山崎向我介紹時，他的手上已經染過鮮血了？而這名男子卻以純白手套掩蓋了染血的雙手，裝作若無其事地對我的作品大加撻伐！

我想起久保在咖啡廳的座位上凝視著加菜子的照片的樣子。

「──那麼──賴子要去見的對象不就是──久保了嗎？」

那麼楠本賴子在那之後就是去那家店裡與他見面了？

「昨天由木場大爺那裡聽到消息，說最近楠本賴子進出咖啡廳很頻繁。而且據她兩名同學所言，賴子上咖啡廳的習慣完全是受到柚木加菜子的影響。而加菜子經常出入的咖啡廳就是工廠附近的店──你們去過的那家『新世界』。就算不考慮這點，那附近能去的咖啡廳也只有──

這一家。加上——榎兄，你說在賴子背後**看到了久保**是吧？」

「我是說過。」

「因此兩人已經有所接觸的可能性很高。那女孩，很危險哪。」

心情上覺得很不舒服。京極堂說的這些話真的就如他曾經說過的——**一切都是偶然的產物**。前天剛見面的少女，被前天剛見面的熟人所殺。要我相信這是現實，實在太令人難以接受了。

久保與御筥神有關——這點我姑且相信。可是只憑這點原因也不該說他就是犯人吧，而就算是犯人好了，說下一個被害人是楠本賴子也未免太巧了點。明明就有太多對象符合條件，賴子只不過是當中的一人啊。過分巧合了。京極堂自己才是充滿了久保—犯人、賴子—被害人的偏見，他才是帶著過分洞悉的看法來看事情吧。

我問：

「可是為什麼她——楠本賴子肯定是下一個被害人？這是偶然嗎？」

我本來並不希冀京極堂會回答我，沒想到他立刻解答。

「當然不是。關口，因為有**順序**哪。」

「順序？什麼順序？」

「所以說，就是**名冊的順序**哪。」

京極堂如此說了之後，將那本名冊擺到桌子上。

「我剛剛之所以敢肯定警察所比對出的那三人沒有錯，是因為這是我由這本御筥神名冊——正確說來應該是聯絡簿——當中引導出來的結論。分屍案是按照**這份名冊上**的順序進行的。歸根究柢地說，御筥神對幕後黑手——久保而言，本來就只是具有這種機能的道具——不，應該說，一開始就是為了這個目的所創的才對。」

「你說什麼?」

我不懂他話裡的含意。

「這本名冊中與警察的失蹤少女一覽表重複的家庭正如鳥口的調查一樣有十家。當中有三名如剛才所言，連警察也將之由被害者候補中剔除了。調查剩餘七人便可發現一件有趣的事。除了可能性最高的三人以外，其餘四人都是超過十八歲的女性。而可能性最高的淺野晴子、小澤敏江、柿崎芳美這三人全都是十四、五歲前後。且她們又是依名冊順序失蹤，接著就——」

「被殺了?因此柿崎——之後的是——?」

「這本名冊上，柿崎家之後家裡有十四、五歲少女的家庭就是楠本家。」

青木連忙拿起名冊確認。京極堂接著說：

「楠本之後的下一個大概是篠田家吧。這家的喜捨額比較多，所以並不在清野的預言名單中，但我想賴子之後應該就是輪到這家女孩了。喜捨金額大小根本與事件的發生無關。被害者的條件只有兩個：在御筥神的聯絡簿上能確定地址，以及年齡約為十四、五歲前後。犯人是依這本名冊調查過該戶人家裡是否有十四、五歲少女後才依照順序伸出魔爪的。因此不管是區域還是家庭環境都亂七八糟地看不出一致性。畢竟計畫是依照五十音來實行的。」

「嗯嗯，原來如此，可是。」

「這算是鳥口的功勞。沒有這本名冊的話，絕對不可能理解被害者選定以及犯行順序的結構吧。」

「——請等一等，這不對勁啊。」

幾乎就要認同這個說法的青木似乎發現了問題。他看著名冊。

「淺野晴子是**第二個**吧。但這本名冊上家中有女兒的沒有比淺野更前面的家庭了。如果上面的筆記是事實，淺野晴子就必須是**第一個**，否則您剛剛提出的理論便無法成立。」

「沒錯。淺野晴子就是**第一個**。」

「可是——」

「應該是第二個吧！」

「最早的是相模湖的——」

除了榎木津以外，我們三個同時發出不同的話來抗議。京極堂慢條斯理地回答：

「最早在相模湖發現的手腳並不是連續分屍屍體遺棄事件之一。」

「您、您說什麼？」

「連續分屍屍體遺棄事件如果捨棄了剛才說的規則性，便不可能發現其他規則性吧。同時，將相模湖發現的手腳視為連續事件的一環在根據上則極為薄弱，反而當作其他事件來思考，整合性比較高。」

「京極堂，可是要說如此接近的時期裡如此相近的事件分別由不同人手裡實行，我認為這種可能性更低吧。青木，記得你說過相模湖發現的腳部也是收在箱子裡的吧？」

「是的。」

「其他也全部收在箱子裡吧？」

「正是如此。」

「所以說難以相信沒有關聯哪。京極堂，你的說法欠缺說服力。」

「我才想說你這句話哪。如果完全相同也就罷了，僅是相似而已就說有關係，這才真正欠缺說服力。僅是相似便說相同的話，你不就是隻猴子了？」

「本來就是猴子吧？」

榎木津說。

「這個傢伙只是個很像猴子的男人，並不是猴子哪。只是相似而已。」

要你們管那麼多。

「別想錯了，所謂**很相似**，正代表著彼此**不相同**。聽好，相模湖的案例中，腳收在鐵箱裡，手則赤裸地掉在地上，此外還發現了腰部等其他部分。可是後來發現的全部都只有手跟腳而已，並且也全都以絲棉包好放進木箱子裡。」

「可是這也只是箱子的材料不同而已嘛。概念都相同啊，都不正常。」

「是嗎？相模湖的案例是丟入湖裡，其他的則是緊密嵌入縫隙中，這兩者真的是相同的概念嗎？此外，只有相模湖是靠車子搬運，不，應該是卡車。只有這個案例使用了卡車，其他則全部靠電車移動。」

「你為什麼知道就是如此？的確，除了相模湖以外，其他均是在交通便利、高人口密度之城市區中發現的。可是搭電車也能到相模湖，其他地方也並非不能開車前往啊。」

「相模湖的事件十之八九是開卡車去的。」

「所以說為什麼？」

「右手在甲州街道上被發現，而且還是山中。再怎麼變態的犯人也不會在國道正中央丟棄這種東西，那是在搬運途中**掉落**的。我猜想，一開始應該是兩隻手一起收在鐵箱裡，後來發現的腰部也同樣如此。手、腳、腰部，照理說應有三個箱子。原本這三個箱子應該莊嚴地沉在湖底，獲得永恆的安息。亦即，原本刻意搬來相模湖乃是為了替這些收進鐵製棺材裡的手、腳、腰部進行水葬儀式。」

京極堂仔細地盯著我們瞧。

「但是——正當犯人想把鐵箱放入水裡時，才發現少了手部的箱子，想必那時他很慌張吧。繼續拖拖拉拉下去一定會惹人注意，所以他姑且先把腳與腰部拋入水中，立刻趕去收回箱子。所以腳的箱子才會被拋在靠岸邊的湖裡而已。如果丟進湖的正中央的話勢必會很久以後才被發現。可是雖然他已經很趕了，箱子還是先被木材行老闆輾到。犯人收回了鐵箱與左手，想收回右手來到大垂水山巔時，正好碰上木材行老闆在原地亂成一團。總不可能對他

『啊，這是我掉的，請還我』吧，犯人不得已就這樣直接回去了。」

「這麼說來，左手就是被他帶回去了嗎？」

鳥口說。青木喃喃自語：

「難怪怎麼找都找不到。」

可是我仍無法接受。

「可是啊——搬運過程中真有可能掉落嗎？」

「當然會，因為卡車**貨物台的鎖壞掉了**。」

「咦？」

由於這句話由京極堂口中說出口時實在太乾脆了，除了我以外的人似乎都沒留意到。但是，他的確如此斷定了。

話題很快地回到原本的問題上。

「相模湖的案例與想掩蔽犯行或故意亂拋手腳來擾亂搜查性質的行為並不太相同。沒經過處理，也沒有研擬什麼策略，而是具有一些類似儀式性的意味。那是種水葬。總之與後來的分屍事件的處理方式有很大的差距。之後的雖然也沒打算隱藏，但也不像是想埋葬。給人的感覺就像是有空間就填起來的樣子。」

青木似乎若有所感。

「——是的，只讓人覺得犯人是在玩耍。」

「是不至於像在玩，不過應該是種衝動性的處理方式。總之與相模湖的案例完全不同，**這兩個是不同事件**。」

「你想說，同樣放進箱子裡只是種偶然嗎？」

「非也。我猜一邊是有許多鐵箱的環境，另一邊則是有許多木箱的環境。總不是單為了放屍體而特別訂做箱子吧。」

「原來如此——如果說去年向御筥神訂製大量木箱的常客是久保，他當然擁有大量木箱囉。」

鳥口似乎已經逐漸接受起京極堂的說法，但我仍無法認同。我無法如此輕易地相信。

「可是——那久保又為了什麼幹出這種事情來？動機是什麼？與寺田兵衛的關係又是？你剛剛說御筥神單只是為此而成立的道具，那又是什麼意思？」

「別一次問那麼多問題。向這種犯罪追求明確動機是愚蠢的行為。而且與御筥神的關係只是出自我的想像。剛剛也說過了，久保犯人說只是目前有點頭緒的假設罷了——」

「京極，你在隱瞞什麼是吧。」

突然，榎木津以他少有的尖銳語氣質問。

「那個男的看過加菜子喔，真的跟加菜子事件無關嗎？」

這麼說來——榎木津在咖啡廳查問久保的理由就是因為他認為久保知道加菜子——似乎是如此。

京極堂再次作出厭惡的表情搖頭。

接著說：

「唉，我竟然交到這麼個討厭的朋友。總之——勉強說來，**加菜子是他的動機**——但加菜子事件與久保沒有直接的關係就對了。」

「完全不懂。京極，我聽不懂暗示，單刀直入最好！」

榎木津毫不退縮。

「算了，現在公布只會讓事情變得越來越複雜，這件事暫且擱在一旁吧。關口！」

京極堂曖昧不明地交代完，突然將矛頭指向我。

「你是個文學家，對這方面的感覺比較敏銳。聽完剛剛久保的〈蒐集者之庭〉的梗概後，你作何感想？」

突然問我這種問題我也不知該如何回答。我沒讀過，況且剛剛京極堂提到這本書時是作為御筥神與久保之間有聯繫的一個旁證提出的，等於是一點感想也沒有。

「只聽梗概實在沒什麼好說的。要我沒讀過就評論，我辦不到。」

實在是過分裝有品的裝傻法。

但是京極堂聽了卻說「說的也是」，表示同意。

「例如說——作品與作者是不同的，作者的形象若先影響了作品的鑑賞並不是件好事。但相反地，讀者某種程度下卻能由作品中讀出作者的性質來推測作者的形象，同時這也是難以避免的事。當然，小說是虛構的，所以不可能直接寫入作者的主義主張，但作者的嗜好與思想背景等要素總免不了會顯露出來。越高明的人越能隱瞞這點，而越差勁的人則越容易在作品中透露出作者的表情。就我讀過的感想來說，久保竣公在這方面算是**差勁的那一派**。」

「你是指，例如說登場人物與作者無法完全分離之類的意思嗎？」

「我並沒打算做如此不成熟的批評。當然這種說法在某種意義下是理所當然的，但就算看起來如此，也可能是作者刻意的安排，此時讀者等於是完全陷入作者佈下的陷阱之中，故以此來分高明差勁確實太武斷了。只不過，久保的案例是更單純的——」

京極堂由紙袋中拿出我留在這裡的久保新作排版稿。

「他的作品幾乎都是日記。」

「嗄？」

「他似乎有種傾向，習慣將身邊的事**直接**寫成小說。當然，設定或名字之類的會作改變就是了。」

「是嗎？我實在不認為耶。雖說我只看過〈匣中少女〉——可是剛剛那本得獎作品當中又是修驗者又是神官的，舉凡日常生活中不會出現的事物通通登場了吧？況且他寫的本來就是幻想小說，實在難以相信會具有現實感。當然你說的未經過消化的主義主張或許是有好幾處在小說中顯露出來，但是我們也無從確認起那是否真是他本人的主義主張。即使你如此認為，可是說不定就像你剛剛說的那般，那是他經過計算才那麼寫的，這麼一來你等於是完全中了作者的陷阱啊。」

「嗯，關口你說的很正確，我一開始也是這麼想的。」

「難道不是嗎？」

「嗯，看樣子真的不是。他的作品之所以能成為幻想文學，是因為他對世界的理解就是那種感覺，並非刻意創出幻想。對他而言，那就是現實。」

京極堂翻開排版稿給我看。

「怎麼可能——你說這種話應該有什麼根據吧？如果只憑印象就這麼說的話就太令我失望了。」

我在不知不覺中為久保辯護了起來。我明明沒有一分一毫的理由必須為他辯護。

京極堂說「嗯，說的也是」，搔著下巴。

似乎還想隱瞞什麼，他在覺得困擾時總會搔下巴。

「由於完全沒有調查過，所以久保與寺田兵衛的關係是什麼我並不清楚。就算久保肯定與御筥神的誕生有關，為何這個二十歲左右的年輕小伙子會對兵衛產生如此巨大的影響力也是團謎。我雖設想過一些假說，但全部都是紙上談兵，拿出來提也沒有意義，所以就做罷吧。只不過關於御筥神的話嘛，如果久保真的是幕後黑手，他創造御筥神的理由就是——」

「是什麼？」

「嗯，如果說，就是〈蒐集者之庭〉主角的心境的話，你們瞭解意思嗎？」

「你是說蒐集他人的不幸？這實在太難以相信了。那麼，那本名冊對久保而言就是蒐集品了？」

「有點勉強嗎？」

「當然。這個論點的基盤之脆弱，難以想像出自中禪寺秋彥之口哪。」

「是嗎。那關於這點就別深入討論算了。」

為什麼乖乖退卻了？我原以為肯定會遭到他用難以反駁的辯才反擊，所以現在反而有點失落。京極堂翻開〈匣中少女〉代替反駁，說：

「動機——嘛，就是這個。」

「你這是什麼意思？」

「嗯。」

又是很不乾脆的態度。原以為他已經恢復平時的水準，看來我錯了。

「關於這個嘛，這本新作的內容有描寫到把屍體分屍解體後塞進箱子裡的段落對吧。」

京極堂似乎剛回想起來地說。

「咦？有這麼直接的場面嗎？這可不能放過。因為裝進箱子裡的事並沒有對外發表。而且——如果就像中禪寺先生說的一樣，這名叫做久保的男子只將實際發生的事情寫成小說的話——。」

青木的反應很敏感，這也是當然的。

我有點難以釋懷，無法相信這是京極堂的做法。總覺得很……卑鄙。

「喂，京極堂！這種做法很不公平吧。不提示明確理由，只故弄玄虛留下一些令人多做揣測的訊息，然後又說這些話，任誰都會覺得久保很可疑啊。小說是虛構，你不是最討厭把作品與現實混同在一起抨擊的愚蠢行為嗎？作品中殺了人就當他是殺人犯的話，偵探小說家全是大量殺人魔了！」

「嗯，沒錯，你說的都沒錯。但是，我說這些並不是基於如此欠思慮的理由。而且他也是把這些當作夢中發生的事寫進作品裡，沒說是實際做過的。這只是夢而已。」

夢？

「什麼，原來是這麼回事，可是——」

在京極堂逼近核心又刻意迴避重點的巧手牽引下，青木現在已經對久保產生疑惑了。

「而且啊，青木，他寫這篇作品是在八月三十日到九月十日之間。我猜他開始寫這篇作品時第一個事件還沒發生。」

青木掰指頭計算。

「可是最早的是八月三十──啊，那件不算在內是吧？這樣一來──下一個被發現的是，我想想，是九月六號，所以說……」

「這只是我的想像。如果久保真的是犯人，開始犯罪的時候是在這篇作品已經完成之時。假設犯行是九月五日，從委託原稿到完成只花了五天，這對以快筆聞名的久保竣公而言並非不可能。」

原來久保以寫作迅速聞名啊，我不知道。

「這篇作品給了我莫大的啟示。我事先聲明，我並非基於久保是犯人的先入為主觀念來看本作品，而是相反。還沒讀這篇前，我對久保的印象只是個充滿謎團的男子。如我剛剛的開場白所言，如果我是受到作者即是分屍案犯人的先入為主印象觀念影響而曲解了作品的話那就不應該，但我是讀了這篇之後才反而開始對他產生疑惑的。」

「所以說，你將這篇作品解讀成──這是他展開殺戮之前的過程記錄？」

「假如他真的是犯人的話，在作品中沒有任何心理上的投影反而不自然吧？」

青木問：

「理由就是剛剛那一段劇情嗎？」

「不，那只是附帶的。例如說，這篇小說的主角異常地討厭縫隙。他有種怪癖，只要看到縫隙就想塞起來。」

「**把空隙塞起來**？」

「這篇小說的主角因為此種怪癖在作品中訂製了大量木箱。關口，你對這部分有何感想？」

很巧妙的切入方式。京極堂正刻意地將情報切割成細微的段落慢慢釋出。

而我會如何回答也在他的計算之內吧。京極堂早就知道我聽到他的話就會試著為久保辯護，所以才故意做此發言。

可是我除了正面迎擊他的挑釁外也別無方法。

「嗯，這部分或許是反映了事實也說不定。而久保跟御筥神有深刻的關聯也無疑地應該就是事實──但就算如此，以此為理由就說他有分屍動機也有點牽強吧。」

京極堂點頭。

「容我說句題外話。關口，關於這個主角──你認為他的心理疾病能單純地稱做空間恐懼症嗎？」

「嗯嗯，不過這個情況下由於角色並非實際存在的人物而是虛構的──實在很難判定，我想應該也能當作是密閉愛好症。」

「看來這個角色有許多種解讀方式。意義這麼深遠的角色真的是久保憑想像創造出來的嗎？在行動原理上未免帶有太多矛盾了；可是行為古怪歸古怪，卻又異常具有存在感。令人不由得懷疑起這個角色就是作者本人。」

「可是這難道就不是你的偏見嗎？說不定他真的具有十足的創造力，能描寫出深具存在感的角色啊。」

「說的也是。可是姑且先不管這些，難道你不覺得這篇小說有股說不出來的怪異嗎？」

確實很怪──

我這位囉唆的朋友多半知道我覺得這篇小說很奇怪。我在讀完〈匣中少女〉後，被其糟透了的餘味完全擊倒。

我沒回答他的問題。

「這篇小說似乎想盡辦法要將主體模糊化。採用舊假名遣、舊漢字恐怕都是為此。不，不只如此，這篇小說缺乏主體，所以更叫

「好了，青木，我已經把我能說的全說了。相信你聽了也知道，我對久保的懷疑全部都是基於聽來的消息來類推而已，如關口所說的，一點確證也沒有，被人當作詭辯也沒辦法。因此你不相信也無妨。只不過，如果你相信我的話，請勿囫圇吞棗地全盤接受，務必要仔細調查。如果我推理有誤你卻全盤接受，我概不負責。」

青木抱著頭，沉思了一段長時間。

然後小聲地說了起來：

「久保——果然很可疑。不，我並不是全盤接受了您的推理。我自認我已經盡力排除先入為主的觀念，盡可能公正地聽完您的推理——」

雖然青木這麼說，但我想並非如此。

青木無疑地已經中了京極堂的計謀。

也就是說——

久保果然還是真兇吧。

人不舒服。」

「嗯嗯。」

「這篇小說既不用『他』也不用『你』更不用『我』，所以會帶給讀者一種茫然的不自然感及不安的印象。如果這是刻意的，或許能成為一篇名作。我一開始也是這麼認為，但似乎並非如此。我認為這種不可思議的文體是拼命隱瞞主體是我，也就是久保竣公本人之下所造成的結果，你認為呢？」

「這是詭辯。」

「果然是這樣嗎？」

京極堂說了這句後笑了。

我想，他已經掌握到其他能當作證據的東西，只是故意藏起來。我想，他已經抽到在最後的最後才能打出來的最強王牌。

「算了，等後篇出來了應該就更明白了吧。不過我們沒時間等了。」

京極堂表情很爽朗地說。

京極堂手中掌握著某些令他確信如此的證據，只不過不想貿然說出這個，才會使出各種手段將其他不可能的情況逐一排除，在不公開核心的情況下引導青木到達這個結論。

青木接著說：

「警方在偵辦分屍事件上的現況是，別說是篩選嫌犯，老實說連半點眉目也沒有。在確定被害者的身分後就沒有進展了。什麼線索也找不到。只見手套男子像怪物般神出鬼沒，在搜查過程上卻連一條狗都逮不到。所以就算是只知道久保戴手套這條情報，對現在的警方已是十分值得懷疑的情報了。所以，既然我今天聽到這些消息，沒道理不進行搜查。雖然只靠這些沒辦法申請到逮捕令，但只要能確認收納屍體的木箱是御筥神的寺田兵衛製作的，就能循此線繼續搜查下去。只要目前推測的犯行當日久保沒有不在場證明，也還是能以參考人身分將他帶回警局。只不過——」

青木摸了摸自己那顆像小芥子人偶的頭。

「中禪寺先生，雖然您說不是，但我還沒聽過關於這點的說明——剛剛榎木津先生也問過——久保與加菜子的事件真的沒有關係嗎？您說的剩下的第三個事件的犯人又是誰？」

「看吧，我就說嘛。京極，你老是想隱瞞事情，總算碰到這種下場了吧。」

剛剛是睡著是醒著也不知道——我早就忘記有這號人物存在了——的榎木津很得意地說。雖然他這麼說，我還是不知道京極堂究竟是遭遇到什麼事。青木接著說：

「手套男子是連續分屍殺人事件的嫌犯，同時也是加菜子殺害未遂暨綁架事件的嫌犯。不對，警察尚未斷定被害者，所以他雖是肯定連續綁架少女事件的嫌犯，但在分屍案上頂多只是有這個可能性罷了。可是加菜子的事件有人作證，所以手套男子完全是嫌犯。」

青木的表情很認真，而榎木津依舊一臉得

意。

京極堂一點也不覺得困擾，表情輕鬆，沒有一絲的動搖。他說：

「嗯，青木，可是加菜子事件嫌犯的手套顏色不同哪。」

接著又說：

「而且我還有件事沒對你說過，昨天木場大爺在電話中說柚木陽子撤回她的證言了。」

「是──真的嗎？」

「她做偽證的理由好像是──她看神奈川縣警總是把矛頭對準自己、雨宮以及木場大爺這些內部人士，希望他們能把焦點向外。」

青木一臉訝異。

「可是──這麼一來，楠本賴子看到的是──」

「關於這點嘛，青木。」

京極堂講了開頭後稍做停頓，依序看了在場全體的人。榎木津照例催促他。

「是什麼嘛，京極，還不快說。」

「那個人是我。」

「嗄？」

京極堂說完笑了。

「搞什麼，原來是開玩笑啊！這種時候開什麼玩笑！」

「並非玩笑，我很認真哪。」

「中禪寺先生，那麼您是說事件發生的夜裡，您人在武藏小金井站的月台上了？」

「不，我記得那天是終戰紀念日。當天晚上──我人在這裡閱讀一本叫做《印判祕決集》的珍本書。是前一天朋友剛給我的。」

「說更明白點好不好？你啊，這次，不，其實每次都這樣，總之你講起事情太會兜圈子了。」

我表示不滿，京極堂揚起單邊眉毛，說：

「這件事追根究柢是你的不對哪，關口。都是你**把我扯出來**，事情才會變得這麼複雜。」

接著他將桌上的《近代文藝》最下面的那期抽出，翻開夾著書籤的那頁。

是我的〈目眩〉的部分。

「這是上個月底出的文藝雜誌《近代文藝》，上頭刊載了這位關口巽大師的最新作品。我們這位大師是比久保竣公更專門的私小說大家，所以這篇自然也是在某個真實體驗觸發下寫成的作品。也就是你們都很熟悉的雜司谷事件。只不過比起久保，關口大師將事實昇華為作品的能力似乎更高超得多，小讀一番是看不出這篇作品其實在講那個事件的。」

我被京極堂——雖然只有一點點——讚美作品了，這是有生以來未曾有的體驗。

但是——這與事件又有何關聯？

「但是由於事件過後還不到幾個月，實在醞釀的時間太短了，寫到最後似乎變得無法收拾。」

完全正確，關於這點我毫無反駁餘地。

「於是，這篇難得有機會成為名作的作品，結尾被作者親手破壞了。這部分的感性或許也是他作為文學家的厲害之處。總之結尾相當可觀。在這之前原本充滿了說不上幻想或現實的妖異風格——」

好死不死，京極堂居然朗讀起內容來。

「——突然間敲門聲響。正當我遲疑著是否要應答之際，女子不假思索地打開了門。門外站了個一襲黑衣，貌似高僧又似陰險學者的男子。『晚安，我是來終結一切故事的殺手』，他說。天色太黑了，我看不清他的容貌。他的衣服有如墨染，手上戴著不知算手甲還是手套的東西。『那麼，開始進行工作吧。』黑衣的殺手用他戴著手套的手掌一把抓住女子的後頸，將她壓入油畫中的湖裡，用力在她背上推了一把。女子悶不吭聲，沉入了遙遠的湖底。殺手說：『魂魄一條，確實收到。』茫然看著這一幕的我，覺得胸口似乎破了一個大洞，追起逃逝而去的我的半身。啊啊，要是她還活著就好了……我茫然地凝視著深淵之中，倒在圖畫底層的女子屍骸——」

是小說最後的部分。京極堂念完，抬起頭來說：

「——光看這個部分的確沒辦法討論作品，不過這段很明白地顯示出某件事。穿黑衣戴手套的殺手，很明顯地就是以我為藍本——這段之中描寫到這個手套男子將女人推落深淵殺害了。」

難道說，

「難道說，京極堂，你想說賴子是看到我的——」

我幾乎完全瞭解他想表達的意思了。

但是我實在無法相信這件事。

「賴子出面作證的時候是事件經過十六天後的八月三十一日。至於為何隔了半個月才出面作證，她自己的解釋是因為刺激過大，造成了暫時性的記憶障礙——是這樣沒錯吧？」

青木回答：

「這個嘛，她好像說自己當時精神有點錯亂。」

「關於這部分我詳細聽木場大爺說過了。在青木來前也對其他人說明過了吧？總之，楠本賴子事件當天的記憶——其實很單純地也就只是關於黑衣男子將加菜子推落的記憶而已。賴子本人的解釋是說，之所以會回想出這些記憶來，是因為她覺得很寂寞，去了加菜子常去的咖啡廳，讀了加菜子常讀的雜誌後才會——」

「才會突然想起來。不過這很有可能吧？」

記憶障礙會在什麼事件引發下痊癒誰也不知道。

「當然有可能。但是，她其實從來沒用『想起來』或『忘記了』這類說法來形容過。

她去找武藏小金井的警員時是說『**想到了這個想法**』，之後也未曾用過『忘記了』、『想起來』這類詞彙來表現。」

「講得好像你當場聽到一樣，你當時人在現場嗎？」

「好吧，我修正我的發言。如果木場修太郎的記憶沒有錯的話，她是這麼說的。至於柚木加菜子常讀的雜誌是什麼嘛——關於這點賴子自己曾向木場說過，是給大人讀的文藝雜誌——的樣子。」

「那種雜誌多的是吧？」

「沒錯，多的是。對賴子而言那並不有趣，不過她不想跟不上加菜子所以拼命地讀。她說——她只覺得充滿幻想與不可思議的故事還算不錯。」

「可是這——」

可是這又如何？

「接著，事件發生後——經過半個月的沉默，賴子似乎想起了什麼前往咖啡廳。若問為何選在那天，她好像是說因為那天是暑假最後一天，她為了回想起關於加菜子的回憶——關於這點我不願多做評論——總之她在書局買了兩本文藝雜誌，進入了『新世界』。至於當時買的雜誌嘛，她說她隨手拿了各貼著『本日發售』與『好評熱賣中』宣傳標語的兩本雜誌。好評熱賣中的是哪本我不知道，但會貼本日發售的雜誌就只有前一天剛出版的《近代文藝》而已吧。而且說到那一期裡面刊載的不可思議的故事，就只有前衛私小說之鬼才——關口巽的〈目眩〉而已。她讀了這篇，看到『黑衣殺手』時，彷彿得到天啟般欣喜。」

可是，

「可是，京極堂，這只是你個人的想像吧？」

「話雖如此——但是我有旁證可證明楠本賴子在眾多文藝雜誌中特別喜愛《近代文

藝》，且還特別喜愛你的作品。鳥口，你知道天人五衰這個詞彙嗎？」

「啊，你是說剛剛提到的楠本賴子在念的那句咒語嘛。我不知道耶。」

「那羽化登仙與屍解仙也不知道囉？」

「寶蓋頭跟鹿仙貝的話倒是聽過（註）。」

「青木你也不知道嗎？」

青木也搖頭。

「但是賴子卻知道。且不單只聽過這些詞，還十分瞭解意義。剛剛我也提過，我要木場拿這些詞去問她的同學，因為我怕或許學校有教過。不過她的同學也不知道。那麼，若問為何賴子會知道這些一般而言很難得有機會接觸到的詞彙嘛——」

我有不好的預感。那三個詞彙我最近才剛**見過**，而且還見過好幾次。

果其不然，京極堂抽出了好幾本《近代文藝》。

「這是去年春天關口大師發表的〈天女轉生〉，其中有一節詳細敘述了天人五衰。接下來，這是去年秋天發表的〈舞蹈仙境〉，羽化登仙與屍解仙在這篇當中都有提到。賴子跟加菜子看《近代文藝》時一定會讀這個。她是關口巽少數的忠實讀者，這點應該無庸置疑。」

可是，

「或許真的像你說的一樣，賴子買了《近代文藝》，可能也讀了我的〈目眩〉，可是，」

可是我仍不願接受。

「僅僅因此，她就——不，這怎麼可能。」

「她——楠本賴子並非以此為契機突然間回想起過去的記憶。而是經過半個月間的煩惱，經反覆思考之後，才總算**想到**這個想法。在與〈目眩〉相遇之後總算。所以說賴子提到的『黑衣男子』是指我，而且一開始犯人只是個穿『黑衣』的男子，在木場更具體的質疑下升格成『戴手套的男子』。因為〈目眩〉的作者除此之外並沒有賦予這個『殺手』其他什麼特徵。沒戴眼鏡沒有白髮，不胖也不瘦。而且賴子總不可能拿像學者或和尚來形容吧。」

青木仍茫茫然地聽著。

「可是就算這真的是賴子的想像好了，那加菜子果然是自殺了？可是，那她為什麼要說謊？那對賴子而言沒有任何好處啊——不是嗎？」

「好處嗎？當然有哪。這件事我原本覺得還是別說比較好——」

「我想，推落加菜子的兇手是賴子吧。」

當在場全體照著順序摸索著這句話的意思，於理解的瞬間轉為困惑時，只有榎木津一個人以開朗的聲音說：

「什麼嘛，原來是這樣啊？」

「可是中禪寺先生，這未免也，」

青木皺著眉頭。

「總覺得這樣——不，也不至於。冷靜下來仔細想想，這其實是再理所當然也不過的結論哩——只不過嘛，總覺得太過合理，反而聽起來頗像假的。」

鳥口接著說：

「如果這是偵探小說的劇情，作者早就被人套上布袋痛打一頓了。」

京極堂帶著明顯的無力感回答：

「沒有什麼結局是出乎意料的。這世上只存在著可能存在的事物，只發生可能發生的事情。既然案發現場只有兩人，其中一個被殺了，另一個自然就是犯人。警察原本認定加菜子為自殺是因為沒辦法確認當時出入現場的有哪些人對吧？」

「是的，正是如此。剪票口處的站員說雖

註：鳥口的同音冷笑話。寶蓋頭（宀部）與羽化登仙發音相近，鹿仙貝（一種拿來餵食鹿的米果）與屍解仙相近。

然記憶有點模糊，不過他記得從事故發生到鐵路公安職員到達為止的這段期間，並沒有人通過剪票口。之後有好幾個人在警察攔下前先通過了，不過全部都是女人跟老人，而且不是從剪票口進入的，所以是引發事故的那班電車上的乘客。也因此警方才研判是自殺。等候下行電車的其他乘客只有六個，身分全部都確認過了；而等候上行列車的九位乘客也是相同。這些人留下來都只是因為好奇，來湊熱鬧的。犯人不可能留下來看熱鬧——雖說這是我的先入為主觀念，不過常識上判斷起來——」

「可是因此就當作是自殺也有問題哪，為何警察沒懷疑賴子？」

「理由是賴子看起來並沒有動機。既沒有逃離現場，而且她也說了很多話。由她的證言看來……」

「這些聽木場大爺說過了，你們應該也聽過了吧？」

「嗯，剛剛聽了很多了。可是京極堂，由你剛剛的話聽來，楠本賴子真的很喜歡加菜子——難道不是嗎？為什麼又必須殺了她？」

「從剛剛聽到現在，你們也似乎是動機至上主義嘛？考慮這些動機也是沒有用的哪。」

京極堂撂下這句武斷的話。

「為什麼？沒有動機的話，警察與世人都不能接受吧。」

「沒錯，動機不過是讓世人接受的幌子罷了。所謂的犯罪——特別是殺人等重大罪行皆是有如痙攣般的行為。宛如真實般排列動機，得意洋洋地解說犯罪是種很愚蠢的行為。解說越普遍，犯罪就越具可信性，情節越深重，世人就越能認同。但是這不過只是幻想。世間的人們無論如何都希望犯罪者只會在特殊的環境中、特殊的精神狀態下採取如此違反倫常的行為。亦即，他們想把犯罪從自己的日常生活中切除，將之趕入非日常的世界裡。這等於是繞圈子間接證明了自己與犯罪無緣。因此，犯罪理由越容易懂，且越遠離日常生活就越好。舉凡遺產的繼承、怨恨、復仇、情愛糾葛、嫉妒、保身、名譽名聲的維持、正當防衛——每種都是很容易理解，且在普通人身邊不太容易發生的事情。可是，若問為何很容易理解，那是因為這些事情看似不太容易發生，其實與他們心中經常發生的情感性質相同，只不過規模的大小不同罷了。」

記得那時我在朝美馬坂研究所直奔的迷途上也聽過這段話。

「你的理論我已經聽敦子說過了。並非不能理解，但我仍覺得這樣的說法太武斷。忽視到達犯罪的過程，等於是將故意與過失混為一談嘛。」

「過失是事故，但也有所謂的間接故意，這兩者的分辨必須很謹慎處理才行。只不過很困難就是了。」

「可是啊，京極堂，這樣一來無法維持社會秩序吧。犯罪行為之所以為犯罪，並非只是行為本身不受到社會的認同才成立的，不是嗎？道德、倫理這些看不見的部分也被納入檢視的對象吧？忽視動機的話連酌情量刑的空間也沒了。」

「但是連道德觀倫理觀都要用法律來限制的話就是恐怖政治了。思想與信仰應該獨立於法律之外維持自由吧？法律只應對行為有效。如果僅是思考就被當作罪人的話，幾乎所有人都是罪人。動機任誰都有，不，殺人計畫任誰都曾策劃過，只是沒付諸實行罷了。不管是倫理還是道德，都不是法律創出來的，而是名為社會的巨大怪物在莫名其妙之間創出的東西，是種幻想。」

我很明白，跟他議論也沒用。

「——那難道說，犯罪者的自白——都是為了讓周遭的人接受才作的？」

「針對事實關係的供述姑且不論，我認為自白並沒有證據性。動機是在後來被人問到時才想出來的。可是這時犯罪者與其他人一樣是站在旁觀者的立場上。為了讓自己先回歸到日常，拼命地思考自己能認同的理由，那就是動機。這是否為真，不僅第三者無從判別，本人也無法確認。難道你們不認為針對此進行種種議論是無意義的，而裝作了然於胸的樣子針對犯罪高談闊論則是種愚蠢至極的行為嗎？」

青木無法反駁，理所當然。

是的，能粉碎京極堂的意見的，恐怕只有——木場而已吧。

對他說理是沒有用的。

「而且，當本人與周圍都無法發現足以認同的動機時，便會將之判斷為缺乏社會責任的狀態。我認為這是種逃避。大家都以為只要將搞不懂的東西拋入名為精神病或神經症的黑盒子即可。這就是世人最擅長的機會主義。可是對於被當作垃圾場的真正的神經症或精神病患者而言卻只是很大的困擾。而且只要被貼上這種標籤就等於無罪釋放，並將之驅逐出社會之外，流放於外野。歧視犯罪者並放任其自由，豈不是種本末倒置？多麼愚蠢哪。」

「那我們又該以何種態度來面對犯罪？我不懂啊。」

青木似乎很動搖。

「所以我想說的是，過度要求動機與助長基於偏見的歧視行為沒有兩樣，都是一種想由日常生活當中把名為犯罪的可憎污穢排除出去的行為。況且將犯罪斷定為個人問題是種單方面的暴力，犯罪行為並不能還原為個人的資質。你們該不會是隆布羅索（註一）或克雷奇默（註二）的信徒吧？」

我想沒人聽過，連反問也沒有。

「或許犯罪生物學這個分野將來應改變型態繼續提倡，只是現在還討論什麼低劣的遺傳特質或體型性質反而會受到強烈譴責。但是所謂的犯罪的動機賦予其實也逐漸變得與天生犯罪說——認為犯罪者的犯罪素質與生俱來的概念——毫無差別。只要貼上諸如『因為那個人是如何如何所以才會犯下這種罪行』之類的標籤大家就會接受——這不過是種換了外殼的天生犯罪說罷了。但這種傾向在未來恐怕仍會逐漸擴大。我聽說有個難得一見的大笨蛋學者主張能由血型斷定性格，這其實也跟天生犯罪說沒什麼差別。這種隱藏的歧視在無法明目張膽歧視『外來人』與『賤民』的社會中最流行了。」

「你想說犯罪的動機賦予是排除犯罪者的歧視行為？可是如果將動機從犯罪中剔除的話還會剩下什麼？」

京極堂的本意是什麼？

「犯罪這種東西其實是社會造成的。上個時代還是種合法殺人的報仇，現在則成了報復殺人事件。我不知道哪個社會才是正確的，但無疑地，不同的社會對相同行為所採取的法律規範勢必有一百八十度的差異。」

「您是說——犯罪並非個人引發的，而是社會引發的？」

「是有這種看法。亦即認為——犯罪乃集團現象，不過是該行為發生時的社會、經濟狀態等條件之函數。認為犯罪者乃是社會環境、經濟環境的產物。但是這種看法必須以統計的觀點來掌握犯罪，採其平均值、最頻繁值、中

註一：Cesare Lombroso，西元一八三五年～一九〇九年。義大利犯罪學者，提倡天生犯罪說。認為有些人天生具有犯罪的特質，而有些犯罪特質會隔代遺傳。他也提出能透過某些生理特徵來辨識犯罪者。

註二：Ernst Kretschmer，西元一八八八～一九六九年。德國精神病學家。試圖將精神病的病發與某些體質特徵結合。他認為某些精神疾病容易在特定的體型發現。

間值等數值，假想出實際上並不存在的『平均人』，將偏離這種平均人者視為犯罪者。但這也有問題，因為這種所謂平均人的怪物並不存在，說偏離根本是一派胡言。我的看法是，犯罪就像是突然降臨，又突然離去的**過路魔**。」

過路魔是種妖怪的名字，以前聽過。京極堂曾說，所謂的過路煞神原本就是在指這類妖怪。

「我認為楠本賴子當時的行為，應該用**過路魔上身**來形容才是最正確的。」

「嗄？」

「我是在說，在夜深人靜的月台上，一個女孩子站在月台邊緣，電車即將進站，自己站在那個女孩子背後，現在出手應該也沒有目擊者。關口，這種情況下你會怎麼做？」

這——

當時在車上也考慮過這個問題。

「機會只有一次。電車即將停下之前——快也不行慢也不行，時機即使只錯過一點點也會釀成無可挽回的大錯，而電車卻越來越靠近。好，那麼你會怎麼做？」

我的話，如果是我的話——

「一般而言——」

從她背後，用力——

「一般而言我們不可能做這種事，大半的衝動我們都能忍耐。可是——也有**無法忍耐的時候**。一瞬間，以時間來計算僅有約幾十分之一秒。在那極短的瞬間，過路魔從她身上溜過了。因此，她推了加菜子背後時，心中並沒有憎惡、怨恨等陰濕的人性情感——」

京極堂說完，高舉雙手。

「她只是在加菜子的背上發現了青春痘罷了。」

痘子，

在加菜子的，脖子上。

「原來如此——榎兄見到的是，」

「是青春痘。」

「榎兄的幻視雖不足以成為證據，不過他看到的青春痘的位置是在脖子的更下面一點。鷹羽女學院的新制服聽說是西裝式的，柚木加菜子穿的並不是水手服，也不是背上開洞的一件式洋裝。賴子不可能站在她對木場說明的離一公尺多的位置上還能看到那個青春痘。聽好，剛剛榎兄在關口身上指示的位置假如真的有青春痘的話，若非幾乎緊貼著背後，由上往衣領之中窺視的話是看不見的。」

「嗯嗯，原來如此——」

青木在上一次的事件中已經充分見識過榎木津的能力。鳥口則是雖聽過說明，但似乎還不能理解，又張大嘴巴感到驚訝。

「賴子向木場作證說——犯人推倒加菜子後，在逃離的反作用力下也把她推倒了。但這是不可能的。如果很緊密地站在一起的話，要推一定得兩個一起推倒；如果是先把賴子推向旁邊再來推倒加菜子的話，就會錯失列車進站的時機。況且加菜子與賴子的身高相當，髮型與制服又相同，黑暗之中從背後看起來想必也很相像，我不認為在這種狀況下犯人能分辨得出哪個是哪個。」

「這——說的也是。」

「相反地，如果是賴子在極近距離下推倒加菜子的話，自己也會因反作用力而向後倒下，恰好就會變成癱坐在電線桿附近的樣子——這是我的猜測。不過我沒到過現場檢測，所以也不能多說什麼。」

「京極講的是對的。」

榎木津說。

「可是——交情很好的朋友怎麼會做出——」

青木似乎受到很大的衝擊。

「青木，如果你那麼想要犯罪動機的話，我可以提供幾個有趣的說法供你參考。只不過我不希望你直接將之與犯罪做結合，且我也不願意看到你聽了這些後對楠本母女投以偏見的眼光——」

京極堂似乎不忍繼續看到青木的苦惱，先說了上述前提後——接著，不知為何將視線朝向我。

「楠本賴子似乎有相當強烈的阿闍世情結。」

「那是什麼？什麼海砂利水魚（註一）的？」

鳥口問。京極堂剛剛的視線大概是示意要我回答吧。

「阿闍世情結應該是古澤博士（註二）在他的著作《兩種罪惡意識》當中提及的情感複合體吧。如果是的話嘛，我想想，因為愛母親所以懷有殺害母親慾望的傾向——喂，京極堂！你到底是想……」

「古澤博士將阿闍世情結與口慾期虐待結合在一起思考。這是一種快樂與破壞慾並存的矛盾心態。以一體感與撒嬌為基盤，在其上產生了因疏離而產生的憎恨與攻擊，在經歷過攻擊行為後的原諒與罪惡感，又再次回歸一體感——簡言之，就是上述心理過程的循環。這些要素複雜地結合而成的情感觀念的複合體就是阿闍世情結。這個觀念經常被拿來與佛洛伊德博士的伊底帕斯情結做對比。我認為阿闍世情結是用來理解日本人的情感不可或缺的理論。只不過古澤博士自己倒是不怎麼公開談論這個理論就是了。」

「說得更容易理解一點。」

榎木津不滿地說。

「這是一種因過於愛母親而產生疏離、憎恨、輕蔑的情感。特別是在青春期目睹兩親的性行為後很容易產生。子女發現自己竟然是在那種**不檢點**、齷齪的行為下誕生的，進而產生無從發洩的矛盾感。楠本賴子似乎就是如此。」

君枝的證言的確支持了京極堂的說法。

賴子偷窺過君枝與第二任丈夫之間的閨房密事。

賴子她，

——賴子討厭我。

不對，是憎恨我。

「只不過我其實很討厭這種心理學——」

京極堂說。

的確，京極堂自學生時代開始就對這類心理學抱持著相當嚴格的態度。我一時曾相當傾倒於佛洛伊德的學說，那時就受盡他冷嘲熱諷。他肯定很討厭吧。但是討厭歸討厭，京極堂卻很瞭解心理學。如果不瞭解大概就不會看不起了。我曾經覺得他為了批判而學，是個很彆扭的傢伙。

「我們或許也可視為——對賴子而言，加菜子就像母親的替代品。」

京極堂接著說。

「柚木加菜子這個女孩子似乎是個絕世離俗的少女。只不過由同學的證言可知她的個性雖十分古怪卻沒受到討厭，可說是個擁有領袖氣質的美少女吧。聽說成績也很好。因此賴子對如此優秀的加菜子十分崇拜。就算結為好朋友，也還是會使用『女神對她微笑了』之類的

註一：烏口的同音冷笑話。海砂利水魚與阿闍世發音有一點點相近。海砂利水魚出自有名的相聲故事《壽限無》。《壽限無》的故事大致如下：某人期望自己的孩子能長命百歲，便與博學的和尚商量，最後取了個非常非常長的名字：「壽限無壽限無五劫互磨海砂利水魚之水行末雲來末風來末食處睡處與住處結實纍纍的藪柑子白寶白寶白寶之修林剛修林剛之古林泰古林泰之朋朋可比之朋朋可那之長久命之長助」，但由於名字實在太長了。附近來找他玩耍的小孩子光叫個幾次名字，天就黑了。

註二：日本的精神科醫師。西元一八九六年～一九六八年。日本精神分析學會的創辦人。

「然後賴子便不斷地試著與加菜子融為一體——嗎？」

「總之中間過程並不重要，結果是賴子變得想擁有與加菜子相同的的思考方式、相同的感覺及行動。強烈的同一化，最後被置換成抹消對方的衝動。也就是說，如果自己**想變成加菜子**，加菜子本人反而是最大的妨礙者——事實上同學們的證言亦可佐證，聽說賴子最近的行動變得與加菜子一模一樣。」

繼續聽下去對我來說有點痛苦。對我這種人而言，窺探這名叫做楠本賴子的少女的心中黑暗實在是件苦差事。

我無法成為〈蒐集者之庭〉裡的神官。

「另外，我們也可做如此猜想：加菜子對賴子而言近乎於完美無缺的信仰對象。因此對賴子而言，加菜子必須在任何層面下都保持完整。加菜子不會老，不會悲傷，不會痛苦。她必須如此才行。」

「形容詞。另一方面，雨宮的說法卻是加菜子其實是由於無法忍耐孤獨感與疏離感，拜託處境相同——同樣沒有父親——的賴子當她朋友。因此這兩人的想法之間原本就有極大落差，只不過彼此並不打算深入理解對方的心理，反而能處得很好。對賴子而言，加菜子或許等於是不願認同的現實——母親的相對者。也能解釋成她——加菜子完全是賴子之撒嬌對象，亦即憎惡對象。」

京極堂呼了一口氣。

「或者，我們或許也能如此解釋：賴子羨慕加菜子，強烈的憧憬促使賴子想使自己與她化為一體。亦或者賴子其實是個自戀者。在因缺乏父親而受到的迫害與歧視之中，為了維持自己人格，有必要擁有一個與世隔絕的個人世界。賴子造起了圍牆，只愛著閉門其中的自己。接著加菜子闖進了這個世界，加菜子成了賴子新的自戀對象——」

就像天人一般——

「因為，加菜子等於是賴子來世的樣子————雖說這原本是加菜子的概念。亦即，她必須保持完美。可是說巧不巧，加菜子那天哭了，表現出悲傷、痛苦了，而且還長出青春痘。偶像墜地，就如同預言失敗的巫女一樣，必須以死謝罪——」

青木表情變得很悲傷。

「楠本賴子這個女孩——」

「青木，請別誤會。賴子並不是什麼特殊的女孩子。剛剛說的那些心境變化其實在任何人心中都很頻繁地發生過，是非常普遍的事。因此不管是同情還是別的，只要將她視為特別就是一種偏見。」

「可是我覺得你的說法用來說明動機很有用。就算不算特殊，難道不能將動機歸於這種心理的積累與爆發，才會導致犯行嗎？」

對我這種人而言，這些理由還比基於恨意而犯罪的情形更具真實感。

「或許將這種扭曲的阿闍世情結當作原因來考慮，或者認為賴子乃是因為過於強烈的與他者同一化願望而犯下罪行比較好瞭解，同時也真能讓人以為理解了真相，但這是錯誤的。我剛剛說的這番話正是『動機是捏造的』的最佳證據。」

「你是說——你剛剛說的這番煞有介事的話全是捏造的？」

「當然不是。我剛剛說的並非謊言，而且恐怕不是只有某項正確，而是全部正確。可是，就算全部正確，我們也不能說賴子是因此才殺了加菜子。賴子只不過是**碰上了那種狀況**，且**碰上了那個瞬間**才會起意殺死加菜子。所以我說是過路魔的作為。」

京極堂如此作結。

「原來如此——中禪寺先生說的意思——我似乎有點能理解了，但是——」

青木一臉凝重，眉頭深鎖，陷入沉思之中。與他少年般的臉龐很不相配。

不久，青木很難以啟齒地問：

「那麼，賴子為何會——在經過半個月後才又出來作偽證呢？」

「當然是為了保身。」

京極堂冷酷地回答。

「那是少女般稚拙的護身術。平常的話這種謊言不會有效，但賴子這個女孩子似乎很懂自己的本事。她多半本能地知道該如何演出才能讓如此拙劣的謊言產生效果。」

「也就是說？」

「在犯行之後，亦即過路魔離去後，犯罪者總是急著把失去的日常找回。賴子當然也一樣。不論是隱瞞、是遺忘、是懺悔、還是裝迷糊——總會驅使各種手段來為自己著想。只不過賴子上述的任何一種都作不到——」

「請問為什麼？」

「因為**沒人通知她加菜子的生死**哪。」

「啊——」

沒錯，加害者不知道被害人的情況。

「無法確定自己犯下何種罪行，所以也無法決定該採取何種態度。賴子一有機會就急著想知道加菜子的安危——這是理所當然的。賴子並不是擔心加菜子，而是擔心自己的將來。只要加菜子還活著，只要她隨便說一句話，自己的犯行便會輕易地曝光。可是警察的報告又過於不明瞭，那半個月間想必她過得十分戰戰兢兢吧。此時，她想到了個**好主意**。木場大爺聽到這句話，還以為賴子與加菜子的那個孩子氣的輪迴觀有了完善的結論。但賴子並非如此愛作夢的女孩子，不至於醉心於這些夢幻的想法之中。最近的中學生現實得很。賴子想到的好主意其實是只要撒謊說另有犯人的話，即使加菜子還活著大概也能瞞混過關。這個靈機一動，透過關口的小說獲得了實體。」

「難怪——加菜子消失之後，賴子才會那麼**高興**啊。感覺好恐怖喔。」

話變得很少的鳥口突然冒出這句之後又沉默了起來。

「少女這種生物，不，人類這種生物大多都很狡猾。」

京極堂在這種時候總是顯得很冷漠。不知聽在鳥口與青木的耳裡，他的話令他們有什麼感觸。

冷酷的言語持續著。

「在這之前，賴子處於加菜子得救，自己就得在社會上背負著殺人未遂罪名，加菜子死了——即使能瞞過世人的眼睛——在內心就得背負著殺人者枷鎖之緊迫狀態。所以她內心抱著發抖、害怕的心情，外在則用足以掩飾一切的狡猾演技來度過日常生活。我想她並沒有打從心底相信加菜子說的那種不可思議的輪迴理論，而是以極端現實的態度來處世。但是——奇蹟發生了。加菜子沒死也沒獲救，而是**消失**了。賴子在加菜子消失的那一瞬間起才真正獲得了神祕的啟示。因為這麼一來賴子總算能免於被社會問罪，也免於內心背負著殺人的內疚。足以一次解除這兩種可能性的神祕發生於她眼前。上天聽見了她的願望。黑衣男子在這瞬間起失去了他的作用，成了單純的小丑。而賴子也變了，現在堂堂地扮演著第二個加菜子——只不過在同學之間的評價似乎不怎麼好。」

「中禪寺先生，那麼我——該如何處置楠本賴子呢？」

青木表情嚴峻，他本性很老實。

「我沒立場去干涉這些，而青木你也沒有。下判決的永遠是法律。我們沒有同情、辯護、抨擊、啟蒙的必要。」

「您是說什麼也別做？」

「沒錯。你能作的只有去保護她。放任不管的話——任憑她被人殺死的話你也無法安穩睡覺吧。保護她，並仔細問清楚事情經過。我想，只要好好詢問——她一定會自白；把她當孩子輕視的話就會遭反咬一口。」

巨大的虛脫感籠罩著客廳。

這就是京極堂所說的「餘味很糟」嗎？

剛才說的如果全部是真實，原本有前途的少女便會因此成了有前科的少女。就算那是本人自作自受，她的母親依然會非常非常悲傷吧。不，不是這麼簡單的問題，這麼一來可能會徹底粉碎了那對母女之間原本就纖細如玻璃工藝品的關係。一定會帶給這名叫做楠本君枝的不幸婦女一個總結她人生的巨大不幸。

而且，還不會有任何人覺得高興。

不，這也不對。如此令人不愉快的事件的主角並不是這位母親。

而久保——即使現在我已知道他可能是殺害了三名少女的嫌疑犯——也不適合擔任此等重責大任。

久保竣公，楠本賴子。

這兩人肯定是各自事件的犯人，這點無庸置疑，

可是——

是誰？魍魎的真相是什麼？

青木似乎下定決心，抬起頭。

「無論如何，我都會通緝久保竣公。似乎必須將他與加菜子事件分開考慮，但他的舉動卻又萬分可疑。」

京極堂照樣表情一動也不動地從正面凝視著青木。

「請你千萬要慎重，不得莽撞。走錯一步事情就會變得很麻煩。雖說——就算他真的是犯人也沒有什麼意識去隱瞞犯罪，所以物理證據應該會多如牛毛——只不過千萬別採取先從

動機開始調查的做法。最有效的方法就是直接搜索他的家。我相信他應該是獨居——」

很感興趣的鳥口插嘴說：

「為什麼知道是一個人住啊？而且家裡有什麼？啊，是凶器對吧？」

「不是。是最容易理解且最確實的證據，他家肯定……」

京極堂吸了口氣，接著說：

「有三個少女**剩下的部分**。」

「怎麼可能！哪有笨蛋把那種東西留下來的。」

「沒丟掉當然就是還留著。他**需要的是那個部分**，所以肯定會有。」

京極堂斷言。

「——請您不必擔心，我會依您的建議仔細調查的。請相信警察機關。我們絕不會帶著先入為主的判斷來搜查，也不會捏造罪名將之逮捕，但只要一找到證據會立刻緊急逮捕他。所以越早越好，請您再借我一下電話。」

青木果決地說完後站起身來。似乎感到輕微的頭暈，他踉蹌了幾步，順勢回頭說：

「只不過事件還剩下兩件，而且我也不能放過加菜子的消失之謎。所以待會也想聽聽您針對剩下事件的高見。我去去就回，請等我一下。」

青木就這樣消失在昏暗的走廊之中。時間已近黃昏，現場籠罩著一股微妙的沉默。

打破沉默的是榎木津。

「喂，京極，你別賣關子了，別在那些女孩子們的吵架上面浪費時間。快點把你隱瞞的事情交代出來。現在警察不在，想說什麼就說什麼！我從剛剛開始就對那傢伙在意得不得了，就是那個，戴眼鏡的醫生。」

戴眼鏡的醫生？榎木津看到了誰？

「還是說你在顧忌木場那個**大笨蛋**？他不在這裡，你要說什麼就說什麼！快點從實招來。」

榎木津執拗地糾纏。京極堂看了鳥口與我，說：

「好吧。聽清楚了，因為榎兄跟關口這兩個人討厭別人有事隱瞞，所以我就把我知道的事情說出來，但我頂多只說這些。接下來的部分算是我個人的推理，我沒必要說給你們聽。與分屍屍體遺棄事件這類有必要及早解決的現在進行式事件無關。容我再次重複，與犯罪——沒有任何關聯。」

聽起來跟藉口沒兩樣。

「少囉唆了，你就快講吧，京極堂。」

我與榎木津意見一致地催促他。

「——我和美馬坂其實是舊識。」

這就是他握有的情報的真相？京極堂以今天之中最有氣無力的聲音很簡短地說了。

「美馬坂？是那座箱館的主人嗎？」

鳥口似乎很驚訝。

「中禪寺先生，您知道關於那座箱館的內情，所以才每每警告我們別接近那裡是吧。難道說那位美馬坂會吃人不成？」

鳥口半開玩笑——又半認真地說。他發言的用意或許是想緩和在場氣氛，但似乎只造成了反效果。

在恐怖的傳說與木場的刻板印象下，謎般的外科醫師美馬坂幸四郎給我的印象正像是會吃人的妖怪般可怕。特別是他到現在都沒在事件表面上出現過更令我有如此感覺。

「他的來歷大體上與里村對木場大爺說的一樣。他是天才，但被學界放逐了——在公開場合下世人都認為如此。當然，我並不認識當時的他。我是在戰爭中與他相識的。」

「喔喔，讓他治療過傷痛嗎？」

「不，我跟他曾一起工作過。在那間箱館裡。」

「你說什麼！」

我沒聽說過京極堂在戰爭中的消息。只有一件事我很確定，那就是他並沒有上前線。所以我一直以為那只是因為他沒有從軍而已。當時的他在體格上、健康狀態上看起來都不像是能通過徵兵檢查的樣子，所以很不可思議地我當時認為他沒去當兵是理所當然的。但仔細一想，不同於不健康的外表，他其實沒有什麼慢性病，也沒有傷殘。

京極堂支吾其詞地開始講了起來。

「很多人都以為我沒去當兵，沒這回事。我被徵兵後，被派到陸軍研究所裡。你們聽說過登戶的那間研究所吧？」

「您是說那間專門開發氣球炸彈、罐裝炸彈等等看起來不怎麼有用的兵器的研究所嗎？」

鳥口聽說過。我當然也聽過。只不過文科的京極堂被派去那種地方做什麼？好笑的是我身為理科學生，不知是什麼陰錯陽差，居然也被錯當成文科的派上戰場（註）。

「如此一口斷定也太露骨了點——那裡其實還有更多其他研究，也構思過生物兵器之類的東西，只不過現在就很難見天日了。至於那間箱館則是美馬坂博士專用的帝國陸軍第十二特別研究設施，與登戶研究所屬同單位管轄。」

「你在那裡負責什麼工作？」

「我被分派到二樓的房間。這段過去其實不怎麼想多談，不過既然你們堅持不說不公平的話——」

他似乎很猶豫。

註：二次大戰末期，由於兵源不足，日本政府於西元一九四三年下達特別徵召令徵召各大專院校文科學生上戰場。而理科學生則被視為為了維持戰爭實力，在後方進行開發兵器等活動要員，並不予以召集。

「陸軍要求我進行宗教洗腦實驗。」

「那是啥啊?」

就是強制改宗哪——京極堂自暴自棄地說了。

「——當神國日本贏得戰爭之後，勢必得讓無數的異教徒改宗對吧?外國有回教徒、基督教徒、道教、儒教、拜火教，什麼都有，這些宗教都將無法獲得認同。既然降服於日本軍門之下，就該誠惶誠恐地成為尊奉『現人神』為頂點的國家神道之信徒——等等，明明沒人要求，卻有位高層策劃起這些無聊計畫來。一開始他大概以為這是很簡單的事吧。很明顯地，他對宗教根本毫無理解。這終究是很困難的事情。原本屬於民族宗教的神道畢竟不具備傳教的機能。但相對地，基督教圈的人們卻不管文化或環境，甚至連人性的根本層面都建立在宗教的基礎上。半調子的說服是不可能有效的。這是洗腦。與共產圈實行的那種是一樣的。某種層面下可說是忽視了人格人權，徹底是種戰爭犯罪。不知道他們是從哪聽到我的消息，總之我雀屏中選了。這個工作一點也不愉快。」

「你就老實說這個工作很討厭嘛。」

以榎木津而言算很安靜的回應。

「嗯，所以我並沒有認真地進行。至於說到美馬坂又進行什麼嘛，里村說得沒錯，他在進行**不死**的研究。」

「他是認真的嗎?」

「當然是認真的。若是能成功造出不死的士兵，戰爭就絕對不會輸了。可是美馬坂的認真，反而是軍方的一大敗筆。」

京極堂點燃香菸。

「美馬坂原本是免疫學者，詳情我不清楚，不過聽說他著眼於癌細胞的不死性，寫了好幾篇關於生命的先進論文。同時他也是日本基因與酵素研究的權威。如果他不是生在日本，恐怕早在醫學史上已經留下許多足跡了吧，他就是這麼位了不起的醫生。但是不知是被什麼迷了心竅——開始研究起機械改造人來。」

「那是啥怪玩意兒啊？」

鳥口發出怪聲。

「以人造物取代人體器官的研究。機器很堅固，壞了又能替換，故也就等同於不死。」

「原來如此，這樣效率很好嘛！」

榎木津似乎大感佩服，但這麼夢幻的事情不可能真的存在。如果美馬坂是認真思考這種研究的話，我不得不懷疑他的精神是否正常。而採用這個研究方案的軍方也一樣。對我來說，這怎麼想都只像是種玩笑罷了。

果其不然，京極堂也說了與我意見相近的話。

「不，一點也不好。當時的軍方肯定跟榎兄的想法相同。明明又不是小孩子了，居然還無法判斷現實上是否可能。當然啦，我也不排除美馬坂可能在採用與否的交涉中作了許欺似的申告——他的研究很花錢，所以非常需要經濟上的後盾。只不過軍方後來很早就發現計畫不可行，或者說戰局也逐漸吃緊，沒有多餘的錢花在這種研究上——總之軍方也並非真的很愚蠢。」

「美馬坂原來是騙子嗎？果然他自己也不是認真相信這種蠢事。」

「他是認真的哪，只不過他的研究最後與軍方的需求不一致罷了。」

似乎與我的想法有點微妙的差異。

「他的研究簡單說，就是花費天文數字的金錢來讓一個人永恆活下去。說理所當然也是理所當然，將好幾萬人的軍隊全部機器化以創造出不死的軍隊，這種想法本來就太貪心了。不可能達成的。」

「什麼嘛，原來辦不到喔。」

榎木津一臉無趣地噘著嘴，從我的視野中消失。他又躺下了。

「因此後來他差點被軍方放逐。不過美馬坂的研究在九死一生之際又獲得了機會。你們應該也想到了吧？日本有唯一一位不惜犧牲無數的經費也不能使之駕崩的尊貴人物存在。」

「唔嘿！」

鳥口又發出了怪聲。

「萬一情勢發展成本土決戰——這並非絕無可能。雖說本土決戰最後並沒有到來，但為了防範未然，上層判斷他的研究或許有機會派上用場。」

「所以尊貴省（註）——出錢了嗎？」

「只提供必要的維持經費而已。畢竟日本到處都缺錢，就算只給這些也已經太奢侈了。不過研究本身的確稱得上很先進，只是——在某種意義上也可說是惡魔的研究。我想如今從**那邊**來的金援應該已經停止，但我不敢確定就是了。就算只有短短的一段時間，他也還是與**那邊**扯上過關係。因此美馬坂這個研究者至今也還是種禁忌。」

京極堂講到此停了下來，環顧他身邊的書與資料堆成的小山。

他擁有的情報只有這些而已嗎？

假如美馬坂實際上真的是跟**那邊**有關的人物的話，一介小小的糟粕雜誌社對他出手勢必會受到嚴重燙傷。勸告人別靠近這種瘟神，說當然也是理所當然。但是僅限於這次事件來說的話，知道這些對我來說一點啟示也沒有。

原本煽動個不停的榎木津似乎聽到一半就失去興趣了，如今已不再開口。

我繼續等待著京極堂接下來的話。

「我啊，並不討厭美馬坂這個人。我並不認為只有顯露出表情、或哭或笑才是人性的證明。他在我退役為止的那兩年間，一次也沒笑過。每天真的就像是一台機器般埋頭進行研究。瘋狂大概是最適合用來形容他的詞了。但是若問他是不是個欠缺了情感的缺陷者，我認為並不對。他在那兩年間，只有一次提過自己身上的事。」

在我聽來，京極堂的話語彷彿像是自言自語。

「他曾經有個分居中的妻子。」

他的話不是對在場者說的。

「他的妻子死於昭和十五年。好幾年來，妻子要求進行離婚調停，美馬坂每次都固執拒絕了，在這段期間書信往返過好幾次。美馬坂一直到她死前都沒答應過離婚。他曾拿這些書信給我看過。」

他沉浸於回憶之中。

「如果我的記憶沒錯，寄件人的名字寫的是，**美馬坂絹子**——」

「絹子？」

「不、不好了，出事了！」

面無血色的青木一路大聲呼叫，突然推開紙門。

他似乎沒從走廊走，而是直接由捷徑過來。

「關、關口老師，中禪寺先生！糟、糟糕了，出事了！」

京極堂停下，抬頭看青木。

「怎麼了，青木你冷靜一點，發生什麼事了？」

「分屍案，發現新的手了。」

「在哪裡！」

鳥口後退讓出位子給青木，京極堂雙手拄著桌子，榎木津起身。

「在武、武藏境發現的。同樣也是收在桐

註：掌管宮中事務的宮內省（後改制為宮內廳）之諱稱。

木箱裡。」

「楠本賴子呢？賴子怎麼了？」

京極堂站了起來。

「早在我聯絡之前，她母親前天已經向警方申請搜索，地方警署的警員早就開始找人了。」

「沒找到嗎！」

這是什麼情況！這股非比尋常的氣氛令我坐立不安。

「沒找到。」

「啊啊！這是怎麼一回事。」

京極堂手摀著臉又坐回位子上。

「手部原主的身分──已經確認了嗎？」

「不，賴子的母親自昨晚就陷入錯亂狀態，無法正常溝通，所以──」

「電話已經掛上了嗎？」

「是、是的。」

「找到的手是左手還是右手？」

「是雙手。」

「麻煩你去確認一下，右手上是否纏著繩索，如果有，那就是結緣索。」

結緣索──柚木加菜子為賴子結上的法術。

「楠本──賴子。」

「賴子。」

青木立刻轉身，再次朝電話前進。

啊啊，糟糕了，老師，這下子真的不得了了。

鳥口的聲音像是由很遠的地方傳來的。

榎木津與京極堂一語不發，各自凝視著不同的方向。

被害者是楠本賴子，且犯人是久保竣公的話，

一切都是我與榎木津的責任。

我們前天才跟被害者與犯人雙方見過面，

卻任由他們離去，一事無成地歸來。這是多麼愚蠢的事。

而且還放肆地說賴子很危險。

君枝想必發狂也似地遍尋賴子不著後才會求助於警方的吧。

要是那時先阻止她就好了——

我的不安每經過一秒就膨脹一倍，在等候青木歸來的時間裡已漲滿了整個房間，轉瞬之間化為後悔。這股壓力快要將我壓碎。冷汗直流，胸口悸動不止。我完全失去了言語，驚慌失措了起來。

我對賴子見死不救！殺了賴子的人等於是我。要是那時候，至少懷疑一下久保的話——

不對，在昨天以前，連京極堂都還沒得到這個結論。

京極堂推理出久保犯人說是在調查名冊，讀過〈匣中少女〉，然後聽過我與榎木津的報告之後——也就是今天的事。

不對，這是藉口。

我很早很早以前就開始懷疑久保了。

所以，

青木回來了。

「找到——繩索了，被害者是，」

別說，別說出接下來的話！

「被害者是楠本賴子。」

青木說完，捧著頭。

〈匣中少女〉後篇

■■■

久保竣公

■■■■■

女人這種生物為何如此■■■■■■

■■■■■用來實驗的■■■■■■

■母■■■■■■■

乃是按照名冊的順序■■■■。

萬事順利即可。

要漂亮地拆下，必須■■■■■。幸

虧帶了道具，得以■■■■■■。

確認住址，離開城■■■■■■

■■■■■

（中斷）

——無法判讀——

（繼續）

為什麼？為什麼就是做不好？是做法太差勁了嗎？可是已經進行過相當多的練習，卻還是做不好。沒道理做不好。沒道理別人辦得到卻辦不到，不能容忍如此不合理的事情。絕對要完成這件事。啊啊，好污穢。為何會如此不清潔■■■■■■■■■■。討厭討厭討■■■■■■■■■■何辦不到。這些不清潔的體液為何■■■■呢？就算綁緊了■■■■■■■■■也還是不斷流出。境界變得曖昧■■■■

■■　　　　　　　■■■

（中斷）

——無法判讀——

（繼續）

街上充滿了縫隙，放眼四處充滿空虛，真叫人不愉快。多餘的東西就該搬到這些空隙裡填補才能保持均衡。取其長處緊密地填補短處。常覺得，好。乾脆用灰泥把全部都埋起來還比較

（中略）

（繼續）

拿到照片了■■■■■■■■■■這是命運的啟示嗎？經過三次■■■的實驗，這次實行起來自然得心應手。細心■備之後，■次絕對沒問題了。■■

■■■

（中斷）

——無法判讀——

（繼續，但是記錄在欄外）

真是糟糕的母豬。多虧她，好不容易寫成的原稿又被弄髒了。

（中斷）

沒有時間重寫原稿了，這次又失敗了。

因為靈魂污濁才會變得腐敗的。看來最後是這個女人並非偶然。

既然那個醫生知道的話有必要走一趟。現在立刻出發，去找那個女孩。

（中斷）

木場慢慢地想起來了，那是戰前的事，大概是昭和十五年前後吧。忘了是在大勝館還是邦樂座看的。

名稱是……對，叫做《科學怪人的復活》。那是第一次。其實這是相同演員演出的相同怪物電影系列的第三部，之前還有兩部，可見還算賣座吧。

記得那是美國的電影。

戰後，忘了在哪看過第一部。對木場而言，電影裡登場的怪物一點也不恐怖。相反地，木場覺得怪物的形象彷彿與自身重疊，令他覺得很悲傷。

言語不通，容貌醜陋，怪物之所以為怪物與他異常的出身沒有關係，世人的判斷基準是外型與表現能力。

既然如此，自己與怪物也只是五十步笑百步，稍一不慎就可能受到撲滅。

這些就是當時看完電影的感觸。

木場昨天打破了與京極堂的約定。

不會應付他的理論，老是不知不覺間就認同了他的觀點。

不知道他的理論是詭辯還是真實。

京極堂大概是想阻止木場繼續深入事件吧。雖不知他在隱瞞啥考慮啥，但木場並不想中了他的計謀。

能衝多遠就衝多遠，管他前方有什麼狀況在等著他。

其實木場也知道聽從京極堂的建議是明智的行為。他總是能看清狀況。所以木場想，照這樣繼續衝下去，最後等待著木場的肯定是痛苦的現實吧。

——管他那麼多。

不管在前方等候的是地獄還是考驗，接受這樣的現實才適合自己。管他啥纖細心情的變化或是微妙的男女情感，木場不懂這麼麻煩的

東西。

所以木場爽約了，主動繼續搜查。身上沒有警察手冊與手槍、逮捕繩雖十分令人不安，但木場還有頑強的肉體與莫名所以的執著。

昨天木場改去找川島新造。

川島是木場戰前以來的朋友，聽說他戰爭中在滿州以甘粕正彥（註）的心腹身分相當活躍。

木場與他還算親近，不過關於他是在何種經歷下成為甘粕上尉的部下，這段時期的內情木場完全不清楚。

川島現在在一個小型的獨立製作公司製作電影。只不過木場也不知道他的職位是導演還是什麼。

當然，木場認為他在戰後會轉行進電影業界應該是受到甘粕影響，可是那只是出自於木場的想像。畢竟木場已有兩年沒見過他，且兩年前遇到也只是在路上小聊一下而已。這之前彼此都沒聊過工作的事，所以木場直到那時才知道川島在搞電影。

而且，木場自己也想不太起來為什麼突然會想要見川島。那是前天晚上與京極堂通過電話後突然想到的。想必是基於陽子——電影——川島這麼簡單的單純聯想吧。

川島的事務所在池袋。木場被調到本廳前曾於池袋的警署服勤，所以說這一帶算是木場的地盤。兩年前曾討了地址，原本想說想見面隨時能見，可是木場終究一次也沒去過。昨天是木場第一次造訪這裡。

聽到川島的職業時，木場覺得兩人所屬的世界差異太大了，有點不好意思去叨擾。電影對木場而言是用來觀賞的，而不是去創造的。電影事務所名稱很獨特，叫做「騎兵隊電影公司」。

川島獨自一人躺在沙發上，看來很閒。木

場一到，他立刻啪喳啪喳地眨著小眼睛歡迎他。他的五官只有眼睛一帶看起來還算可愛。

「是你啊木場修，真難得一見。隨便坐吧。」

「你還是一臉很不景氣的樣子嘛，川新。」

彼此以外號相呼。

這是榎木津幫他取的外號，也就是說川新跟榎木津也是朋友。

川島站起來時身子顯得很**長**，不清楚身高有幾尺，總之是個高聳入雲的漢子。他的頭髮剃得光溜溜的，隨時——即使現在——都穿著軍服，加上平時還戴著墨鏡，所以看起來比木場更可怕。

不過他的個性很溫和，是個好人。

川島為木場帶來一個意想不到的情報。

他很熟悉美波絹子的消息。不只如此，他也知道許多關於柴田弘彌的事情。過去弘彌在電影界算是個響噹噹的人物。

不過他似乎並不知道絹子——陽子與弘彌的關係。

聽川島說，美波絹子似乎曾遭人勒索。

他說業界一致傳聞這才是絹子息影的真正理由。

倘若絹子真的遭人恐嚇，理由肯定是**那件事**吧。

可是向柴田勒索也就罷了，恐嚇者為何要以陽子為對象？害怕事實曝光的應該是柴田家而非陽子吧？不——當時弘彌已經死了，對柴田家而言就算曝光了也不是很要緊。木場總覺得這件事情聽起來有股說不上來的不對勁。

註：西元一八九一年～一九四五年。日本陸軍軍官。曾參與過九一八事變的策劃。滿州國成立後擔任過滿州映畫協會理事長。表面上的形象雖是強權派軍人，但對流行文化也十分敏感。到德國訪問之際將最新的電影技術帶回滿州國，影響了戰後日本電影技術的發展。

雖說這次的事情全部都讓人有這種感覺——

而且，恐嚇者又是誰？

川島說曾有人見過攝影棚裡有身分不明的男子——恐嚇者出沒，川島本人也見過一次。只不過川島自己當時沒想到他是恐嚇者，但綜合見過的人的話，怎麼看都是他。

「那個男的身高很矮，頭很大，感覺起來就像是有點肥的小孩身體配上市川右太衛門（註一）的頭。小絹她，啊，大家都叫美波絹子為小絹。我雖然沒跟她合作過，不過她是個很有氣質的女孩子。雖然演技十分差勁就是了。本想如果有機會就要跟她合作看看，可是突然變得有名所以就——小絹跟那個右太衛門小鬼走在一起，小絹看起來滿臉厭惡，不過右太衛門笑得噁極了。」

木場不太喜歡右太衛門。只看過去年年底他演出的《大江戶五人男》，而且看也是光看阪妻（註二）而已，所以一時之間實在想不起來他到底長什麼樣子。

況且就算想起來了，由電影裡戴假髮穿戲服的樣子大概也很難聯想吧。

至於弘彌，則是在電影界以散財童子聞名。出錢的時候很闊氣，性格卻很膽小，在玩女人的方面完全不行。說什麼害怕蠟燭病（註三），就算有女人主動送上門，他也碰都不碰就回去了。弘彌還在世的時候，川島完全不認識他本人，不過公司裡的燈光師跟他很熟，常在慶功宴聽他說些有的沒的。

「欸，到頭來有錢還不是沒用。」

那個中年的電影工作者經常以此作結。

令人驚訝的是，川島竟然也聽說過美馬坂的事。

川島說是從甘粕那裡聽來的。

「我國有個能製造出**科學怪人**的科學家。

軍方高層不相信他的能力，總是報以輕蔑的眼光，但這是錯的。應該多出一點錢，讓他創造出人造軍隊才對。就算實際上沒用也無妨，這個研究是個讓列強知道日本有多優秀的絕佳機會——」

甘粕當時醉得差不多了，所以也不知道他說的是真是假，但他當時的確如此說過。那個科學家的名字，叫做美馬坂——

川島如此說。

——人造軍隊？

缺乏科學想像力的木場想不出任何具體的形象。

不過他記得曾看過同名的電影。

所以木場總算慢慢地想起來了。

想起美馬坂要創造的那種怪物的樣子。

記得那似乎是個——由**四分五裂的屍體**組合起來創造而成的人工生命的故事。

——或許要拿去作什麼材料

——胴體或頭顱或許要**用在某事之上**吧

——不這麼想的話，實在沒有道理。

手腳用不到嗎？

用來創造那個的時候，

手

※

「手被嵌在武藏境的民家石牆裡。」

青木臉色蒼白地為我們說明。

「一切都是因為我無能，我明明就掌握了

註一：西元一九〇七年～一九九九年。日本著名演員。生涯主演過三百二十部電影之多。

註二：西元一九〇一年～一九五三年。日本著名演員。藝名為阪東妻三郎，阪妻為其暱稱。

註三：一種傳聞中的病症。得到這種病的男性的性器會像蠟燭一般逐漸融化。或說是對梅毒的誤解而來。

跟大家一樣多，不，更多的情報——卻什麼也不懂。昨天中禪寺先生都特意給了我那麼重要的提示，我卻只是聽過就算了。都是我的過失。我看過御筥神的名冊，也聽過對名冊的解說——連下個有可能被害者的都受到各位老百姓的提示。所有的事情都交由各位思考，我只是傻傻地等待今天到來。就在這段期間，楠本賴子被殺了。」

他似乎受到很大的打擊。青木垂頭喪氣，但看起來也像是在憤怒。

京極堂的反應也與他相同。提倡保護賴子的是他，想必比其他人更不甘心。這由他的表情也能明顯看出。他經常都一臉不高興的樣子，一旦生氣面相會變得更凶惡。

可是比任何人都還動搖的應該是我吧。

若是青木能更敏感地做好安排，或者京極堂能更早發現真相，並申請保護賴子的話——我的確能理解他們的心情。但是就算他們沒能這麼做，警察也已經在大前天就出動了，所以事態並不會有什麼變化。

但是我就不同了。我在事件發生的前夕正巧與當下嫌疑最濃厚的嫌犯以及正朝往該名嫌犯處的被害者見過面。

榎木津難道不在乎嗎？

京極堂說：

「如此愚蠢的發展完全超乎我的預測，太快了。青木，既然如此的話請你及早逮捕久保。如今我們已經沒有時間在這裡囉唆了。雖然仍有他不是犯人的可能性，但現在已經沒時間考慮這些了！不能繼續縱容他的罪行。他沒有罪惡的意識，放任不管的話說不定明天就會產生新的被害人。總之先將他逮捕，搜索他的房子就對了。而且雖然機率很低，但賴子**或許還有氣！**」

接著又說：

「好，我們也不能繼續坐視不管了。有些

事即使我們不去干涉也會發生，但既然我們已經涉身其中——」

「你打算做什麼，京極，你要行動了嗎？」

榎木津問。

「必須去驅除妖怪了嗎？去驅除那個魍魎？」

京極堂回答：

「沒錯，得去驅除了。雖然我不是很願意，但沒辦法，必須去打擊御筥神了。先打擊他，青木也會比較方便行事。反正單只是逮捕久保也還不夠，而靈媒這類對象也不是警察能夠處理的。」

「要、要怎麼做呢！」

鳥口很興奮。

「讓那個箱屋老爹坦承一切。」

「該怎麼辦？」

「這個嘛——恐怕得有請御龜神出馬吧。」

「你說什麼！」

京極堂看著我。

接下來青木飛快地離去。

京極堂鮮少自己出馬，而我則在搞不清楚狀況中又被人拖下水，只剩不斷肥大的悔恨感仍黏滯心底。

鳥口說御筥神在星期五晚上到星期六早上這段期間集會。

星期六休息半天，星期日整天接受信徒諮詢。

「那就決定明天早上好了，剛好是星期日。鳥口，信徒大約幾點會到？」

京極堂徹底不顯露出表情地說。

「這個嘛，老婆婆們特別早起，在我還在睡的時候就出門了。大概六點左右門口就開始大排長龍。這是特別早起的柑仔店婆婆說的。」

「那就五點吧。」

「就跟趁尚未破曉前去踢館的感覺一樣嘛。」

榎木津很高興地說，還說怕睡過頭，今晚要在這裡住下。鳥口也說他回家睡的話肯定會遲到，所以也說要留下。夫人見到突然決定留宿的客人也不慌不忙，開始輕快地準備晚餐的菜餚。時刻已過了九點。

我告別了京極堂。

暈眩坡還是一樣的昏暗，我的腳下還是一樣不安定，坡道兩側漫漫延續著的油土牆背後是墳場。

我想像著。

想像著魍魎由墳場裡挖出屍體，大快朵頤一番的樣子。

魍魎在特定特徵上格外明瞭，比方說長耳、蓬髮、圓眼的部分。可是這些特徵都與魍魎太不相配了，每個都像是借來的，所以整體看起來模模糊糊，曖昧不明。我真的看不出實際上是什麼形狀。

到底，

到底是什麼東西啊！

這一夜，我終究還是無法成眠。

而今天，九月二十八日的凌晨，我人現在總算到達了三鷹御筥神附近。

自發端——對我而言的發端大概是去相模湖的那天吧——到現在已過了近一個月，我真的不知道為什麼自己現在還在這裡。

車子停在「五色湯」後門的路肩上。

鳥口位於駕駛座上。

我與榎木津縮著身子，將自己埋進後座裡。

坐在前座的京極堂先下車去勘查御筥神的情況。

我們在車內等候他回來。

冒牌達特桑跑車雖然是四人乘坐的車子，但後座太窄小了，坐得很不舒服。

車外似乎很冷，冷氣穿過篷蓋傳了進來。湊向前方看看這個城市早晨的情景，附近籠罩著一片晨霧。

朦朧之中人影閃動。

聽說影子周邊的薄影叫做罔兩。

人影拖曳著罔兩靠近我們。

這個城鎮宛如一座深海。

附近一帶如此明亮，但城鎮卻依舊昏暗；太陽燦然照耀，光線卻射不進來。光在中途受到無數粒子反射、分散，受到無數的浮遊物吸收，反複著無意義的擴散與收斂之間，完全失去了它的效力。所有的存在變得一片朦朧。只能觀察到曖昧的形影的話，存在本身也變得與朦朧的曖昧沒有差異。外側與內側的界線在這種世界裡顯得模糊不清且不安定。

模糊不清的界線——那就是魍魎。

御筥神錯了。堅固的圍牆裡不會生出魍魎。圍牆本身，不明瞭的圍牆本身就是魍魎。

薄影逐漸顯出輪廓。

那不是影子，是穿黑衣的男子。

黑色的簡便和服，手上戴著手甲，腳穿黑布襪與黑木屐，只有木屐帶是紅的。手上拿著染上除魔晴明桔梗的純白和服外套，他就是黑衣男子——

京極堂回來了。

「鳥口，忠並不是兵衛的兒子。」

「嗄？可是門牌上……」

「忠是指阿忠。」

「咦？兵衛的爸爸嗎？」

「雖然名字的**排列順序**很奇怪，不過很明顯地兵衛的字是後來才寫上的。姓的下面右邊記錄丈夫，左邊是妻子，孩子生下之後又寫在左邊底下。雖然有點奇怪，不過應該就是這樣沒錯。忠與正江是夫婦，他們的孩子是兵衛。阿忠既不是忠吉也不是忠次，而是單名一個『忠』字。」

「這表示？」

「這表示，兵衛的孩子另有其名。」

京極堂說完這句很理所當然的話後，指示我與榎木津下車。由於鳥口的身分已經被識破了，所以他留在車上待機。此外一切準備與商量也沒有，我們默默地朝著御筥神方向前進。

接著，我終於親眼見到御筥神的道場。

但是沒有時間沉浸於感慨了。

京極堂毫不猶豫地打開門。

「恕我冒昧，請問這裡就是封穢御筥神嗎？」

一名女子從裡面慌張地跑出來。是二階堂壽美。

「是的，請問有什麼事？來喜捨或來諮詢的嗎？」

「不，我前來拜託一件要事。」

「這樣的話——」

「啊，太好了，似乎——還沒有信徒來嘛。我路上還很擔心萬一來不及的話怎麼辦哪。」

「呃，請問——」

「嗯，聽聞這裡十分靈驗，評價甚高，求救之人車水馬龍絡繹不絕。所以我怕萬一有信徒在場的話會影響到諸位，才趕在這個時間來。若是方便，願與教主面晤一談。」

「這個嘛——」

二階堂壽美覺得很莫名其妙。她身穿白襯衫與深藍裙子，雖是十分普遍的打扮，但在這個場合下卻顯得極不相配。

「還是說教主仍在用餐？我想應該差不多用餐完畢了才上門的。今早比平時還慢嗎？」

「不，請問您是——？」

「啊，忘了報上姓名。我叫中禪寺，乃是

中野的驅魔師，算是與你們同行吧。啊，請別把我當成生意上的對手。我與教主大人的位格差太多了，無能拯救煩惱痛苦的信徒，頂多能幫人把附身的惡魔驅走罷了，是個沒什麼本事的驅魔師。」

「這，那請問——」

壽美完全被京極堂的步調牽著走。因為沒有半個信徒，沒辦法像鳥口來的時候，以信徒眾多為理由要求我們稍等。當然京極堂也知道兵衛已經用完餐。剛剛來勘查時，他一定已經確認過廚房的痕跡了。

加上鳥口形容氣氛上有點像是酒家女的辦事員兼巫女也已經化好妝做好打扮了，可知早就準備好隨時迎接信徒的到來。

「其實我的目的很簡單，這位男子被魍魎附身。」

京極堂指著我說。接著又指了榎木津，向她介紹：

「這位則是我的徒弟。」

京極堂故意大聲說話，或許是為了讓在裡面的兵衛聽見吧。

「妳好，我是徒弟。」

榎木津開朗活潑地打了聲與現場氣氛極不諧調的招呼。

「怎麼了？誰來了？」

由裡頭走出一名男子。

就像是骸骨上面裹著一層皮的男人——

鳥口如此形容他。那換做是我會如何形容？的確，兵衛的容貌就如他形容般骨骼很突出，但並非很瘦，而像是多餘部分被削掉的感覺。眼光說是銳利倒不如說是鈍重，視線裡含著重力。他視線周圍的空間產生了扭曲。

寺田兵衛，原本是個毫無主見的平庸少年。是個沒有任何目標、專心投入工作的青年。是個沉迷於正確無比地製造箱子的男人。

而現在，

是靈媒御筥神教主。

「教主大人，其實——」

兵衛出言制止慌張地找藉口解釋的壽美。

「你是？」

聲音宏亮通透。

「哎，這可不是教主大人嘛，初次參見甚感榮幸。我是中禪寺，乃是普通至極的驅魔師。今日來訪不為別的，乃因這名男子上門求助，但我施了各種法都沒有效果，自認以我的能力不足以擊退此怪，故前來此請教主能高抬貴手，助我一臂之力。」

京極堂還是一樣維持著不變的撲克臉，而且還一副笑裡藏刀的態度。榎木津也一樣，我老在想他們為什麼如此簡單地就能隨口胡言亂語？

「喔？所以你才——」

兵衛沉重的視線盯著京極堂。

「是的，想必教主大人一定看出來了。這名男子——如您所見，被一隻巨大的魍魎所附身。如果是惡鬼怨靈狐狸妖怪之類的我都能輕鬆驅除淨化，唯獨只有魍魎不會對付。」

「魍魎？在這位先生的身上——」

視線移動到我的身上。我無法讀出他的情感變化。

「聽說您專門收服魍魎。哎，實在了不起，不知您在哪修行的？能收服如此難纏的妖怪，想必擁有過人的法力吧。」

「我——沒有修行過，一切都是——」

「是的，一切都是御筥神的靈力是吧？但縱令那是具有多麼強大靈力的聖具，要引出其靈力來造福世人也需要相當的人德吧。」

京極堂有意識地搶在兵衛話說一半的途中說話，故意不讓兵衛把話說完。京極堂雖從頭到尾保持著低姿態，卻莫名地讓人感受到一股壓力。這種話術，不，這種語調是——

久保竣公——？

「你——很清楚嘛。難道你……」

「毋須擔心，我是**正牌**的。」

京極堂最後以我們不懂的這句話做結，反盯著兵衛看。他的視線彷彿銳利得要將人射穿。兩人對看了有一、二秒之久。接著我們被帶往裡面的祈禱房。截至目前為止，兵衛還沒有時間對我們玩弄「洞悉祕密」的把戲。

房間就像個巨型的人偶台——我只想到這種形容。地面雖沒鋪上紅毛毯，不過房間裡排滿了大大小小的箱子，就跟女兒節的人偶擺飾一樣，而且還到處掛上注連繩。我很無聊地聯想到盆節與新年（註）這句成語。地面同樣鋪了木板，所以看起來與道場的印象差不了多少。上面放了兩個像是戰國武將坐的那種藺草坐墊。

兵衛坐到祭壇附近的坐墊上。受到情勢所迫，跟在他身後入室的我只好坐上另一個座位。二階堂壽美則坐在我的斜後方。

京極堂在幹什麼？榎木津呢？

兵衛看著我，以他宏亮通透的聲音向我恫嚇。

「說吧。」

「啊啊，那個。」

該說什麼才好？我又不像他們能隨口說出那些胡言亂語……

「怎麼了？」

「我、我……」

「哎，不行哪不行哪，**龜山**，你來這邊。

註：盆節是日本民俗上祭拜祖先靈魂的節慶。這句成語原本指兩大民俗節慶一起到來，比喻非常忙碌的樣子或值得的事情接連發生之意。關口在這裡拿來形容房間的過度裝飾。

坐那邊小心沒命。」

京極堂突然進來，抓住我的脖子往上提。

「龜、龜山？」

「沒錯，龜山！憑你的體力沒辦法在這個房間裡久留的。」

看來龜山是在說我。

「你叫——中禪寺是吧？這句話是什麼意思？這間房間——」

「教主大人，您也真是壞心眼哪，您明明就知道這名男子現在消耗了多少體力。瞧，用不著受到您的靈視他便已累得汗如雨下了。」

我經常都是滿頭斗大汗水。

「這個人的樣子看起來是有點問題沒錯，但——」

「這樣不行哪。對您而言這個房間或許沒什麼，但連我要避開都有點困難了。例如說那位——」

京極堂指著壽美。

「您是二階堂女士是吧？就連這位女士也很危險哪。她看起來也不像具有什麼特殊能力——」

「你究竟想說什麼！」

兵衛粗聲大喝一聲。壽美被未曾謀面的京極堂直呼姓氏似乎很驚訝。

「裝傻也沒用，這個房間明明就充滿了魍魎！在這種地方待久了有幾條性命也不夠用。龜山，小心那邊。」

我不由自主地閃躲。

「你在說什——」

「教主大人，您是——故意的吧？將魍魎由信徒身上扯下放進這個房間裡。捕捉了這麼多，信徒也該安心了。」

「你說什麼傻話，魍魎全部都封在這個——」

「哈哈，這就是深祕御筥神嗎，原來如此。」

房間中在與祭壇相對方向的另一角落上設置了有如神壇的台座，上面安放了桐木箱，與其他箱子的位格明顯不同。如果這就是御神體，安放的位置倒是很奇怪。

京極堂無聲無息地走向箱子。中途看了壽美一眼，說：

「嗯，妳也早點離開這個房間比較好。妳受魍魎毒害已深，患了胃穿孔的毛病。不，妳的身體雖叫人擔心，但繼續下去連妳的家人也會受連累，妳父親……」

京極堂講到此突然把話打住。他走到箱子面前。

「嗯嗯，這就是御筥神嗎。嗯，做得真是好，不愧是製箱名人的手藝。這就是日本第一的箱子工匠寺田兵衛成熟期的作品嗎？」

「我父親、我父親他會怎樣？」

「你、你到底在說什麼！」

京極堂的擾亂策略奏效了。

京極堂重新朝向兵衛說：

「寺田先生！難道您不害怕嗎？」

「害、害怕——什麼？」

「收集了如此多別人身上的痛苦與不幸，您想過要怎麼處理嗎？沒人能獨自背負著如此多的痛苦與不幸還能保持正常的。」

「混蛋！這個房間裡有……」

「魍魎並沒被封進箱子裡！難道——您要說您什麼也看不到？」

「什……」

「這個房間裡不只魍魎，還充滿了世上一切污穢與災厄！看板的確不假，這裡真正是封穢御筥神。但只是封印卻不想辦法使之寧息，我只能說你們瘋了哪——」

這個傲然而立的黑衣男子，現在看起來是多麼有魄力啊。

「教主大人，繼續下去的話這個房間的歪斜扭曲之氣將會殺了你。」

「啊對了，教主大人，照這樣下去你可是會失明的喔。」

最後還死纏爛打地丟下這麼一句。

我還沒搞清楚狀況，只有快步追在他們後面。

榎木津與京極堂在走廊小聲交談。雖然沒事先說好，不過他們之間似乎有某種默契。

「接下來就看他們什麼時候上鉤了。」

「誰知道，不過我看大概一下子而已。啊，看吧。」

在說什麼？

我到玄關時壽美也追了過來。

「請、請問……」

「有什麼事嗎？」

「教、教主大人他——」

我們回到房間時，寺田兵衛的態度與剛才大相逕庭，失去了原有的威嚴，整個人彷彿縮

「什麼！」

「魍魎不像你，不，不像**創造出這個機制的人**所想像的那麼簡單。很可惜的，要拜託你收服這位龜山身上的魍魎實在太可憐了。把這麼大的魍魎丟在這裡就回去，對你，對二階堂女士，不，連**你的兒子**都會有生命危險。要是真的發生意外，我覺也睡不好。雖然很可惜，我們還是去找別人吧。走吧，龜山。」

京極堂一把拉起正要提起腰身站起的我，準備離去。這時我才注意到，原來榎木津一直站在入口處凝視著兵衛。

二階堂壽美像是在求助般伸長了手。

「等、請等一下。請問我父親會——」

「請跟教主商量吧。令尊因妳的緣故肝臟開始出問題了，放任不管的話來日恐怕不多了。妳最好也早日住院，把妳的胃治好吧。」

京極堂說完，頭也不回地離開房間。

兵衛僵住不動。

小了一圈似地坐在原處。

京極堂明知故問地——開口詢問：

「請問有何指教？教主大人。」

「這、這間房間裡，真的……有壞東西嗎——？」

「事到如今您怎麼還在說這個，這些不都是您收集來的？」

「老實說——我什麼也看不見。」

「想必也是。你本來就不具有特殊能力，又沒經過修行。但你難道當初不是早就有所覺悟才做這些事的嗎？」

「——你說的沒錯。可是，會有這種……」

「剛剛我也說過，這種做法是不行的。」

京極堂走近御筥神的御神體。

「箱子是做得很完美，但位置不好。」

「你、你豈敢無禮，這個御筥——」

「基本上你擺的方向就錯了。對象是魍魎吧？你將御神體擺在鬼門是什麼意思！」

京極堂手放在箱子上。

「你這傢伙，還不快住手！」

「切莫輕舉妄動！」

京極堂大喝一聲。

立場完全顛倒了。

「寺田先生，你那一帶特別危險，乖乖坐著比較好。」

京極堂把箱子放到地上。

「放在這裡只會讓箱子引來壞東西而已。」

「混、混帳東西，所以才擺到鬼門的你不懂嗎！聽好，當壞東西囤積於心靈的空隙與精神的虛無之間時，就會從中生出魍魎——」

「我就是在說，要收服魍魎的話，這個方位是錯的。」

「錯的？」

「鬼門是丑寅對吧？所以是鬼。」

「鬼——？」

「鬼門寫作鬼之門。牛角配上虎皮腰帶

——丑寅恰好就是鬼的象徵。自久遠過去的平安時代以來，與鬼門有關的壞東西肯定就是鬼。鬼原指死靈，因此如果你們的對象是怨靈惡靈還能理解，但既然是魍魎，這麼做便是牛頭不對馬嘴了哪，寺田先生。」

京極堂回頭。

「魍魎，又稱方良。方良——亦即位於四方，絕不是只會從東北角出現而已。中國古代有個收服魍魎的專家叫做方相氏，據說他擊退墓穴中冒出的魍魎的方法是執戈向四方敲打。方相氏——您應該聽說過吧？」

兵衛沒有回答。

兵衛只是個普通的箱子工匠，想必沒聽說過這號人物。

「就是中國的那個頭戴黃金四眼面具，身穿玄衣朱裳，執戈揚盾，率領打扮成窮奇、騰根等十二頭野獸的人與一百二十個孩子，立於驅除宮中妖魔的大儺儀式前頭的方相氏。這個在——七世紀末就已傳進日本，就是宮中於除夕時實行的追儺儀式。所謂的追儺，是一種大儺小儺在宮中追趕著舍人（註一）扮成的鬼的儀式。大儺象徵著方相氏，小儺則是用來代替一百二十個小孩。這個儀式一樣會把鬼輪流追趕到禁內的四個門。」

兵衛無法回話，這也是理所當然吧。

「神社佛寺也會舉行追儺儀式。到了近代在民間廣泛流行，全國都會舉行。這個相信你總該知道了，就是節分驅鬼的儀式。」

「節分是——趕鬼的儀式吧，所以當然是——」

「呵呵呵，鬼在外（註二）是吧。灑豆的儀式是在宇多天皇的時代前後開始的，這是受到陰陽道的影響。所謂的節分原指季節更迭的時節，立春立夏立秋立冬的前一晚就叫節分，故一年理應有四回。古人認為立春前夜陰陽對立，邪氣生，易有災禍，故為了驅走邪氣才會舉行追儺。在追儺變成灑豆的時候，魍魎這種跟不上時代的妖怪也隨之消失，取而代之的就是鬼。」

「鬼——」

兵衛痛苦地硬擠出這個字來。

京極堂的興致更高昂了。

「如前所述，鬼的字義原指死人之魂魄。在中國，所謂的鬼指的是死靈或祖靈。傳進日本之後這個字被用來指反朝廷勢力——也就是不肯歸順的人們。例如與當權的朝廷對抗的蝦夷人與肅慎人就被人以魅鬼這個蔑稱稱之。四方不順服之鬼神——在日本書紀中如此稱呼後逐漸普及、固定下來，同時鬼的字義也隨之變化。最後，代表著污穢與災惡的鬼就這樣誕生了。所以鬼算還好對付，要是你沒把魍魎找出來就好了，魍魎可是**比鬼還古老**的。」

「所以我才——」

「促成鬼的誕生的是陰陽師。就如同基督教的傳教必定伴隨著惡魔的存在，陰陽師們失去了鬼也無法存在。」

京極堂吐了一口氣，瞄了一眼門口。

榎木津站在那裡。

接著，又繼續說：

「陰陽五行的思想當初與佛教一起傳入，可說非常古老。但陰陽道的成熟與完成則又要等到好幾世紀以後。陰陽道正式被朝廷採用已經是在奈良時代後期以後的事了——」

京極堂邊說邊緩緩移動。

「——當時的權力者吉備真備就是促成此事之人。他廢止了原本負責統帥咒禁師的典藥寮，將他們使用的方術與基於陰陽五行等大陸

註一：宮中侍奉皇室、貴族，負責雜務的下級官員。

註二：節分灑豆驅鬼的儀式中，一個人扮鬼，其他人拿著炒過的大豆丟他，並喊著「鬼在外，福在內」來祈福。

最新知識完成的陰陽道做結合。接著來到了平安時代，陰陽道被發揚光大。在由律令神祇祭祀轉移到王朝神祇祭祀的過程中，可說是陰陽道祭祀的集大成版的四角四堺祭完成了。」

兵衛真的能理解這段話嗎？連我都有好幾個部分跟不太上了。

「驅除並清靜宮城四個角落的是四角祭，保護都城四境的是四堺祭。這是——將污穢由四邊與四角構成而成的**四角結界**中趕出去的祭典。此時四角的方位所指就是乾、坤、艮、巽，亦即戌亥、未申、丑寅、辰巳。你說的丑寅——鬼門在此登場了。但這個儀式所驅除的對象必定是鬼，而非魍魎。」

「那、那又怎樣？」

「所以說，如果你說鬼門是不宜的方位的話，那麼你要驅除的對象就必定得是鬼才成。」

「愚、愚昧至極，古早以前是怎麼做的我不知道，我——」

「事情可沒那麼簡單，你分明也使用了古老的儀禮。寺田先生，你踏過反閇吧？」

「反閇？」

兵衛的額頭上滲出狼狽的色彩。

「他是怎麼對你說的？反閇？還是禹步？或者說，他根本沒告訴你名稱？」

兵衛只是保持沉默。事情演變成如此的話已經沒人能跟京極堂相抗衡了。

「就是你腳踏地板的**那個**動作。我沒親眼見你踏過，不過我想應該是這樣吧。」

京極堂踏起很像是在踏四股（註）的奇妙動作，把地板踩得砰砰作響。

「天武博亡烈！」

鋪上木板的地板很響亮。

「這叫五足反閇，如果是九足反閇則是如此。」

京極堂手切「臨兵鬥者皆陣列在前」的九

字訣，同時唱誦著相同的咒語踏響地板。

這就是鳥口錄音的那個砰砰作響的動作吧，節奏也很相似。

「這是陰陽道或咒禁的方術，能跨越邪惡方位的魔術步伐。你學到的跟這個很相近，這邊恰好是寅的位置。」

京極堂向前踏出左腳。

「天蓬。」

右腳靠上踏出的左腳，接著又踏出右腳。

「天內。」

京極堂重複以上動作繞了一圈。

「天衝、天輔、天禽、天心、天柱、天任、天英。」

再度回到寅——東北東的位置。

「這原本是要在中間設有祭壇的地方進行，重複四回方才動作的步法——這個步法記載於《尊星都藍禹步作法》，與你的踏法很像吧？」

想必很像吧，兵衛沒有回話。

「這種步行術的原型可在道教中找到，也是種與方位有關的咒法。你在不知情的狀況下使用了這種師承自陰陽道的咒術。」

京極堂走到兵衛的正前方。

「若問陰陽師們為何能在一時之間獨佔了原本隸屬於神祈官的職責的宮中祭祀，那是因為原本的作法是將污穢驅除，而陰陽師們卻是與你相同，將全部污穢攬於一身；因為他們**本身成了污穢**，人們才會注意到他們的存在。後來陰陽道被逐出中央，他們本身也變成了鬼。傳說中有名的陰陽師們大半都是異類的末裔，是鬼的同類。創造出鬼的陰陽師們——最後自己也成了鬼，也因此產生了更進一步的混

註：相撲的基本動作。手扶膝，左右交互高抬起腳，用力踏地。

亂。」

聽這番話的兵衛才真的達到了混亂的極點。這也難怪，因為他正受到一個突然闖入的莫名其妙男子用無法理解的道理抨擊。

「民間流傳的方相氏後來變成什麼了？——這你已經知道了。你自己剛才也說過，就是灑豆。神社佛寺中舉行的古老形式的節分追儺儀式裡還將方相氏與鬼做出區隔，但到了民間，方相氏本身卻被當成了鬼的象徵，追逐者反成了被追逐者。但是，陰陽道靠著創造出鬼來獲得權力是在十世紀時，另一方面追儺的儀禮則是遠在七世紀末時便已傳入我國。因此，這其實是**池魚之殃**。方相氏原本是以驅趕邪惡之物為職責。而這裡所謂的『邪惡之物』在陰陽道的影響下不知不覺中變成了鬼這個名字，隨著陰陽道在中央的失利及大眾化，結果方相氏本身也被人置換成鬼。於是，」

京極堂笑了，殘虐的微笑。

「於是我們又想到了另一個也是受到**池魚之殃**的民間信仰。只因沒有適於形容的言詞，在陰陽道的影響下原本並不是鬼的東西卻也被叫做鬼了。」

兵衛後退，京極堂向前踏出一步。

「我知道有個民俗藝能中的鬼跟你一樣踏著反閇，唱著跟你一樣的祝詞。就是花祭的——楊桐鬼。」

「楊桐鬼——」

兵衛的反應只剩下有如鸚鵡般重複念著京極堂的話。京極堂又更踏出一步。

「神樂（註）中登場的楊桐鬼在各個地方的稱呼不盡相同，台詞也不太一樣。但身分高貴，在某些地方甚至只有特定家系的人才能扮演。這個鬼如同其名，背負著楊桐樹，因為與神官進行問答輸了，所以負責踏反閇平定**五方**。所謂的五方是指東西南北四方加上中央這五個方位。接著，比這個楊桐鬼還要有意思的是西國的被叫做荒平、大鑾、柴鬼神的鬼們。我認為他們是楊桐鬼的更古老的型態。在某些地方這個鬼，你們知道嗎，這個**明明是鬼**的妖怪，竟然手執劍，切五方，以驅惡魔。這豈不是與在變化成灑豆的鬼之前的古老的方相氏之所作所為相同嗎？」

京極堂壓低身子，臉對臉凝視著兵衛。

「不管是楊桐鬼還是荒平，現在雖然都被叫做鬼，但原本並不是鬼。那麼，楊桐鬼踏步平息的或荒平揮劍驅逐的怪物又是什麼？他們在平息、驅逐怪物時，口中唱誦的是古事記中登場的**神祇**之名。那是為了祈願還是為了平息並不清楚。」

當兩人的臉即將相互接觸時，京極堂忽然無聲息地站直了身體。

「例如說，有種稱為惡切的鎮守四方咒像這樣。」

京極堂像在跳舞似地以手刀向四方揮斬。

東方，木難消滅，木之御祖，句句迺馳
南方，火難消滅，火之御祖，軻遇突智
西方，金難消滅，金之御祖，金屋子彥
北方，水難消滅，水之御祖，罔象女
中央，土難消滅，土之御祖，羽根屋須姬
王龍，風難消滅，風之御祖，級長津彥

「不論歌詞或舞蹈都隨著各個地區而有所不同，名字的表記方式與讀法也各地略有差異，但內容大體上是一樣的。王龍是另一個中央。關於這點有很多解釋，例如說我們可以將之當作是陰陽五行思想裡的二土，亦即中央需經過兩次；或是我們也能把中央當作地板，而王龍便是屋頂，這麼一來六方便完全受到包

註：日本民俗的祭神歌舞。

圍，**箱子於焉形成**。在思考日本的鬼時，這個楊桐鬼與荒平的問題富含了許多人們容易忽略的啟示，實在是饒富興味，是個很重要的主題。這些暫且不提，現在有問題的是關於北方的罔象女。」

「罔象──女。」

「罔象（mitsuha）就是罔象（moushou），也就是魍魎（mouryou）。因此既然你把魍魎這麼古老的妖怪拖出來，那至少不該是鬼門──東北，而是水的方位，也就是在北方──」

「──在這裡擺箱子才對。」

「嗯嗯。」

我不由得發出贊同的聲音。

之前講到魍魎時京極堂很苦惱。不過在聽過御筥神的祝詞以及我跟鳥口的話後，他想到一件事。

──魍魎的話方位不對。

「另外就是，傳說中魍魎乘著火車。火車就是火焰之車──也就是火的方位，南方。另外魍魎也被稱做木石之怪，所以木的方位與金的方位，亦即東與西也合乎條件。魍魎充滿四方，但我想絕非──只限於東北。」

京極堂先仔細凝望著兵衛。

「接著。」

接著再次走到御神體的箱子前面停下。

「你說魍魎好金氣，但民間傳說中卻說魍魎厭惡金氣。而且不知為何，魍魎絕對不會屬於中央──也就是土。這一定有其意義。陰陽五行認為東西南北中央代表了木火土金水，五行指形成世界的五大元素──木火土金水間的輪迴與作用。這些元素各有其所代表的方位，彼此形成相生相剋的關係，這就是陰陽五行的根本思想。但在這之前，木火土金水有所謂的生成**順序**，這個可以配上數字。根據《尚書》的說法是水一、火二、木三、金四、土五，這十分**值得注意**。所以我想或許魍魎的祕密能用易經來解釋。我試過河圖、九星、洛書等排列，但仍無法明瞭。因為不懂所以不擅長對付，不懂就無法驅除，我驅除不了魍魎。魍魎並非普通方法所能對付，是種非常古老又不明所以的怪物。魍魎這個名字——是不該輕易掛在嘴上的。」

「嗚。」

兵衛悶哼一聲。

「可是你卻——你卻輕易地談論魍魎，還想要將之封印，而憑藉的還是亂七八糟的咒法。」

京極堂再次單膝拄地，蹲下身子。

「楊桐鬼踏反閇時，口中唱誦的祝詞不知為何竟是十寶祓。這是一種由一數到十，手拿十種神寶緩緩搖晃的術法，由石上神宮傳承的鎮魂方術變化而來，在祝詞之中並不稀奇。你唱誦的祝詞也與這種屬同類。」

他是說——那段祝詞吧。

「創造這篇祝詞並傳授給你的人應該查過很多資料——但是，他似乎搞錯了。十種神寶祓是搖動十種神寶，讓自己奮勇向上的祝詞。亦即，是一種喚醒生命力的祝詞。因此楊桐鬼拿這篇祝詞來與反閇並用，這個行為本身在某種意義上就是搞錯了方向。我認為這是由於身為楊桐鬼原型的荒平本身在傳說中就分做執劍斬魔的惡切型以及握有能使人返老還童與復活的死反生杖類型的兩種，所以才會產生這樣的混亂。大概是在某個時期發生了混淆吧。總之十寶祓是搖晃生玉、死反玉等十種類的寶物，**令衰弱的事物活性化**的咒文。」

——so te na te i ri sa ni ta chi su i i me ko ro shi te ma su。

——shihuru huru yura yura shihuru huru。

兵衛的咒文在耳中響起。

這原來是——伊勢嗎——

「除此之外，你唱誦的數詞是中世紀伊勢神宮的神官創造出來的讀法。伊勢神道是種很特殊的神道，濃厚地反映了陰陽五行思想。另外——聽說流經伊勢神宮境內的御裳濯川分歧點的水中祭祀著罔象女。因此著眼點實在相當不錯——但卻不適合用來驅除魍魎。」

「不適合？」

兵衛很沒用地發出孱弱的聲音。

「是——沒用的意思嗎？」

這不像是教主該問的問題。

京極堂又笑了。

我想，他其實很憤怒吧。

為自己只能眼睜睜地任憑楠本賴子被殺害而憤怒。

「不是沒效。**有效得很**呢。我是說，只可惜並不適合。」

果然如此。雖然從旁幾乎無法推量出京極堂的情感，但這種做法並非京極堂的一貫作風。明明他自己對於魍魎尚未有所結論，而且他看起來也像是在虐待兵衛。

「寺田先生，你是個誠實的人，你完全沒有說謊。你就像自己宣稱的一樣，沒經過修行，也並不是擁有特殊的靈力。你所做並非為人驅除淨化不潔之物而是將之封印，對人的訓誡也沒有大幅偏離世間常識而是遵守道德規範的模範內容，實在——很巧妙。你並不向人請求破格的祈禱費，而信徒們捐獻的喜捨現在應該也還是老實地擺在箱子裡，並沒怎麼動到吧？」

「當、當然了，這——」

「如此具有良心的靈媒，我近來還真的沒看過。但是，這個又是——」

京極堂慢慢地降低聲音的音壓，在曖昧不明之處停頓下來。

「什麼，你到底想說什麼——」

兵衛外在雖仍完好如初，但已逐漸開始由

內側崩壞。

「——請你告訴我這個又是什麼！」

「你的御筥神的咒法各個部分都是繼承了非常傳統的咒術，可說是正統派。但是整體卻又如此**拼拼湊湊**，扭曲不堪，一點也不正統。用來應付騙小孩的嬰靈供養或許十分有效，但用來對付魍魎——你的對手太危險了。」

「魍——魎——」

「你隨便對信徒們的不幸賦予了魍魎這個名字，給了這些煩惱一個莫名其妙的型態並裝進箱子裡帶回。既不將之平息也不使之淨化，所以這個房間如今已成了魍魎的巢穴。你知道嗎？福來博士的壺中之所以放進寫著『魍魎』的紙條，原因其實沒什麼，不過是這兩個字筆畫很多而已。你卻將之視為天啟，拘泥於這兩個字，這就是你的失敗。」

「你、你說什麼。」

「聽好，寺田先生。為你創造出唱誦的咒語、為你考慮使用的咒法、創建出御筥神的結構的人頭腦似乎很好，但有一件事他卻計算錯了。」

「——是——什麼？」

「就是他**不該輕視咒術的效力**。就算是隨口胡說的咒文，只要經過唱誦祈禱，依舊能產生真正的效果。俗話說『只要相信，泥菩薩也有神通』。這並非只是種比喻，你的祈禱的確發揮了很大的效力。」

「發揮效力——」

「雖然你自己本身莫名所以，但咒術卻**已經發揮了機能**。信徒能增加到數百人是因為真的有人因而得救的緣故。創造御筥神的人恐怕沒計算到會到這個地步吧。」

的確產生了效果。至少——楠本君枝就真誠地相信了。在那麼悽慘的生活環境下，她依然認真地崇敬著這名男子的話。

京極堂的眼神一瞬間閃過凶惡的光芒。

「可惜，若是你沒搬出魍魎來我還能應付。現在這種窘境我已經無能為力了。我說過好幾次，我不善於對付魍魎。」

「你是——正牌的嗎？」

「我不是一開始就說過了？**我是正牌的**。」

「說的也是，我什麼也沒說過，你卻似乎通曉一切。但是——」

「你還不相信嗎，那麼這招如何？御筥神**真正的御神體**是這個箱子吧。」

京極堂從排列在祭壇上的眾多箱子中，拿起一個恰好能裝下一顆頭顱的鋼鐵箱子。

「那、那是！」

「我知道。裡面裝了**他的手指**對吧？」

「啊——。」

兵衛完全崩潰了。

他如今已完全中了自己平常使用的手法。

而二階堂壽美也一樣，在莫名其妙之中虛脫了。

京極堂已經在事前取得了各種情報，多半也包含了榎木津的幻視。但是這兩人並不知情。對他們而言，京極堂「洞悉了他們的祕密」。

京極堂應該算打敗了御筥神吧。

教主——寺田兵衛陷入恍惚之中。

「我、我該怎麼辦才好——」

「照這樣下去，你仍會如你背後的那位真正的御筥神所期望的，繼續收集他人的不幸——魍魎——下去吧。那樣也是為了世人好。只不過，沒錯，如果繼續進行下去，你的性命頂多再活半年。不，在那之前，那位——真正的御筥神恐怕會先有危險。」

兵衛發出目前為止最大的反應。

「啊啊，這樣的話——」

「你不願意見到這種情況是嗎？但是這不是你們自己期望的情況嗎？自作自受罷了。」

「請、請幫幫我們！請、請救救我們吧！」

兵衛向京極堂磕頭哀求。

壽美帶著怠惰的表情看著兵衛的舉止，接著以見到怪物般的表情看著我們。

「寺田先生，我說過好幾次了，我無法拯救你。你想得救就只有一個方法。」

「是——？」

「把魍魎盡數**奉還回信徒**身上。」

「還回去？」

「魍魎聚集在一起的話會產生很大的危險，但個別還回的話，對個人就只是沒什麼大不了的不幸。所以你只要把信徒喜捨的金錢全部還回去即可。同時，對他們這麼說『你的不淨之財已經潔淨了』，如此即可。」

「可是，這是——」

「當然是謊言。反正你們收來時也撒了謊，再說一次也不會辦不到吧？這麼一來魍魎就會變成普通的不幸離開你的身邊。不，將會換了個稱做『希望』的新名字回到信徒身上。這是只有對普通的不幸賦予魍魎之名的你才辦得到的事。不管詛咒還是祝福都隨著言語變化，跟你的心情無關。就算發話者在說謊，離開你口中的言語將會自動傳達進對方心裡，任憑對方解釋。問題不在於如何表現，而是聽者如何解釋。」

「這怎麼行！」

壽美發出聲音。京極堂又浮出殘虐的微笑說：

「當然，得包含妳**用掉的**部分。」

兵衛看著壽美。

「妳——妳竟然——」

「請原諒我，我只是一時鬼迷心竅——」

「二階堂女士，不可能是一時鬼迷心竅吧。妳打一開始就是為了這個目的才會進入御筥神，接近寺田先生的吧？」

「不，我是……」

「別想瞞過我的眼睛。妳的伯母是個熱心的御筥神信徒，應該是——叫做二階堂清子對吧。她很早就成了御筥神的信徒。妳聽過清子伯母說這裡的事後便來到這裡。」

「這——」

「妳一開始是來商量的。寺田先生，她應該是四月還五月來的吧？」

「好、好像是五月初——的樣子。」

「來過兩、三次後，就在這裡待下了。當時二階堂女士應該如此說過：『不需支付我薪水，請讓我照顧您的生活起居，我知道您的做法，是否能讓我幫您的忙——』」

「沒、沒錯。」

壽美面如土色，看來不是臉色發青的體質。

「二階堂女士。妳早知道一切內幕，才會自告奮勇要當情報收集者。妳一開始就是為了信徒們的喜捨而來的。果不其然，教主寺田先生對金錢沒有興趣，信徒喜捨來的金額全數未經清點就直接放進箱子裡。妳想說——就算只抽走一成，也是筆可觀數目。」

「我、我——」

「妳提議替收下的金額作帳。本性一板一眼的寺田先生本來就很在意這點，自然二話不說就同意了。所以妳就開始小小竄改金額，做起假帳來，對吧？」

「原來——是假——的嗎，那本帳本——這樣不就沒辦法還錢給信徒了。這、這很傷腦筋。」

兵衛手足無措，原本的威嚴早就消失得無影無蹤。

「放心好了，**雙重帳本缺掉的**部分很快就會回來的。上面正確地記錄了二階堂女士暗中抽走的部分。二階堂女士，妳最好努力工作，早點把錢還給信徒。」

是清野的名冊。那本連合計欄也沒有的半

調子帳本，原來是二階堂壽美自己偷偷作的雙重帳本。原來如此，在將聯絡簿抄寫到筆記本上的時候，壽美還不知道誰是信徒誰不是信徒。

京極堂在不知不覺間變回了平時的表情，語調平板地說：

「另外，妳最好早日回妳的老家吧。令尊擔心離家出走的妳，正每天靠酗酒度日哪。」

壽美雙手趴在地上，深深地垂著頭。

低頭不語的男女，以及站在他們面前的黑衣男子。榎木津呢？榎木津到哪去了？

「接下來，寺田先生，你還有一件必須要完成的事情。就是拯救真正的御筥神——也就是你的兒子。」

「救——我兒子？」

京極堂的說話響徹了整間祈禱房。

「你的兒子是——久保竣公對吧。」

※

「久保——竣公——就是這裡。」

郵筒上寫著名字。

青木站在久保家前面。並且，

青木現在充滿了確信。

久保就是武藏野連續分屍殺人事件的犯人。

昨晚，青木回去時遺體——雖說也只有手部——已經幾乎可以斷定為楠本賴子的了。接到青木的聯絡，原本在當地警署受到保護的楠本君枝立刻被叫去進行確認工作。

精神錯亂的母親真的光看手部就能確認嗎？

青木提出質疑。木下回答：

「關於這個嘛，當然不可能直接讓她看屍體，也沒跟她說女兒被分屍了，畢竟她的精神

狀態真的很不穩定。所以我們想盡辦法問出她女兒的身體特徵。君枝反覆地說著燒傷、燒傷的，君枝似乎在賴子七歲時因自己的不小心使得她左手手肘附近受到燒傷。詳細詢問位置與大小後，經確認後確實有。是個很舊、很小的傷痕，而且那個位置不仔細看就找不到。我佩服地說她竟然記得住，她回答這種事情是忘不了的。」

木下又說——幸虧從賴子生前使用的物品上也成功採取到指紋，現在正在比對。

就算不作這些鑑識也知道。那隻手是賴子的。

因為那隻右手腕上，有中禪寺說過的加菜子為賴子纏上的結緣索。

之後召開了緊急搜查會議。

青木在會議上提到了久保。

原本青木打算盡可能、盡可能客觀地說明，但無可否認地在說明過程中，他的語調變得越來越熱切。他覺得這樣反而也好。

如同人被推時總是想要退縮。搜查員們聽到青木熱切的說明，大多冷漠地表示出懷疑的反應。

但這麼一來，在搜查真相上反而比較好。全體都抱著相同意見的話，反而會使得搜查只朝同一方向前進，造成扭曲真實的可能性。

要是在慌亂之中逮錯了人，那就無法達成與中禪寺的約定了。

反正搜查線上也沒有第二個嫌犯，久保是唯一真實存在的嫌犯。最後決定對久保展開搜查，並且由青木擔任這項工作。這是大島的英明決定。

與他搭檔的是木下，幾天後木場就會回歸崗位。

青木決心在木場回來前解決事件。

搜查會議結束之後已經過了凌晨一點。依

照常識判斷，搜查通常會在隔天早上才開始。但青木等不及了，因為賴子就是在他們的等待之中死去的。青木至少想先知道敵人長得什麼樣子。

很幸運地，久保的照片一下子就到手了。

青木抱著姑且一試的心態，先打電話到文化藝術社的《銀星文學》編輯部試試，不行就算了。意外地電話一下子就接通了。截稿前的編輯似乎比搜查殺人事件中的刑警還忙。但是希望很快就落空，因為責任編輯已經回去，其他人不知道照片放在哪。對方說明天一早就請編輯找看看。青木詢問一早是多早，對方回答該編輯上班時間多半是十一點左右。青木聞言立刻很有禮貌地婉拒好意，沒時間等到那個時候。

接著他打到稀譚舍的《近代文藝》編輯部。聽關口說下一期應該會刊載久保的作品。這邊則是責任編輯親自接的電話。

告訴對方自己的身分與來意，順便也提一下關口的名字。

能利用的人就算是父母也照樣利用——這是木場的口頭禪。

只不過青木記得應該是「站著的人」才對（註）。或許說「能利用的人」也通吧。

責任編輯自稱小泉，是名女性。青木一聽她說今晚會在編輯部過夜立刻出發。

原來最近的職業婦女也徹夜工作。

畢竟是深夜，編輯室裡果然沒幾個人。人一少，原本雜亂的房間也顯得十分空曠。

看似小泉的女性所坐位置顯得很遙遠。

遠遠看也看得出她是個很纖瘦的女性。

註：日本俗語。原文作「立っている者は親でも使え」，意思是站在身旁的人就算是父母也要叫他去辦事。比喻事情緊急。

小泉似乎正忙著與別人說話，沒注意到青木他們。正當青木沒辦法，打算出聲呼喚時，木下不小心弄倒了堆在入口處的雜誌。

聽到聲音，幾乎房間中的所有人都朝青木他們的方向望去。

「啊，青木先生！還有木下先生。」

很耳熟的聲音。

與小泉熱烈交談的對象原來是中禪寺敦子。這時青木才想起來，雖然所屬部門不同，她也是這家出版社的員工。只不過原來她也工作到這麼晚啊——

青木對木場的朋友大體上都抱持著好感，當中對這位活潑的女性更是抱著高度好感。與她的相識是在上次的事件之中。在現場肅殺的氣氛中，這名女性的笑容莫名地為青木帶來一股安定心神的力量。在相模湖再次見面時，也令青木急著想打招呼。

「感謝您這麼晚了還願意協助我們辦案。事態緊急，刻不容緩——敝姓青木。這位是木下刑警。」

青木遞名片給小泉，鄭重打過招呼後對敦子說自己不久前人還在京極堂書店。或許是因為沒說明理由，敦子的臉上顯現覺得不可思議的表情。

小泉已經準備好照片。

見到照片時，青木對久保竣公的第一印象是彷彿電影明星般超凡脫俗。青木總覺得會拍出這種照片的人多半沒有所謂的私生活。

敦子說：

「青木先生——我正好在跟小泉姐討論這個問題，請問——久保老師他……？不，如果在搜查上有什麼祕密或人權維護上的問題的話，那我就不問了。」

其實就是這類問題。青木在會議上發言時就注意到了，聽中禪寺說明時，旁證有如魔法般一一湧出，一點矛盾也沒有，犯人除久保以外不作他想，但輪到自己解說時卻覺得一點物證也沒有。雖然中禪寺本人也再三強調這只是他個人的推理，但即便如此青木也還是覺得久保犯人說能夠成立，這恐怕與中禪寺故弄玄虛的話術有很大關係吧。因此對於不知道內情的人實在不能貿然地說久保有犯罪嫌疑，即使對象是那位中禪寺先生的妹妹也一樣。

敦子說：

「既然如此，那我知道了。事實上我聽到奇怪的傳聞，而傳聞中的人物怎麼看都像是久保老師。我跟小泉姐正在討論這點呢。」

「傳聞？」

願聞其詳。

「我最近其實都在連續分屍殺人事件遺體發現的現場附近取材，調查現場附近會流傳什麼謠言。簡單地說，就是我在調查不好的傳聞或怪異的傳聞的流傳速度究竟有多快之類的問題。」

「聽起來很有趣嘛。」

真的很有趣，特別是與分屍事件有關這點更不能放過。

「可是調查結果卻很奇怪。集中在分屍事件的遺體發現地點附近流傳的卻是一些與分屍案完全無關的奇妙傳聞。去其他地方調查也發現沒人知道這些傳聞。」

「是──怎樣的傳聞？」

「是有關於**抱著箱子的禮服幽靈**的傳聞。」

「妳是說箱子嗎！」

「是的。主要以小孩子到中學生為中心流傳，可信性近乎於零。內容大體上是穿著禮服抱著箱子的男幽靈在城鎮裡徘徊的事。有人說他穿的禮服是黑衣，也有人說是喪服，再不然就是晨禮服。種類很多，不過大體上都是這類很正式的服裝。不過因為是傳聞，所以並沒有說明得很清楚。其他還說什麼手會發光、臉色蒼白、腳步不動卻能前進、看起來是用走的卻怎麼追也追不上等等。在這些奇妙的傳聞之中，只有服裝是共通點。至於為什麼是幽靈則沒人提到，所以有點莫名其妙——總之是個小心翼翼地抱著箱子的幽靈，這點比服裝更具共通性，幾乎人人都不約而同地提到了幽靈小心翼翼地抱著外型像是用來收藏掛軸的**桐木箱**這一點。」

「桐木……箱嗎！」

青木不由得發出喊叫。他看了木下一眼，木下也訝異地回看青木。

箱子一事並沒有對外公佈。警方也要求發現者、發現地點的家人們要保密。而在警察趕到之前也沒有群眾圍觀。大概是因為屍體並沒有直接暴露在外，平時總是不被當作一回事的保密令，在這次的事件中難得地發揮了功能。這類傳聞平時總是很快洩漏出去，但這次截至目前為止還沒聽過有報章雜誌報導，當然青木與木下在進行搜查時也沒聽說過這類傳聞。

青木聽到的傳聞就只有火車丟棄屍骸的故事而已。

「這些傳聞諸如——看到幽靈三年後就會死、箱子裡會跑出活手臂追人到天涯海角等等，已可說是種怪談，跟紅披風（註）沒兩樣了。只不過傳聞中的幽靈的風貌跟久保老師很相似，所以我才會來討論這件事，結果剛好又聽說老師這次要刊載的作品也是個關於**迷戀箱子**的男人的故事——小泉姐，這個說出來沒關係吧？反正明天就要上架了。標題叫做〈匣中少女〉，是個有點噁心的故事。一聽到這件事，我就覺得果然沒錯。我想久保老師應該就是幽靈的真相吧。」

青木帶著輕微的興奮說：

「請問，久保竣公是不是無時無刻都穿著那種——正式的服裝啊？」

小泉回答：

「雖然我只有見過老師三次——啊，連頒獎典禮也算進去的話就是四次。典禮上穿的是正式服裝，不過平常並非總是如此喔。只不過老師是個很愛打扮的人，總是把自己打理得整整齊齊的。這麼說來，旁人看起來的印象應該與穿著正式服裝差不了多少吧。」

看起來很正式應該是手套的緣故。

不管什麼服裝，只要穿戴整齊並戴上手套的話，看起來自然很正式。所謂發光的手應該也是由白手套而來的——

「總之呢，老師來出版社時總是穿著這種感覺的服裝，小敦應該也這麼覺得吧？」

敦子表示同意。

「敦子小姐——那個幽靈，真的是以分屍屍體發現地點為中心出沒嗎？」

「不是以之為中心，而是**只在**發現地點附近。只不過傳聞逐漸擴大，且各個發現地點彼此也蠻接近的，傳聞招引傳聞，所以現在流傳得十分廣。但是我打一開始就隨著事件的進行取材到現在，所以很清楚——」

敦子從相模湖的時候就開始取材了。

「屍體在田無一帶總共出現了三次是吧。我記得最早是在芝久保發現的，當時在芝久保時就已經有幽靈的傳聞了。不過我當時也曾去田無車站對面的柳澤採訪，就完全沒聽過這件事。但是，當下一個屍體在柳澤發現後我又去了一次，那時已經發生傳聞，某某曾看過之類的傳聞在小孩子間議論紛紛。」

如果這是事實，就該採用來當作證言。警察由於過分隱蔽箱子的情報，反而失去了重要的目擊證人。當然，在搜查時是會問關於帶箱子的男人的事情——但總不至於會去問小孩，

註：昭和初期流行的都市傳說。據說有個身披紅披風的怪人在各地出沒，會綁架小孩並將之殺害。

至少青木就不曾問過。所以很多目擊者都沒把箱子與分屍事件結合起來考慮。拿著箱子的男人早在久遠以前便消失於記憶之中——

久保多半既不躲也不藏，堂堂正正地拿著放入屍體的箱子在街上昂首闊步，所以小孩子們才會因其毛骨悚然的形象流傳起怪談吧。

「敦子小姐，妳還一一記得去採訪過的那些小孩子嗎？」

「這個嘛，我是還記得他們就讀的學校，可是——這跟事件有關係嗎？」

「大大的有關係。最後想再請教妳一個問題，相模湖附近曾經流傳過這類傳聞嗎？」

「這麼說來，相模湖附近的確**沒有**這類傳聞呢。」

「謝謝妳。」

當作參考，看了久保的原稿。有如使用了尺規刻畫出來的整齊文字滿滿地塞住格子。接著又問了地址，久保的住處在國分寺。概略地看來——也不能說不算相模湖以外的發生地點的中心點。

意外地，或許很快就能破案。

向小泉拿了刊載久保作品的最新一期的雜誌。

青木一直考慮到早晨來臨。早上一到，青木決心前往久保的住處。木下一副很想睡的樣子。

有點擔心。但並不是擔心——萬一久保不是犯人的情形，而是擔心沒做好萬全準備就去找久保可能會被他逃走。木下勸青木跟大島商量一下比較好，但青木等不及大島回來了。反正並不是要去搜索他的房間，只不過作為參考人去詢問事情而已。這很稀鬆平常。

於是青木來到了久保的自宅。

以前聽說國分寺有很多別墅，也聽說最近

有許多戰爭中逃避戰禍的人們移居到這裡，造成人口急速增加。所以青木憑印象想像，還以為久保住在那種很瀟灑的洋房裡，但事實卻與想像之間有很大的差距。

那是一間以車庫改裝而成的，**宛如箱子**的家。

離車站很遠，地理位置上比較接近小平、小金井等地。

周遭一片荒蕪，鄰近也沒有住戶。傲然孤立。是犯下殺人罪的絕佳住處。

生鏽的大型鐵門旁有個簡便的門。門的左邊設置了一個全新的郵筒，寫著久保竣公的名字。青木現在正凝望著名字。

中禪寺他們現在應該已經到達御筥神那裡了吧。那個叫做寺田的詭異教主，現在應該正與那個有如理論的化身般的中禪寺過招吧。

木下似乎有點困惑，站在車旁看著青木。

「久保先生，這麼早很抱歉打擾你，我有些事想詢問你。」

青木說完敲了敲門，沒人回應。拉門把，門毫無窒礙地被打開。房裡黑暗，見到一道鐵製的樓梯通往樓上，看來久保的起居空間是在二樓。青木向木下招手，指示他在門口待命。這是為防萬一。這間房子應該沒有後門，萬一他想逃跑，只要守住這裡就能放心。

青木登上樓梯。

樓梯盡頭的右側有個相同的門。

「久保先生，久保先生，很抱歉在你休息的時……」

「請問你是誰？」

門突然打開一半，聲音由縫隙之中傳出。

久保由縫隙之中露出半張臉來。

「啊，請問你就是久保，久保竣公老師嗎?小說家的——」

「是的，你是？」

「我是這號人物。」

青木讓他看了警察手冊的封面。大島雖然再三要求要提出身分證明時一定要讓對方看到內容，但青木並不想讓這名男子看。

「我不需要找警察，我很忙，請你改天再來吧。」

「不，是我找你有事。如果你還在休息的話——」

「我就要出門了，我不是那種太陽升起了還貪圖睡眠的懶人。抱歉。」

當久保想把門關上時，青木把上半身湊上去，硬是夾在門中間好阻止他關門。

「不會佔用你太多時間，我只有幾個問題想請——」

「你已經佔用我太多時間了！我的一分一秒都很寶貴。對我來說，與不需要的人說話就是一種浪費。」

「一般市民有義務協助警察的搜查，我進門了！」

青木勉強擠進房間，房間裡應該藏著不想讓人發現的東西。

「啊。」

房間中什麼也沒有。沒有家具，什麼都沒有。只有中央有張桌子。

「失禮的傢伙，竟然擅闖別人的**工作室**！」

「工作室？」

原來這裡不是住處而是工作室？

看起來的確無法在這裡生活。

窗戶完整地填滿，地板上沒鋪磁磚，水泥直接暴露在外。房間中一點突起物也沒有。完全是**箱子的內部**。天花板上吊著一盞螢光燈。待在這個房間裡，不管日出還是日落都不知道吧。

「你到底有什麼事，快點辦完快點滾。我要外出了！」

久保顯得焦躁不安。

「事實上，我來是想問你有關箱子的事

情。請問你去年是否曾在三鷹的寺田木工製作所訂作過大量木箱？」

他會如何回答？

「有。那個工匠的水準很高。那又如何？」

毫無所懼的男人。

「能讓我看一下嗎？」

「為什麼我就得拿給警察看？我又沒作什麼虧心事，沒必要拿出來給人看。」

「其實是因為被看到很不妙吧？」

「你到底想查什麼？要我幫忙，卻連在搜查什麼也沒說。總之你們這群警員一點教養也沒有，要問人話時多少用點邏輯，別浪費人的時間。跟笨蛋講話會害我被傳染。滾吧！」

久保推開青木。

他的眼神完全瞧不起人。青木火氣上升。為什麼就該受這種傢伙的辱罵？實在令人忍無可忍。

「既然你那麼想知道我就告訴你！我是來阻止你的瘋狂犯罪的！別瞧不起警察！你這殺人犯！」

「殺人犯？」

久保的眼神變了。

「沒錯，你就是武藏野分屍殺人事——」

「你說什麼！誰是殺人犯！誰殺人了！我才沒殺人！你們這些笨蛋豈能理解我的心情！你們這些頭腦差勁的笨蛋憑什麼說這種話！」

久保陡然變得怒氣沖天，前後態度差距極大，令青木覺得有些狼狽。久保嘴角噴沫，宛如**無理取鬧的小孩**高舉雙手高聲叫罵，朝青木衝了過來。

「嗚哇啊啊啊啊！」

青木被衝倒，猛地撞上了門。久保對倒地的青木使勁亂踢一通。久保的襲擊實在太突然了，完全來不及抵抗。

「木、木下。」

青木像個胎兒一樣蜷曲著身體，失去了意

識。

「久、久保他——」

※

「久保原來是寺田的兒子，真叫人意外。」

很不可思議地，我已經恢復了平靜。

事件並非結束了，但能有一部分獲得解決仍是好事。

「雖說在鳥口的調查中已經得知手套男子應該是兵衛的家人了——」

幾乎是在自言自語。京極堂與榎木津都沒聽見。

兵衛對我們坦承了一切，向警察自首了。

可見京極堂的虛張聲勢非常有效果。

我們回到京極堂的客廳，以與昨天相同的態勢百無聊賴地等待青木的聯絡。

「話說回來，京極堂，你不會真的看得見魍魎吧？」

我很想找人說話，想得不得了。

「我怎麼可能看得到那種東西。我不是說過好幾次了，我不善於對付魍魎。」

「可是你不是已經很逼近魍魎的謎團了？你說的那些還不知道兵衛能懂多少呢。」

「別說傻話了。」

京極堂吃著夫人端來的紅豆餅回答：

「那是我隨口亂說的。想到什麼就直接說出口罷了。到現場之前我連想都沒想過。」

「是這樣喔？那你說用易經能解開魍魎之謎也是胡說的嗎？」

「嗯，那是講到一半覺得似乎是個好點子，拿來用應該不錯才講的。是不算說謊，但整體說來就像你常說的一樣，是種詭辯。」

京極堂吃完紅豆餅，喝起茶來。

「可是你說魍魎不近鬼門聽起來還蠻有說服力的嘛。」

「我不是說不近鬼門，而是魍魎不應只存在於鬼門，因為我想起惡切的四方鎮守咒。雖然我是說方位在北。」

「難道不是嗎？」

「哼。聽好，太古的方相氏入墓穴執矛擊四方以退魍魎，這不是謊言，但他打擊的是**四隅**而不是四邊。因為墓穴是做成東西南北四邊通達的形狀。四隅是東北、南東、北西、西南。丑寅包含在其中。」

「喔，原來如此，你真是個詐騙師。」

「說詐騙太過分了哪。不過也不算錯，所以情急之下才拖荒平出來。其實也沒必要做到那種地步，只要針對教義的矛盾攻擊，他就會動搖了。只不過他多半不知道自己有所矛盾，他打從一開始就不相信自己的咒術。因此非得先請魍魎這頭大妖怪現身，讓魍魎為他帶來災害才行。所以我才會一方面要讓他理解咒術的正當性，一方面卻又得使之產生破綻。真是費了我好一番功夫。」

真是的，實在不能小看這傢伙。

「我也好想在現場看喔。」

鳥口說。

「那其他的『洞悉祕密』是怎麼做的？你比普通的靈媒還像靈媒——」

「關口，陪你講話真的是麻煩死了。我前天早就打過電話調查過了。我先打電話給二階堂壽美的老家，是她母親接的電話。她對我說了許多牢騷，我就是靠這些來推理的哪。那個叫壽美的女人年近三十，碰不上好男人，至今仍維持單身，愛亂花錢又喜歡奢華。但作父母的不管如何還是很疼這個獨生女。愛多管閒事的伯母就想說要為她介紹御筥神，結果卻因此一去不回。有信仰當然是好事，而且在伯母面前也不好意思說什麼，所以她的老爸那之後就天天沉溺於酒精之中。大概是捨不得孩子離家吧。」

「所以你聽到喝酒過多就說肝臟有問題是嗎，真是簡單的推理。」

「沒錯。然後那個壽美身上穿的衣服，看起來十分高價，是高級品。沒有重新縫製的痕跡，也不像自己買布料親手作的，所以應該是成品。沒有工作的女性是買不起的。而且由她母親的話聽來，她也不像是會誠心信仰的人，所以我才做此推理。」

「原來如此，難怪你大膽猜測她的目的是錢。那說胃痛又是怎麼回事？」

「那完全是大膽猜想的。她的嘴角粗糙乾澀，這是胃不好的證據。每天都做著良心不安的事情，也難怪要胃痛了。良心的苛責也會反映到健康上面。她本來就不是什麼十惡不赦的女人。只是想要一點金錢與刺激罷了。」

「那兵衛的眼睛呢？」

「我看他有白底翳，瞳孔有點混濁了，我想已經開始產生視力障礙。」

「那是啥玩意兒啊？」

鳥口問。

「就是白內障哪。得及早治療才好。要是併發飛蚊症，要設陷阱就更容易了。可惜他的症狀已經十分嚴重。」

我雖然不懂他的意思，不過問了也不懂所以就不多問了。

所以說到處都有「洞悉祕密」的謎底，榎木津的幻視想必也成為材料吧。我開始覺得寺田兵衛有點可憐。對他這個半路出家的靈媒而言，京極堂這個對手太強了。

我慢慢地反芻兵衛的話。

兵衛的真正的妻子名字叫作阿里。

兵衛說他在昭和六年結了婚，是相親結婚。主要理由是前一年母親死了，家中需要女人打理。

翌年，孩子——竣公（Toshikimi）誕生了。竣公這個名字是祖父寺田忠命名的。後來阿忠坦承自己原本打算取的其實是**俊**公，當時喝醉酒寫錯了。

「竣」這個字並不念「**toshi**」，字義上是完成或終了的意思。所以竣公只能以「**shunkou**」（註）的身分活下去。

竣公誕生的隔年，阿忠死了。

之後寺田家逐漸變得不正常。

阿里有神經上的毛病。阿忠還在世的時候，由於他的性格很隨便又大而化之，所以並沒有造成什麼問題。

阿忠一死，阿里就不再照顧孩子了。兵衛原本以為是葬禮時的疲憊所致，幫忙照顧了兩、三天，但根本上的問題並不在此。

阿里一整天什麼也不作。

兵衛覺得很困惑，與妻子也無法溝通。兵衛本來就不擅長體貼人、照顧人，且他原本在與人溝通上就很蹩腳，要他去瞭解妻子的心情或去傳達自己的心情給妻子都是難上加難。

笨拙又冷淡的兵衛從來就沒考慮過結婚生活有何意義，也不知道該怎麼處理這個問題。不只沒有能商量的親戚，在阿忠死了之後他連願意為他設身處地著想的親友也沒有。而且他也抱著家醜不可外揚的心態，所以一直將這個問題隱藏起來。兵衛說：

「不過我還是覺得孩子很可愛。一開始雖然嫌他煩，但沒辦法置之不理。」

兵衛低著頭說。

經濟上沒充裕到能僱請奶媽來照顧，也怕人說閒話。而且處事認真的兵衛覺得這算是自己的義務，該由自己親手解決。

註：原本的「俊公」的訓讀（基於意義的讀法）讀作「toshikimi」，但「竣」在意義上並不能念作「toshi」，所以只能改以音讀（基於漢字字音的念法）念作「shunkou」。

他努力了半年左右。自己沒空處理的工作，就嚴格鞭策底下的工匠負責，工作的品質倒也因此提升了。他天生就是討厭做事半調子。

但是這樣忙碌的生活對體力的負擔很大，且這個工作也不可能背著孩子進行。

阿里一直沒恢復。

幸虧她並沒有隨意到外面走動，僅是一直把自己關在客廳——現在的祈禱房——裡。只不過，不管碰到什麼事都一直喊著好想死、好想死。

大概是憂鬱症吧。

憂鬱症不易治療，但並非治不好。只不過，要治好需要靠周遭很有耐性的親友們的體諒與幫助。

我也曾是憂鬱症患者。

我的症狀還算輕微。但是我認識幾個患者的家庭，他們每天都過著痛苦的日子。但痛苦的並非只有家人，我想最痛苦的恐怕是本人吧，所以才必須有能體諒的親友。

只可惜，阿里似乎缺乏一個能理解她、幫助她的環境。

兵衛想要錢，所以去借錢買了機器，開始製作起金屬的箱子。兵衛說他當時想——只要有錢應該就能解決這個困境。但我不太相信他的說法，因為他那時與其說是要錢，似乎更像陷入了被箱子**附身**的狀態。

他莫名地就是想工作，不管醒著還是睡著都——在意著箱子。

那個角落照那樣處理就好嗎?照藍圖製作的話強度沒問題嗎?

他說他那時開始覺得小孩與阿里異常地煩人。

「倒也不是討厭孩子，只不過就是一直想工作——」

兵衛說。

兵衛除了做飯以外，不再照顧那兩個人。竣公在澡也不洗、沒人關愛、幾乎徹底被放任的環境下成長。

他成了一個只會跟母親兩人靜靜地待在客廳的孩子。這對兵衛而言並非是值得煩惱的事情，對他來說這樣反而比較方便。因為這樣一來就能徹底埋首於工作之中。

或許受到兵衛沉默寡言的性格影響，竣公也是個從不開口的孩子，他的玩具是父親製作的箱子與設計圖。兵衛專心一致地工作，工匠們也**受到影響**埋首於工作。工匠們甚至連兵衛的妻子與孩子待裡面的房間裡這件事情也**不知道**。

竣公五歲時——由於兵衛對於社會情勢完全不關心，所以實在很難從他話裡判斷到底是何時，大概是昭和十二、三年的時候吧——不知怎麼回事，阿里開始恢復了。

這並不見得是好事。

對兵衛而言，逐漸取回人類情感的阿里只是個比過去更難以應付的對象罷了。

或許是不正常的生活過得太久了，此時的兵衛比阿里更缺乏情感。

阿里開始外出，也開始照顧竣公。但是這似乎不是個簡單的問題。這並不奇怪，對她而言竣公是個剛出生不久的嬰兒。她跳過那段失落的時間，以當時的態度去面對竣公，可是竣公已經是個年過五歲的孩子。對她而言，竣公成了難以理解的存在。

與孩子完全無法溝通，阿里把這股鬱悶之情發洩在兵衛身上。自己的孩子變成不帶有一切喜怒哀樂的情感的怪物。將他養育成這樣的人是你——阿里如此責罵兵衛。一切都糟透了。

但是一語不發的兵衛還是上小學了。至少當時母親並沒有爆發憂鬱症，這算不幸中的大幸吧。

世局變得不安定，缺乏工作，戰爭爆發，兵衛被徵召入伍。出征時，別說是高呼三聲萬歲，連送行人也沒有，很寂寥的出征。

兵衛在戰場上碰到了生死關頭。

雖說真要說的話，每個士兵都碰到了生死關頭。兵衛碰上的**生死關頭**有多嚴重我不得而知，總之兵衛說他在軍旅生涯中逐漸取回了人性。

「在戰場上無時無刻想著父親、老婆與孩子的事。天天只想著原本幾乎不曾交談，既不厭惡也不喜愛的家人。我實在不懂人際的羈絆是什麼。彼此對彼此的想法根本不重要。原本長期在一起生活或血緣的關係這類很無聊的羈絆在**剎時之間**成了重要的事。我那時想，如果能活著回去的話，一定要過更像個家庭的生活——」

雖然兵衛如此說，但他的願望終究沒實現。

復員之後回到箱屋的兵衛，等待他的是一個空蕩蕩的箱子。

幸虧沒受到空襲，箱屋完好無損。但房子裡沒半個人在。

放在工廠裡的箱子全數遭人破壞。只見裡面的客廳的榻榻米中央染黑一片，在那片污漬上孤伶伶地擺著一個鐵製的箱子——

裡面收著四根乾掉的手指。

沒人知道這是怎麼回事。

去避難了嗎？還是死了？

怎麼想也想不通，兵衛覺得很可怕。

那之後又過了好幾年。在這段時間裡，兵衛一直過著一個人的生活。不管是家人還是情感，兵衛全部都忘記了。

兵衛又再次逃避到箱子製作的工作上，把自己放進箱子裡，蓋上蓋子。

兒子竣公再度出現在兵衛面前是前年，也就是昭和二十五年十一月的事。

兵衛出征時——雖說我並不知道兵衛出征是哪一年——還未滿十歲的兒子竣公，如今已成長為一個英姿風發的青年。

「我嚇得背後發起抖來。」

兵衛說。

——是我，你的兒子。快，把我的**手指還給我**。

這就是竣公所說的第一句話。

阿里在兵衛出征之後再次病發了——竣公說。但是或許是因有竣公陪在身旁，這次並沒有陷入長期的憂鬱狀態。

——那女人很糟糕。

這是竣公對母親的感想。

阿里憂鬱症病發時連飯也不吃，正常時又過分溺愛竣公。竣公說自己沒有朋友，也說在兵衛出征後就再也沒去上學。

——這是你造成的，我離開這個家以前完全不會說話。朋友？學校？笑死人了。不過現在我反倒很感激。託此之福，我才免於擁有一群低劣、頭腦差勁、老是說些感傷或回憶的朋友。

——結果那女人上吊自殺了。在九州的山中。

——你問為什麼？她說箱子很可怕。那女人怕箱子怕得不得了。所以就從這裡逃出去了。這裡一直都充滿了箱子，不管那時還是現在都一樣。

——你們夫婦也是空空如也。

——裡面什麼也沒有。

——都是笨蛋。

——幫我製作箱子，爸爸。

不知這是阿里的過失還是意外，抑或是阿里異常的精神狀態造成的影響。由竣公的話裡無從判斷。

竣公的四根手指——右手的無名指與小指，左手的食指與中指——被兵衛製作的那個鐵箱子夾斷了。

阿里陷入半瘋狂狀態，沒有幫他治療，也沒為他包紮。

客廳到處血跡斑斑。

——那女人，只會嗚嗚、嗚嗚地吼叫。

大概是剛好碰上憂鬱症的發作吧。

等到恢復自我時，阿里更瘋狂了——竣公說。

客廳的箱子在那之後——一直到兵衛復員歸來為止，一直保持那個狀態棄置於那裡。

這之後，阿里變得害怕箱子。雖不知是何種悲傷的重力以何種形式對她的精神加以壓力，阿里或許渴望著將所有一切的災厄濃縮置換成箱子這個對象以維持自己精神的均衡。

阿里將家中所有的箱子都破壞後逃走了，她再也沒辦法繼續在箱屋生活下去。

九州築上求菩提山——

是京極堂提到的那座山。不知為何，阿里逃往了南方。

那是一段很艱辛的旅程。

逃到求菩提山的裡鬼門方向（註）的犬岳山中，不知是因為無力還是絕望，阿里上吊自殺了。竣公受到修驗者的保護，託付給一名信徒照顧。

久保竣公的人生由此展開。

照顧他的信徒——兵衛不知道她叫什麼名字——是位年過六旬的老婦人。她擔任過教職，教養很好，而且是個很嚴格的人，因此她的管教也很嚴格。老婦人亦熱心於祭拜，經常帶著竣公參加宗教活動。

應該就是京極堂說過的那間祀鬼的神社

吧。

竣公原本有所缺陷的人生在這段期間一一填補起來。

但是，他受到的待遇並沒有很好。一方面是因為戰爭，迫不得已。另外則是他遭到周圍強烈的排擠，竣公在那裡也還是受人孤立。失去了手指，失去了言語，失去了情感，將自己的親生母親喚作怪物的少年，雖受到周遭的迫害，還是在異鄉外地逐漸成長為人類了。

戰爭結束了。

竣公不知道自己正確的年齡。

只不過終戰時他已經上中學了。

這表示竣公在很短時間內就彌補了過去的空白時期。假定他出生的時候是昭和七年，終戰時是十三歲。如果信任兵衛的自我申告，竣公在這段期間內就幾乎完全恢復正常，速度真是驚人。我想他原本頭腦就很好吧。

但是竣公在終戰後一年離開了築上。因為身為養母的老婦人多病，所以去投靠伊勢的親戚，而竣公也跟著被一起帶過去。

竣公無疑地被當成了討厭鬼。

竣公在這裡也受到了孤立。雖有上學，不過大半的時間都在神社境內。

昭和二十五年九月，婦人去世了。

問題是遺產。婦人身上有一筆為數不少的財產。當然，伊勢親戚的親切無庸置疑地也是為了這個。

但是，他們的如意算盤打錯了，沒與任何人商量過，竣公在不知不覺間成了戶籍上的養子。應該是婦人趁著戰後的混亂動的手腳吧。她其實十分討厭這些利欲薰心的伊勢親戚們。

竣公繼承了財產，來到了東京。距離失去

註：即鬼門的相對方向，也就是西南方。

手指後離開以來已過了八年以上的歲月。

竣公訴說的這段半生故事，只讓兵衛覺得恐怖。兒子的話毫不留情地刺激了兵衛扭曲、糾纏、好不容易才顯露出來而瞬間又被塞了回去的人性情感。兒子親手將沉入兵衛心中深處的情感之箱挖開來。

竣公每天都來，而且沒有一天不對他訴說自己的事。他的眼神像是在施虐。兵衛在他訴說時總是一句話也不說。

——我很不幸嗎？爸爸。

——你很幸福嗎？爸爸。

竣公的話有如惡魔的私語，一點一滴地侵蝕兵衛。兵衛好不容易維持起來的心靈均衡完全被打破了。

竣公似乎原本想進大學，但他說他放棄了。

——我有錢，請幫我製作箱子吧。

——沒人責備你，你為什麼要那麼害怕？

不久，竣公在箱屋住了下來。只要客人不在，便一整天都在兵衛耳旁訴說個不停。沒事好說時就會扯到宗教上。

不管他說什麼，兵衛都沒辦法回應。不管是什麼內容的故事，都是種拷問。

——我無法滿足，不管做什麼都一樣。似乎總是欠缺了什麼。

我的手指在哪？

兵衛將放入手指的箱子封起來，隱藏在天花板裡。因為他捨棄不了，又不敢放在身邊。

除夕那天，隔壁鄰居吉村來了，帶著兵衛祖母託付的「魍魎之箱」。

這麼令人毛骨悚然的偶然是怎麼回事？**封印在天花板裡的箱子**——

對兵衛而言這並不是偶然。同時對恰巧人

在隔壁，順理成章地偷聽起來的竣公也不是偶然。那個箱子也跟求菩提山的**深祕御筥**一模一樣。

兵衛說他在那之後就覺得有點輕鬆了。

「總覺得自很早以前就注定變成如此。不管怎麼掙扎，人的命運也不會改變。感覺自己的命運自祖母時期就被收藏在這個箱子裡了，所以反倒覺得有點輕鬆。」

接下來就換那位阿山登場了。鳥口的調查很正確。

「那時，有個叫做阿山的漆工心情很鬱悶。他害兒子受傷，腳短了三吋，一邊的眼睛也失明，整個人可說是廢了。老婆因此悲觀地跑掉，害他沒辦法專心工作。總覺得他的情形跟自己的遭遇很像，就難得開口安慰他。一開口卻停不下來，一生中從來沒說過這麼多話過，連我自己也很驚訝。阿山一開始也很驚訝，後來卻哭了起來，對我千道謝萬道謝後回去了。」

竣公從頭到尾聽了經過。

——這世上也有如此不幸的人啊？

跟我們比起來誰不幸？

這世上究竟有多不幸？

這表示凡事都不充足？

還是凡事皆被不幸所填滿呢？爸爸。

兵衛無法回答。突然，竣公變得很凶暴，瘋狂地毆打他，兵衛被揍得體無完膚。

——混蛋傢伙，你有時間去安慰那個笨蛋，為什麼不來填補我？你為什麼不肯還我欠缺的手指！

後來兵衛就對他唯命是從。

兵衛成了竣公的僕人。

接著——御筥神誕生了。

「久保為什麼要創造御筥神——理由我實

在不太懂耶。訂作大量箱子的理由我也不懂。京極堂，你知道嗎？」

京極堂正在吃第二個紅豆餅。

「我想，應該就跟〈蒐集者之庭〉寫的一模一樣吧。兵衛雖然沒提到，但我想神官與修驗者的問答應是他們父子倆的問答。兵衛窺視了竣公心中的黑暗，被他深不見底的惡業所迷惑。否則也不會自願打扮成那副模樣擔任起教主來。兵衛他找到了自己隱藏的才能與渴望。他是自願擔任的。久保也知道，所以才會覺得有趣，將現實直接寫成了小說。這個主題的確很有趣。況且時間上也沒有矛盾。久保與兵衛之間如果有所問答，應該發生於一月附近，這之後竣公很快就離開箱屋過獨居生活了。《銀星文學》的本朝幻想文學獎的截止日是三月底。道場的完成是八月底。文化藝術社的審查很快，發表是在十月底。接著是得獎、出道，過程大概就是如此吧。因為他描寫的都是事實，所以才會充滿了現實感。他描寫的是人。」

京極堂微微地笑了。

「所以你堅持主張久保的風格就是只知把現實**原封不動地**寫入？——可是久保的〈匣中少女〉中出現的男子的人生與久保的人生差異相當大啊？」

「沒這回事。那是在——描寫求菩提山以後的生活。久保的確並沒有成為官吏，父親兵衛也還健在。不過小說的主角對於父母並沒有任何描寫，關於父親之死也只有短短的一行，母親則連提都沒提。可是相對的，祖母的喪禮卻描寫得很詳細，也寫到他夢到屍體被挖起的夢。所謂的祖母，是指養育他長大的婦人吧。父親則——實際上並非死掉，而是**成為**御筥神了。從那瞬間開始，兵衛已不再是父親而是竣公的僕人，所以跟死了也沒兩樣，所以小說中就沒描寫喪禮。接著不是有段描寫寫到搬家嗎？那段應該就是久保從箱屋搬到現在的住處的描寫。而在那段之中述說的心理就是久保大量訂製木箱的理由吧。」

「京極堂，那你是說久保真的像小說中一樣睡在裝土的木箱中嗎？那不就跟吸血鬼一樣了？」

真的很像。

「不過沒想到兵衛真的願意去向警察自首耶。」

鳥口吹著紅豆餅的碎屑，似乎感到很佩服。我以在場者身分直率地說出我的感想：

「反正他也早就隱約感覺到久保犯下的罪行，收藏手腳的箱子應該也是出自兵衛之手。另外也有很多地方例如名冊順序等等的需要他出面作證，他不出面也不行。所以，我們這位京極堂大師很巧妙地玩了點把戲。」

「怎麼做啊？」

「還不簡單，到最後兵衛早就變得不是御龜神而是**京極神**的信徒了，根本是唯命是從。他對兵衛說什麼就算把錢還給信徒，久保還是很危險，繼續下去的話，這幾天內久保可能會丟掉性命，魍魎就是這麼恐怖的東西……等等胡說八道的話——」

「這可不是胡說八道，是真的，久保的性命真的有危險。」

京極堂語氣嚴峻地打斷了我乘著性子隨口說說的話。

「兵衛也很痛苦吧——他也是為人之父，與其坐視孩子死去，寧可被頂著犯罪者的烙印活下去。所以他才會去向警察自首。他不也說過——不管關係變成如何仍是父子。」

「可是為什麼久保非死不可？你是說他會自殺嗎？」

犯人——明明就是久保啊。

京極堂沒回答。

鳥口說：

「久保——創出御筥神為止的經過與心境，說理解我是還能理解。可是我真的不懂的是——他為什麼會幹出分屍殺人案來？雖然久保犯人說從單純的靈感發展到現在有旁證但沒物證，我覺得十拿九穩不會有錯，可是——。」

我的感想也相同。就算有物證我也覺得難以釋懷。我帶著諷刺說：

「動機嗎？只不過這位京極神聽到人家談動機可是會生氣的哩。」

京極堂保持沉默，我繼續說：

「只不過啊，久保短短二十年的人生真的很不得了。他會變成那麼扭曲的性格一點也不令人意外。幼兒時期受到虐待、貧困、憂鬱症的母親、雙親不和、自閉的性格、失語症、對身體的殘缺的自卑感、母親在眼前自殺、受人欺負、孤獨——一切能成為動機的要素幾乎都體驗過了。說經歷過這些還不變得奇怪的話真的是謊言。」

「可說是原因大會串——的狀態嘛。」

「總之，應該算沒有理由的犯罪吧——勉強要說的話就是精神分裂性的殺人犯——」

京極堂用力拍了桌子。

「關口，別說這些愚蠢的話了，適可而止吧！」

京極堂大喝一聲，瞪著我。

我嚇得不小心把茶灑了出來。

「幹、幹什麼，突然大叫。」

「從剛才聽到現在就只聽到你盡說些胡扯的話。你什麼時候變成個歧視主義者了！說什麼自閉症失語症，過去的你不也一樣？那這麼說你也是精神分裂殺人魔了？話可別隨便亂說哪。那麼你也會沒有理由地走在路上隨便殺害路上的人們嗎？我不是在說成長過程不構成遠因，而幼兒時期受到虐待的人們在人生中的確也常背負著巨大的創傷，但是這絕不是犯罪的真正理由！也有為數眾多的人們跟久保一樣度過了悲慘童年，但他們如今卻能過著正常生活，這表示忽視這些遠因也無妨。聽好，**一定有所謂的契機**。只要沒有契機，久保也絕不會幹出這種事情！或許他就只會身為幻想小說界的旗手活躍於文壇，度過平穩的一生。而寺田兵衛也會以這麼傑出的兒子為傲，安穩地度過餘生。先有契機開啟了反常之門，接著又有御筥神這種令他覺得實行計畫也沒有問題的特殊環境後，犯罪才真正成立。犯罪是結合了社會條件與環境條件，以及過路魔上身般瘋狂的心情擺盪才成立的。久保只不過是**恰巧碰上這些條件**，就是如此罷了。」

他是真的感到憤怒。我——

「我懂了，是我不對。我似乎是太希望回到日常了，才會像你說的那樣急著想洗落作為污穢的犯罪吧。」

接著我問：

「可是久保又是——**碰上了什麼了？**」

「不是說了？就是魍魎哪。」

京極堂突然變得平靜起來，如此回答。

「這傢伙還有事瞞著我們！」

原本一直躺著的榎木津驀然起身。

他說了他不喜歡紅豆餅沙沙的口感後就一直躺著。

京極堂什麼也沒說。

我已經沒有力氣詰問了。關於京極堂刻意保持沉默一事看來，最好別問比較好，問了只會越聽越痛苦。

「久保這個姓氏——應該是由求菩提山（註）來的吧。」

京極堂若有似無地自言自語。

註：久保念成「kubo」，求菩提念成「kubote」。

這時，紙門拉開，夫人探出頭來說：

「東京警視廳搜查一課的一位自稱木下的刑警先生打電話來，好像很急。」

「妳說木下？」

京極堂奮力站起來。鳥口也跟著起身。我則是由於坐太久了，雙腳纏在一起。這時看了一下時鐘，下午三點。

「喂喂，是的，我是中禪寺。木下嗎？是木下嗎？青木呢？」

「青木他——」

※

青木——

青木醒來發現自己已經躺在病床上。

「要一個星期才能痊癒。今天你一定要好好躺著休息。」

大島站在枕邊。

「警部……久、久保呢？」

「別問了，交給我們負責吧。是我的判斷錯誤，他才是真犯人。我應該好好接納你的意見才對。」

「證、證據在……那個……車庫的、車……」

「我知道，現在鑑識小組已經去了。木下的話不用擔心，那個笨蛋竟然背對門口呆站著才會發生那種事，他只受了擦傷。」

那時。

受到久保拼死拼命的亂踢之下，青木瞬間失去了意識。

但是很快又在傳遍全身的劇痛中醒來。

連滾帶爬地下了樓後，見到木下昏倒在信箱前。

由他的體勢看起來應該是被人毆打到後腦

勺。

搖他也沒反應。久保早已不見蹤影。

——被逃走了！失敗了！

靠車子的無線電與本部聯絡。僅僅做了這些事情就覺得疼痛得快昏倒。

肋骨大概骨折了吧。

總之他至少犯下妨礙公務與暴力傷害等罪行，立刻拜託本部緊急通緝他並派人來現場支援。

接著，

——證據。

不知道自己究竟昏倒多久，這段期間要是證據被湮滅了的話——

——不太可能吧。

中禪寺說，他的家附近一定藏有屍體的一部分。

如果他沒說錯，應該是埋在土裡，這麼短的時間內想挖起來帶走是不可能的，且屍體又有三、四具之多。

只不過埋起來的話，在支援的人手到達前，青木也沒輒，現在光是抓住東西支撐身體站著就已經很痛苦了。

——混蛋，我才不認輸。

要是讓木場看到自己現在這副可憐模樣肯定會被嘲笑。青木再次爬著上樓梯。

房間正中央有個桌子，抽屜裡應該會留下一點證據吧。

打開門，裡面——

豈止一點證據而已。

仔細一看，滿地都是斑斑血跡。

桌上有一疊紙，是稿紙。

上面似乎寫著字？筆跡與在稀譚舍看過的相同，很有特色的筆跡。

沒有時間重寫原稿了，這次又失敗了。

因爲靈魂污濁才會變得腐敗的。看來最後是

這個女人並非偶然。既然那個醫生知道的話有必要走一趟。現在立刻出發，去找那個女孩。

青木應該剛好是在他寫到這裡時到達的吧。這是筆記？還是小說？

是日記——

青木打算翻到下一頁，很難翻，稿紙上似乎沾著墨水還是什麼的痕跡，

不對，這是血液！稿子被黏糊糊的血液黏住。第二張稿紙上的欄外似乎寫著一些字，勉強能夠辨識。

眞是糟糕的母豬。多虧她，好不容易寫成的原稿又被弄髒了。

什麼！這傢伙為什麼能若無其事地寫出這種事情！青木覺得背脊發寒。這個地方很不妙，繼續站在這裡似乎會凍結起來。

打開抽屜。發現了一本以同樣筆跡紀錄的帳本，不，應該是聯絡簿吧。啊，這就是鳥口拿到的名冊的原始本！沒有記載金額的欄位，取而代之的是——

持續不斷地被記錄下來的不幸與災難。以細小的字，**密密麻麻地**。連清野的調查都為之遜色。總覺得，綿密到令人感覺邪惡。

——夠了。受不了了。不，再也不想看了。

青木走下樓梯。痛楚已舒緩不少。

突然，他在意起樓下。久保是在樓下的車庫區起居嗎？

在房間裡尋找電源。一片黑暗，什麼也看不清楚。

沒有力氣打開鐵門。

總算在入口附近找到。

打開電燈，屋內也沒變得多亮，不過視野

總算廣闊起來。

——這是，什麼？

格外地寂靜。沒錯，這裡也沒有起伏。只有箱子，整齊劃一地堆放著的箱子。

沒有任何空隙，箱子，箱子——箱子箱子箱子箱子——

箱子——

整片牆壁完全被大大小小的箱子所遮蔽。

這些都是寺田做的嗎？

不像是市面上流通的成品。

證據就是每個箱子之間有如鑲嵌木工藝品般緊密地貼在一起，絲毫沒有凹凸不平之處。

前面擺著一個棺材大小的箱子。

青木遲疑著是否要進入。

這裡充斥著——聖域般的氣氛。

——管他什麼聖域，入侵就對了。

青木進去了。他打開蓋子。桐木蓋並不很重。箱子裡填滿了土。

——這到底是怎麼一回事？

看著旁邊，棺材旁並排著四個小小的箱子。昏暗的光線令他看不清楚。

箱子旁整齊的堆著許多細長的箱子。那是……

——用來收放手腳的——箱子？

毫無疑問。青木有印象。那些與用來收放手腳的箱子相同。

既然如此，那麼這些就是——

青木打開並排的四個箱子中最右邊的箱子。

青木又——

再度失去意識。

箱子裡，被切斷四肢的楠本賴子，

緊密地被塞在裡面。

帶著宛如還活著般的苦悶表情。

※

楠本賴子，

楠本賴子被殺了嗎！

——說什麼「全部遺體在犯人自宅的土中全部發現」？

「第五個被害人已經確定，為住在小金井的中學生，楠本賴子（14歲）？」

「啥已經確定！」

木場用力把報紙摔在地上。

順勢一腳踢走菸灰缸。

警察都在搞啥鬼！都在睡大覺喔？

中禪寺還是啥也不做，成天窩在家裡看書嗎！

這些傢伙……

而自己也是個大笨蛋。

——再過兩天，為啥連兩天也撐不了。

癱坐在武藏小金井站內月台上的小女孩。

月光輝映。

那天之後已過了一個半月。

木場回想起楠本賴子的容貌與聲音。

那女孩很愛哭，是個叫人摸不著邊際的女孩，一下子就聽不懂她在說什麼。

——要不是碰上這個事件，一點也不可能跟這種人有交集。

那麼這也是預定調和（註）？

預定調和？多麼無趣的詞彙。又不是中禪寺，這種狗屁道理不適合木場，去吃屎吧。

這些狗屁道理一點也沒辦法幫忙木場回想起賴子。那女孩——

——那女孩她。

可是，木場卻怎樣也無法明確地回想出賴子的臉，總是會跟柚木加菜子重疊，然後，與陽子重疊。

早知道就該更清楚地把她的臉看個仔細。

木場後悔了。

再也沒機會看到了。

能回想起來的事情太過稀薄，令人無法承受的失落感再度驅策木場變得凶暴。

木場撿起報紙。看著標題。

是早報的頭版。

——犯人是年輕當紅的新進作家？

這個作家是從哪冒出來的？憑木場的感性一點也注意不到這種傢伙。這麼說來，中禪寺似乎提過有個奇怪的年輕人。不管如何，一定是在他玩弄那些麻煩難懂的道理時神不知鬼不覺地冒出來的傢伙。

聰明、知性、理性、還有無懈可擊的小聰明。

每個特點都叫木場覺得疏遠。

——沒有更普通一點的人嗎？

——只剩兩天，真的能忍嗎？

木場再度把報紙摔了出去。

走吧，去搜索，總之不能乖乖待著。

——只剩兩天，兩天後一定要去把這個事件作個了結！

只剩兩天——

※

兩天。

註：德國十七世紀哲學家萊布尼茲（Gottfried Wilhelm Leibniz）的學說。他認為世界由無數單純且唯一的單子基於因果所構成，而一切的因果則在至善的神之意志下預先決定了。

全國緊急通緝久保竣公之後，已經過了兩天。

多虧青木他們的闖入，找到了證據。第二天立刻斷定久保就是犯人，發佈通緝令。

一看便很清楚地知道這裡就是犯罪現場。凶器也找到了。最重要的是——找到了四名被害人的**剩餘**部分。要說證據，恐怕沒有比這個更確實的物證吧。

警方當然隨即採取了適當的處置。警方投入大量的搜查員，全國展開緊急準備。但是——

不知消失到哪了，久保依舊杳然不見蹤影。

各大報紙一致抨擊警方的慢動作。

雜誌則是基於興趣本位，對前所未聞的離奇殺人魔久保竣公的寫出大大小小虛實摻半的中傷報導，煽動了社論。也不知道他們是去哪查的——多半是伊勢的親戚那裡吧——大半的報導都帶著大量的詮釋與想像介紹了久保異常的成長過程。而有識之士們也針對久保煞有介事地進行了京極堂最痛恨的動機探討與解說。

不過警方似乎依然封鎖了少女們被塞進箱子裡的消息，沒有媒體提到這件事。

我覺得厭煩透了，再也不讀相關報導。因為我好像覺得楠本賴子等四名少女遺體的駭人模樣直接對我的靈魂傾訴，要我別再閱讀這些報導了。正如京極堂所言，事件就是一切。那些陳腐的動機，在屍骸的面前一點效力也沒有。被塞進箱子裡的少女們比任何一切都更哀切地訴說著悲愴的現實。

令人憂鬱。

《近代文藝》採取的行動就顯得很明智

一般的出版社肯定會大幅增刷吧。畢竟是世所稀有的「現在通緝中的連續離奇犯罪者在犯罪前或犯罪中寫下的小說」，肯定會大賣特賣。

但不知是基於山崎的決斷還是稀譚舍的方針，聽說所有刊載了〈匣中少女〉的《近代文藝》全部停止鋪貨，而已經流通出去的也全數收回。

幸虧是發售日的前一天，擺在店頭的《近代文藝》寥寥可數，因此這項工作並沒費太大功夫。

回收的理由是有恐違反善良風俗。

但是包含這個行為，稀譚舍勢必也受到社會的注目。想來多半已在別的地方已經做好能貼補損失的打算。

——明天去探望青木吧。

我想著。已經十月了，最近覺得天氣有點涼。

這麼說來，木場應該差不多也要回歸崗位了吧。

只不過青木與木下發現遺體的翌日——也就是久保被通緝的日子以來，木場就失去了行蹤。那天中午左右，榎木津去他自宅找他沒找到，他早一步離開了。

京極堂擔心木場會作出什麼行動。

但是我實在想不到——還有什麼能比眼前的發展更驚人。

柚木加菜子由密室消失之謎，尚未解決的種種伏線。

我已經覺得無所謂了，讓祕密繼續沉睡下去才是最好的。

或許正因如此，京極堂才很在意木場的行動。

希望只是我杞人憂天——京極堂說。

當然是杞人憂天，肯定如此。我打了個盹。

——睡吧。

我想著。

但是，卻未能如願。

「老師！關口老師！」

是鳥口的聲音。事到如今還想做什麼？這傢伙老是來妨害我的安眠。

結果《實錄犯罪》並沒有刊載久保與御筥神的報導。

與其說沒有刊載，其實是下一期休刊了。

明明《實錄犯罪》是能最早且最正確報導這個事件的出版社，真叫人無法理解。白白糟蹋了這麼好的獨家消息。就算沒親自見過犯人，鳥口肯定比警察更詳細地瞭解整個事件的細部。

聽說鳥口的理由只是一句「我下不了筆」。明明事件解決的開端算是由鳥口的靈感而來，而本人也花費許多勞力與心思來解決這個問題，為事件的解決帶來了巨大的貢獻——或許正因如此才會下此決定——總之他似乎喪失了寫報導的力氣。我覺得他有點可憐。不過他的上司妹尾居然也答應了他的要求。

噠噠噠，傳來喧鬧的腳步聲。

紙門被人粗暴地打開。

「老師！唔嘿，現在不是睡覺的時候了。」

鳥口衝進我的房間裡。

「幹什麼，太失禮了吧！未經許可就……」

妻子站在他的背後，看來不是未經許可。

「什麼未經許可不未經許可的！不得了了。」

「啥啦，快說！」

「久保竣公的，」

「**久保竣公遭到分屍的遺體被發現了！**」

十月一日早上，事件又回到了起點。

10

老舊的血痕泛黑了。沒清洗過。

所以有叢林的味道。

穿起來的感覺有點潮濕，緊緊貼附在身上，冰冰涼涼的。縫線脫落了，四處開了洞。

身上的傷痕與開洞的位置恰恰相符。

木場穿上軍服。沒有服裝比這件更適合現在的自己了。

在身上緊緊地纏上布條，披上軍服上衣，纏上綁腿。

——不像刑警咧。

沒錯，木場是士兵，無法在既不明朗又曖昧模糊的世界裡生存。與穿這件軍服的那時相同。就是把這些討論是生是死、是敵是友、是善是惡的價值觀帶進來，才會讓問題變得繁雜起來。就是在道理上去爭辯正確不正確，才會讓方向失去明確性。愛思考的人就讓他們去思考吧，木場有自己的解決方法。

自己很明白自己錯了。木場並不是笨蛋，不至於連這點也不知道。自己不適合現在的這個世界。這個世界，已經不需要——士兵了。

因此木場是上一世紀的遺物。但是，

——這個事件。

已經變成木場的故事。

閉門思過的懲處到今天結束，木場等待著這一天的到來。木場一大早就去向課長大島打招呼，並欺騙了大島。不，不算欺騙，只是稍微煽動了一下。大島把警察手冊交給木場，說：

「警察是公務員。你聽好，我們在寫了報告，拿了印章之後才能把右邊的東西拿到左邊去。我不是不懂你的心情，但我不懂你的想法。至少紀律要好好守，特例是不受允許的。」

木場老實地道歉，然後告訴大島自己打算立刻投入事件——連續分屍殺人事件的搜查之中。

木場對大島說——大體經過已經聽青木說過。既然青木暫時無法行動，決定先與木下搭檔。已經跟木下討論過，打算立刻前往現場。所以希望大島能批准攜帶手槍。

就是為了這個才乖乖等到今天。

其實木場根本沒跟青木聯絡過，也沒跟木下碰過面，全部都是謊話。

他只聽說青木受了重傷的消息。

大島考慮了一會兒，二話不說地答應了。

木場想，這應該是青木受傷帶來的影響吧。現場是很危險的。而且大島大概以為木場的懲處剛結束，總不可能立刻胡來，所以……

木場現在手裡拿著手槍。這是用來殺人的裝置。這個鐵塊在一瞬之間就能讓對方的人生閉幕。為什麼自己會這麼想擁有如此危險的東西？

思考這個問題會變得自我厭惡起來，所以木場不打算去思考。

思考就交給愛思考的傢伙負責吧。現在這把殺人工具是木場的護身符。

——這種殺人的工具，居然是護身符嗎？

多少還是覺得有點討厭。

前天下午到今天早上，木場都去監視。才剛開始監視不久煙囪就冒出煙來，那道重低音的低鳴又出現了，從那之後到現在聲音都還沒停過。此外沒有其他動靜。只不過昨天，那傢伙曾經外出去買過東西，應該就是那時吧。

街上正因大選而喧鬧紛紛。木場不打算去投票。因為現在——必須立刻出發了。

——該出征了。

木場修太郎站了起來。

好，該如何行動？

※

「總共發現哪些部分？」

「發現欠缺無名指與小指的右手，與欠缺食指與中指的左手，還有雙腳。」

「地點在？」

「在町田發現的。」

「有箱子嗎？」

「沒有收進箱子裡，只用繩索綑綁起來。」

「確定是久保的遺體？」

「聽說現在正在跟由久保自宅採集到的指紋比對中。最近的科學辦案很迅速，結果應該很快就出來了吧。而且除此之外，手套上沾著衣服纖維——經檢驗結果確定是我的。應該是拉扯時沾上的。」

「**那切斷面如何？是否有活體反應？**」

「這我就沒聽說了。木下在這裡只待了三分鐘不到，沒機會問個仔細。」

「是里村檢驗的嗎？」

「我想沒錯。」

「你——雖然我們是來探病的，問這個問題不太應該——你現在能行動嗎？」

「嘿嘿嘿，當然行。幸虧只是肋骨裂了點小縫。」

青木說完，似乎很痛地笑了。

京極堂坐在枕旁沉思。

我跟鳥口則呆呆地站在他身後。

「搜查本部一片混亂，原本累積的搜查成果全部崩壞了。當然，原本假定犯人是久保以外的搜查也沒效了。久保被殺，且被害者的遺體在久保自宅發現，並且那裡肯定就是殺害現場的狀況下，這個案件絕不可能跟久保無關。但久保本人卻成了被害者，這該怎麼說呢，殺人的悖……」

「悖論（註）。」

「對，就是這個。全部得從頭開始了，我也不能繼續躺著……疼疼疼……」

「別勉強哪。對了，木場大爺是今天回來吧？我——還蠻在意他的行動的。」

不知是忍耐疼痛，還是覺得困擾，負傷的刑警作出兩種都說不上的表情。

「是啊——只不過木下什麼也沒提到。」

「關口，有件事想拜託你。」

京極堂沒看我，盯著枕旁的水壺說了。

「鳥口，也有你的分。還是說你已經厭煩了？」

「當然不會，我想看到事情結束。」

鳥口似乎變得比過去更堅強一點點了。

京極堂回過頭，說：

「麻煩你們到美馬坂近代醫學研究所一趟。現在馬上去，或許已經來不及了。」

「美馬坂？為什麼？」

「那輛公司用車怎麼了？」

「這個嘛，被榎木津先生開走了……」

「是嗎。我知道了，等我一下。」

京極堂站起，自言自語地說：

「這笨蛋，**做得太過火了**。」

今天早上聽到鳥口的通知，我受到相當大的打擊。只不過我什麼也應付不了，也不知該做什麼。所以慌張也沒有用，但就是冷靜不下來。

最後我還是決定先打電話給京極堂，我認為總之該讓他知道這件事。電話是夫人接的，她說京極堂剛出發到淀橋探望青木。我們趕緊跟著出發了。

青木的傷似乎好很多了，不過做某些姿勢還是很痛。他真的被痛揍了一頓。

京極堂說要我們等一下，卻去了三十分鐘還沒回來。

「久保是犯人，毫無疑問。只要去過那裡，去過久保的住處就知道。那裡不是人住的地方，不是所謂的鬼窟蛇巢，你只要站在那裡就能感受到——一直待在那間房間裡的話，或許連自己都會殺死那些女孩。那裡就是那樣子的地方。」

青木雖然形容得十分不清不楚，不過看著他的臉就能瞭解一切。

那裡就是**那樣子的**地方。

因為那間房間等於是久保本身，青木窺視了久保的內在世界。

每個人在心中都有這麼一片地方。

這種地方連自己都不想看。

更何況是去窺視他人的——

——等等。

那裡就是〈蒐集者之庭〉。

青木回想著當時的情況。

「我也算看過很多屍體的人。但是那張臉，只有那張臉我一輩子也忘不了。幸好我不認識生前的楠本賴子，要是認識——我想我暫時都無法恢復吧。」

青木感觸良多地說。他在戰爭中是特攻隊員，但他的感性與其來歷實在不怎麼相稱。小芥子木偶般的年輕容貌，看慣了其實也十分男性化，也就是說這兩種同時具在的容貌，才是這個男人真正的樣子。

「要不是我捅出摟子來的話，事件現在早就解決，而久保也不會死了。各位好不容易引導我順利進行，真是沒臉見各位。」

青木低下頭，胸口似乎很痛的樣子。

註：悖論（paradox）是一種自相矛盾的命題。似是而非，似非而是。例如像阿基里斯與烏龜賽跑的故事便是一個著名的悖論。

京極堂回來了，他似乎很急。

「好了，關口，還有鳥口。我們準備將一**切結束掉**吧。片刻也不能浪費了，趕快行動吧。」

「趕快行動，是要怎麼行動？」

「榎木津在外面等候了。我已經跟他交代好了，你們快上車吧。」

「你叫我們上車，那你咧！」

「那是四人乘坐的，**我坐不下了**。而且我也還有必須確認的事，一旦辦完我會立刻追上。別囉唆了，快去！」

我跟鳥口像是被人掃地出門般離開了房間。

「青木，那我先走了，你多保重啊。」

我最後的招呼怎麼聽都很愚蠢。

榎木津瀟灑地登場了。

黑色的古典西服配上紅色領巾，這男人的服裝品味從來沒對過。

「嗨，小關跟阿鳥，三天不見了耶！你們繼續拖拖拉拉的話會被京極下詛咒喔。」

看來鳥口的綽號已經確定是阿鳥了。

我們縮進後座裡。京極堂很快就消失在我們眼前，前座還沒人坐上來，冒牌達特桑就發動了。驚人的緊急發動，維持這個速度要不了幾分鐘肯定會被逮捕。

「榎兄，好快！太快了。」

「你說什麼傻話，就是在趕時間才需要這輛車啊。放心好了，這輛不是正牌的，所以也飆不了多快。」

「京極堂什麼也沒對我們說明，到底為什麼要那麼趕？」

「他說我的竹馬之交的那個大笨蛋現在正面臨千鈞一髮的危機，要不然原本辦事悠閒的我才不會這麼趕。用不著擔心警察！我們正為了警察而趕路。我現在，是個為了笨蛋朋友而奔馳的笨蛋車手！」

榎木津過彎時也毫不減速。鳥口用力地撞到我身上來。

「為什麼我的朋友全都這麼不正常啊！榎兄，木場大爺是怎麼了？」

「京極說，那個笨蛋今天一回歸崗位立刻填了攜帶槍械的申請單，跟警部騙到印章，拿著手槍說要去搜查後就消失得不見人影了，而且上頭沒對他下什麼指示喔。京極剛剛問過他的上司了。」

木場帶著手槍？

「所以我說啊，那個上司就是不懂木場修這條漢子！那傢伙跟一顆核子彈頭沒什麼兩樣，讓他拿到武器可是真的危險得不得了啊。」

我看榎木津的駕駛才真的危險得不得了。不過話說回來，木場又是打算做什麼？

「反正整個事件肯定會在這回落幕了，趕快一點也沒什麼不好！」

榎木津大聲說了之後，又踩緊油門。

可是榎木津高速前往的方向卻不是美馬坂近代醫學研究所。

「喂，榎兄，你要去哪？走錯路了。」

「笨蛋，我哪有可能走錯路！」

「榎木津先生從來不迷路嗎？」

鳥口問。他伸展著身體來忍耐高速。

「當然！」

我們到達的地方看來是小金井。

「好，就是這了。」

榎木津從車上跳下來，跨著大步消失於巷道之中。我困惑了兩、三秒後也跟上去。鳥口張著大嘴留在原地。我沒追上榎木津，不知道他進了哪戶人家裡。正當我遲疑半天時，榎木津拉著女人的手從圍著黑牆的家裡出來。

「走吧，女士出門準備總是很花時間，但不巧的是我正在趕時間。」

「您是、哪位、要……」

「我是偵探，一看不就知道了？」

「偵探？請問、請問要去哪？」

「名字我哪記得啊。反正是要去一間叫什麼宮前還是團合坂（註）的奇怪建築去就對了。總之，木場很危險，妳**深愛的**那個男人的性命已經有如風中燭火，繼續拖拖拉拉就會……」

會死喔——榎木津說。

深愛木場的——女人？

因為要讓這女人上車，所以京極堂才不搭的吧。

「木場先生、木場先生怎麼了！請問發生什麼事了？我會去，我會去的，所以請您別——。」

「詳情等妳上車就會有猴子跟小鳥幫妳解說。反正妳不化妝也跟化過妝一樣漂亮，用不著不好意思！」

榎木津用力地拉扯女人的手腕。

一個分外皙白的女性被拉了出來，出現在門口。

「啊啊，我懂了，我懂了嘛，請您別再拉了——」

美波絹子！

「懂了就趕緊上車吧！」

美波絹子對木場——？

「啊，這位是小關，然後那位是阿鳥。」

榎木津在介紹自己之前，先急忙為美波絹子介紹我們。

「這位則是事件的核心人物——」

「我是柚、柚木……陽子……」

陽子——沒錯，不是絹子。絹子是……

絹子？這麼說來，京極堂在那時……

——寄件人的名字寫的是，美馬坂絹子。

記憶混在一起了。

等等，我聽到的是，沒錯，榎木津好像說過……

——母親也叫做絹子。

母親。是陽子的母親。原來如此，那麼——

我像是被用塞的一般擠進車裡，陽子則被硬拉進前座

她的外表看起來就像個易碎品。

只是，雖然內心十分動搖、十分不安，卻沒有表現在外表上。

車子再度極為粗暴地急速發動，我們又再次出發。

這次總算——真的是朝美馬坂近代醫學研究所前進了。

但是——木場——

※

木場——

木場不知道自己為何會陷入得做出這種行為的境地——當眼前又再次見到那座巨大箱子時，木場思考了一下。

因為迷戀上陽子？或許是如此吧。

因為木場的天性？或許也沒錯。但最重要的理由是，

——因為自己是警察吧。

要是木場**不是警察的話**，就不會發生這種事情了。

警察是唯一能合法地揭發他人祕密並予以糾舉的特權階級。

當然，這只限於對方的行為可能觸犯法律的情形——

但這個法律也是人訂立的，沒有絕對。證據就是，所謂正確的事情天天都在變化。在每

註：美馬坂念作「Mimasaka」，宮前念作「Miyamae」，團合坂念作「Dangouzaka」，後兩者與美馬坂發音略微接近。

次的變化中，對於社會或組織而言的妨礙者就會成為法律抵制的對象——也就是犯罪者。說法律的守護者聽起來是很好聽，但說穿了不過只是替社會打頭陣的提燈僕役罷了。

提燈籠的僕役能拿的不只燈籠，還有手槍。

允許配戴手槍的人，在日本國中只有警員而已。

現在木場的胸口藏著這種恐怖的殺人工具，不會受罰。因為這是經過正當的書面申請下獲得批准的。不論動機是什麼，至少目前的行為並沒有違背法律。只要繼續收好不使用就沒有問題。

但要是木場不是警察的話，不管他是懲奸揚善的正義之士也好，為理想燃燒生命的理想家也罷——僅是持有槍械就是有罪。不管他是用在什麼地方，或者根本不用也一樣，持有槍械就是非法行為。

因為木場是警察，所以才能攜帶。

但是，就算木場能攜帶槍械，那也不代表他就能任意拿來殺傷他人。

表面上槍械對警員而言是護身用的，即便是警員，任意開槍也是有罪。

但在立場上具有殺傷他人的**可能性**這個事實仍舊不變。畢竟——手槍本來就是為了殺傷他人的工具。

木場**恰巧**是擁有這種可能性的特權階級。

要是木場從事其他職業的話，就算以同樣方式牽涉於事件之中，也難以相信他會採取相同的行動；同時，就算想這麼做也辦不到。

明明不管從事任何職業，木場這個人的性質都不會有多大差別。

很多情況下，決定事情的並不是內容，而是外側。

箱子的存在價值在於箱子本身。

所以木場今天帶著手槍來了。

他並非存著要殺害他人的危險想法。而是，手槍乃是木場這個箱子做為箱子的最具震撼力的證明。

戰車裝甲般的大門。

有如碉堡般可笑的建築物。

要戰勝這個對手，需要有對等的裝備。

木場潛入箱子之中。

※

「潛入？木場先生——為什麼？」

「那個沒大腦的笨蛋大概是搞錯了！不過這一切都是京極太拐彎抹角了，沒跟那個笨蛋說清楚。那傢伙只是個單細胞，早早說清事實早早讓他絕望還比較好！反正本來就跟分屍事件沒有關係，讓木場受傷又沒差。」

「木場先生——會受傷？」

「還不都是妳的錯。妳早點告訴他妳的心情不就好了。妳也還沒犯太多罪吧？」

「罪——？不，我——」

「木場是個不把話說清楚就絕對不懂的傢伙。因為他是笨蛋。妳看是要扮好人還是扮壞人都行，總之把妳的立場表明清楚吧！」

我完全聽不懂榎木津與陽子在說什麼。

但是至少知道了木場帶著手槍潛入美馬坂研究所這件事。

到底為了什麼——那間研究所裡面究竟有什麼？甚至不惜全副武裝——

到底他的目的是什麼！

※

「你到底想幹什麼？」

「我有話要問美馬坂，讓開。」

甲田站在螺旋階梯前面，臉上表情僵硬。

這個在事件當中完全沒現身於表面舞台的技術人員目前正挺身阻擋於木場面前。

「你從何時開始就在這裡了?」

「啥?我——在戰前就為他工作，早就忘了從什麼時候開始的。」

「那你應該知道美馬坂在做啥研究吧。」

「我只是個做機器的技工，沒興趣管別人要拿去用在哪。」

「是嗎，既然不知道就讓開。」

木場用力撞了甲田一下，老人撞上牆壁倒下。

「嗚，幹什麼!」

沒辦法像電影那樣很漂亮地讓人昏倒，但撞得太大力又會害他受傷。木場擺脫甲田的糾纏螺旋而上。

只不過撞那一下似乎還是發揮了效力，甲田追到樓梯的第二段就放棄了。越過接待室的門，朝美馬坂房間的大門走去。之前一次也沒進入這個房間。木場粗魯地打開了聖域之門。

——粗魯一點比較好。

美馬坂不在。房間裡與樓上相同，只是擺著許多箱子般的計量器。

但是與樓上最大的不同是這裡的計量器排得極為整齊。除了塞滿了書籍的書架以外，就只有擺在角落床與桌子，一點生活味也沒有。

——那傢伙在這種地方生活了好幾年嗎!

換做是木場恐怕連五分鐘也撐不下去。這時才發現，那些由縫隙吹入的令人痛恨的冷風原來是必需品。

木場門也不關地朝更上一層前進。

加菜子消失的場所。整整一個月沒來過這裡。

那不是奇蹟，而是魔術。

那麼——

能設置魔術機關的人只有美馬坂。

——為啥沒人懷疑過?

因為沒有動機？那只是還沒發現而已。還是受到某處而來的壓力？就算有也跟木場無關。

那傢伙——是地獄來的魔術師。

「美馬坂！」

美馬坂幸四郎獨自一人坐在四周散亂的箱子堆中。

他看到木場也不訝異。

美馬坂靜靜地闔上台子上的箱蓋，看了木場。

「你叫木場是吧？有什麼事嗎？」

「你不先責問我擅闖房間的事嗎？」

「又何妨，就算你來了也對事情沒有影響。」

美馬坂十分冷靜。

地鳴低沉地響著。木場直到此時才總算注意到這股自始便一直聽見的聲音。

美馬坂站起來，面對木場的方向。

他就像是理性的化身，眼神有如爬蟲類一般冰冷。

這是木場最不會對付的人種，而且他的等級還遠超過了增岡。

「你對柚木加菜子做了什麼？」

「治療。」

「怎麼治療的？」

「要對你說明恐怕得花上一段時間。你似乎連一點醫學知識也沒有。」

「你把她藏到哪裡了？不，她現在在哪裡？」

「不知道。因為你們警察沒用，她才會遭人綁架，我才想問你們她到哪了。」

「才不是被綁架，是消失了吧？」

「是嗎？可是在物理上如此不合常理的事並不可能發生。」

「就是不可能發生所以才來問你。你——其實不知道我跟楠本賴子以及福本巡警三個要來面會吧？批准面會是柚木陽子的自作主張，我沒猜錯吧？」

「你說對了，我不記得我曾批准面會。」

「果然沒錯，所以才會發生這種在物理上不可能發生的狀況。這就是聰明反被聰明誤的下場。」

「很難理解你到底想表達什麼。」

美馬坂的表情完全沒有變化，僅有嘴唇微微挪動。

「我跟你不同，頭腦不好，沒辦法看穿你讓加菜子消失的魔術是怎麼變的。可是美馬坂，我好歹知道你一定有犯下過失。」

木場關上門，箱子蓋起來了。

「那時……」

木場回想著記憶。

在記憶發生的地點，回想著那反覆過無數次的記憶。

「——啥也沒發生的狀態持續了近一個星期，加上警察們打一開始就不相信會有人來綁架，所以那時在守備工作上明顯地很鬆懈，連外行人都一目了然。」

「這我一看就知道。如果只是呆呆站著，看門狗還比較有用。真浪費人民的血汗錢。」

「但那就是你的**可乘之機**吧？」

就算知道沒效，木場還是對他恐嚇。

「木頭人不管有幾具結果都一樣，沒用的人來再多也還是沒用。人數一點也不重要。事件發生後才連忙回想便知道，完全沒人看守的空白時間實在太多了。那些傢伙太多可乘之機了。」

「你對我誇耀自己所屬組織的無能又是想幹什麼？」

「哼。」

木場坐在其中一個比較低矮的箱子上。

「我記得你向警官們展示加菜子的存在是在——消失的三天前。我一開始不知道，後來才聽說加菜子動過大型手術。那之後就一直謝絕面會，沒人能見到她。你其實是──**為防萬一**才禁止別人面會的吧？算了，反正就算不禁止，大概也沒人想進去裡面。」

「看不出來你說話居然這麼拐彎抹角，想說什麼你就直說如何？」

「我是在說，你應該──在裡面動了什麼怕被人看到的手腳吧。」

「為什麼？」

「只要禁止進入房間，警員們便無從得知加菜子是在何時、如何消失的。能看到房間裡面的人只有你而已，發現加菜子不見的也一定是你。因此加菜子消失的時刻肯定是在診察到下次診察之間。一切都在你的策劃之中。不管在什麼情況下，只要在診察到診察之間，選定警員們最疏忽的時刻當作綁架實行的時間即可。只要設定好**發現的時間**，**綁架的時間**就由警察們來決定──這就是你原本的計畫吧？你們事先決定加菜子消失的時間，然後你為了實行計畫準時登場。只是──你不知道在那之前，我們恰好剛目擊過加菜子──」

美馬坂的表情沒有變化。

「──因為不在計畫之中的訪客，在發現被綁架時間的不久之前親眼見過加菜子，導致能實行綁架的時間變成只能**限定於極短的時間**內。從確定還在到確定消失之間只經過了數分鐘。事情超乎了意料之外，加菜子的綁架變得在常識下絕對不可能成功實行。加菜子變得不像被人綁架──而是怎麼看都像是消失了──」

「這──」

美馬坂以他金屬般的低音很有力地說了：

「這又有何意義？你們確認了存在，我確認了不存在，這兩者的間距很短──你想說的不就只有如此？這樣就能懷疑我牽涉其中，你的思考未免過於跳躍了吧？況且就算真的有人真的訂立了這個計畫並付諸實行，我也不認為這種程度的意外就是致命的瑕疵。」

「是嗎？想偽裝成不可能發生的犯罪通常是失敗之作。就算訂立這樣計畫也沒有意義。綁架是可能的犯罪，但消失則是——不可能的。」

「你表面看起來雖然很粗莽，骨子裡倒是很講邏輯。但消失與綁架的差異僅存在於言語層面上，是認識上的問題。在眼前有如一陣煙般消失倒還另當別論，就算只有幾分鐘，只要是觀察者視線曾受到遮蔽，現實上就該考慮那段時間中受過了**某種處理**。不這麼想卻使用消失這類物理上不可能發生的言詞來形容，這不過只是現實逃避罷了。」

美馬坂像是要威嚇木場般挺直了腰桿子。

「有人計測過所謂**常識下**的犯罪是幾小時到幾分鐘嗎？重複進行足以採取平均值的實驗，觀察這個犯罪超脫了平均犯罪時間多少，在機率性有多低——至少擔任犯罪搜查的負責人應該先以這種科學精神來思考、發言才對吧？這個時代沒人會接受只憑印象的批評，你懂嗎？木場。」

「誰管那麼多。」

美馬坂似乎有點訝異。

「老子可沒打算聽你演講。我想說的不是這些。不管在啥情況下，加菜子肯定是在**極短時間內受過某種處理**，這點小事我當然知道。我不相信道理的同時也不相信奇蹟，管他合常理還是不合常理，肯定**有人幹了這件事**。要說這是不可思議還是合理，就像你說的，是知道這件事的人的主觀認識的問題。但是——」

木場勉強盯著美馬坂的眼睛說：

「——幹法又另當別論了。沒有人能因刻意偽裝成不可能犯罪而獲得好處！如果是要些例如想盡辦法要嫁禍給他人或偽裝不在場證明之類的小手段我還能理解，只有偵探小說家才會高高興興地設計出密室殺人或消失的人這類彷彿恐怖故事般的犯罪。這類不可能犯罪通常是小手段失敗了才偶然形成的，是失敗的犯罪。所以要還原失敗前的情形才能找出兇手。這個事件中，只要實行成功的話，你就具有完美的不在場證明。」

「你真愚蠢，就算如此——即使犯罪失敗了，我不也還是擁有完美不在場證明？」

「所以才說這是失敗的。」

——沒錯，大大的失敗了。

「你的計畫失敗了，連你以外的嫌犯也被排除了。在場全體，不，包含了外來者，**全部都有了不在場證明**。失去了外來者混入的空間，所以魔術才會變成了奇蹟。」

「原來如此。不過你似乎已經一口咬定了我就是犯人？」

「對咧。」

「根據什麼？」

「沒有。」

「哈！」

美馬坂眉間的皺紋皺得更深了點。

「招引計畫之外的訪客，打亂全盤計畫的人是陽子，所以她不可能是犯人。警員與石井等小卒根本無須一提。能進行犯罪的只剩下能自由進出加菜子身邊的你而已。要什麼時候讓她消失，什麼時候讓人發現，你都隨心所欲。」

「正確說來發現者並不是我。」

「須崎死了。」

「你想說是我殺的嗎！」

美馬坂第一次發出帶有情感的聲音

「須崎是最理解我研究的人，同時也是唯一的後繼者。失去他之後——你知道我每天有多悲傷嗎！除了他以外，沒人能託付**後事**了！將來也沒機會碰上須崎這樣的人才，你知道這有多麼絕望嗎！為什麼我必須幹出這種事來？」

「為了研究吧。」

「什麼？」

「你為了自己的研究啥都幹得出來，難道不是嗎？」

「什麼意思？」

美馬坂急速地冷靜了下來。

「我一直在背後的焚化爐附近看守，一整天有空就去那裡繞。被我發現了咧。那附近埋了大量骨頭。」

「那又如何？」

「那個形狀說是**野獸**也太奇怪了。看起來也不是啥小型生物。」

「看來你對動物學與解剖學都完全無知。那是猴子。大型類人猿的骨頭。用在動物實驗上，死了所以焚化埋掉。」

「我聽說你們會偷偷搬野獸進來，但並不是只有野獸吧？」

「你、你想說什麼。」

「你其實是拿人體當作材料進行創造人造人的研究吧！」

「你、你在說什麼玩笑話。現實可不是騙小孩的空想小說，你的科學思考力真是無止盡的低落！完全缺乏醫學知識！完全缺乏常識上的判斷力！」

有如京極堂會說的話，這種程度木場早聽慣了。

「你在念什麼咒文？對我沒效的。」

木場站起來向前踏進一步，近距離瞪著他的臉。

「你到底把加菜子**用在什麼地方上**了？其他女孩子又**用掉了什麼部分**！」

「莫名其妙，我聽不懂你到底在說什麼！」

「你被學術界放逐不就是因為在進行不死研究嗎？這棟建築物是前帝國陸軍的設施。你在這裡創造過殺不死的人造人！用人類作為實驗材料，真叫人寒毛直豎咧。不管是加菜子還是賴子，全部都被你用在實驗上，切割成碎片，重新組合！」

美馬坂失去了表情。

接著——

他笑了出來。

這個男人也會笑嗎？

「木場，我真佩服你的無知，我想都沒想過會受到如此愉快的懷疑。你懂嗎？人類的身體不是黏土工藝品，可不是能夠拿來剪剪貼貼的啊。」

「普通人或許是做不到。」

美馬坂倏地收起了笑容。

他看著木場的眼，木場已不再迴避他的視線。

「活體姑且不論，能從屍體移植的器官只有角膜而已。角膜移植的技術在二十年前就已經發明了。」

「誰說是屍體了？屍體能用的話，用不著去殺活人，早聽說就有人在買賣。你使用的不就是從活人採取的**活體**嗎？」

美馬坂顯得有點慌亂。

「木場。」

接著毅然地說了起來：

「五十年多以前，有個叫做賈布雷的醫生試圖進行異種移植，他將山羊或豬的臟器移植到人類身上，但失敗了。那之後，人體器官的移植技術上碰上了巨大的障壁。就是抗原抗體反應，也就是免疫系統。」

除了下顎以外，美馬坂一動也不動。

「人類有所謂的免疫系統這種機能，就是當異物入侵身體時予以排除的性質，跟你們警察很相像。為了維持生命，免疫系統會排除不適宜的東西，是人體中的警察。」

木場閉嘴，先讓他盡情地講。

「這種免疫系統遠遠勝過現實中的警察組

織，極端規律能幹且勤勉，絕不會隨便打混。大抵的異物都會遭到排除，可說是生物在生存上所不可或缺的性質。是生物在進化過程中獲得的了不起機能。但是，」

他的眼有如爬蟲類，無法看出情感變化。

「例如說移植他人的內臟器官時，對生體而言移植進來的部分是異物，會被當作是抗原。不管擁有多麼優秀的機能，就算那能補足自己欠缺的機能，只要是外來的器官全部會予以排除。不相容，會產生拒絕反應，就算是血肉相連的親兄弟也差不了多少，只比外人的器官**好一點**罷了。雖說抑制這類拒絕反應的藥物已經在開發了，但我還未聽說完成呢。且除了動物實驗以外，以當今的醫學水準，連一顆腎臟也移植不了，就算成功了也活不過幾天。想要根絕拒絕反應就必須在基因層級上做調整。我——過去曾提倡過，但沒人理睬。現在這種技術連實驗階段都還沒達到。」

「那又怎樣？你不就是因為沒人辦得到才要實驗的嗎？只有你才辦得到所以你才做的，不是嗎？」

美馬坂以侮蔑的視線看著木場。他的表情、姿勢都沒變過，但在木場眼裡就是有這種感覺。

彷彿在證明這個感覺一般，美馬坂以很不屑的語氣說：

「愚、愚蠢至極！你是真心說我是分屍殺人事件的犯人嗎？而且還是趁活著的時候進行實驗？你是認真地在想這些事嗎？」

「當然是認真的。」

「可是我昨天看到報紙，上頭說前天或大前天時已經找到了剩下的遺體，並且真凶也確定了。」

還在裝傻。

木場又更進一步逼問。

「被警方當作犯人的那個男子已經死了，

被人發現他在這附近遭到分屍了，昨天晚上的事。我記得你出門買東西恰好是昨天下午。」

「——你想說什麼？」

「屍體並沒有全部找到，**少了一具**。不，把加菜子也算進去的話是兩具。不，扣掉手腳的話應該是一具半吧。要創造一個人可說十分足夠了。從五個人身上自由採下想要的部位，把多餘的部分湊一湊不就剛好四人份？」

「愚蠢，又不是拼圖遊戲！只要稍微調查過，任誰都知道這是不可能的。還是說憑日本警察的科學力連這點事情也不懂？你們的法醫難道還在讀《解體新書》（註）嗎？」

「住嘴！」

不知不覺間，木場已經來到美馬坂面前。

「我昨天看到你開卡車運送布包進來這裡，那是什麼？」

沒有回答。

木場伸手進軍服的胸口內部。

「我看你連一點罪惡意識也沒有吧？說啥為了學問為了研究為了科學進步醫學發展，囉唆死了！切割別人家的女孩，你真的覺得很快樂嗎？很幸福嗎？很滿足嗎？喂！」

木場揍了附近的箱子一拳。

「住、住手！」

美馬坂狼狽起來。

到底是要木場別再說了還是心疼機器，木場就不知道了。

「就算你很有學問，自以為了不起的講一堆話，對我來說都是個屁！你的話根本傳達不到我心裡。難道你就沒有好痛、好癢這種話嗎？像啥悲傷或痛苦之類的。」

「說啊，說你很害怕。」

註：江戶時代的醫學書，由德國人寫的解剖學書籍之荷蘭文版翻譯而來，譯者杉田玄白。

槍口抵住美馬坂的額頭。

「混、混蛋，快、快住手。我不能因為這種沒有道理的理由死掉。」

「那就快說，全部老實招來，既然我的話是錯的你就快糾正我啊，用我──用我能夠接受的理由說服我啊！」

「──」

美馬坂停止眨眼，換上了爬蟲類的眼神。

他沒有怕得逃跑，是膽識過人的緣故嗎？不是，是因為他很理性。他認為警察不可能沒有理由襲擊一般市民。淨耍些小聰明。

「柚木陽子至今仍相信加菜子會活著回來。聽說楠本賴子的母親瘋了。至於其他女孩子的家人也差不了多少。一家離散、入院、破產……當然你才不管這些，反正個人有個人的人生，所以只要跟自己無關，別人是死是活都無妨。但是既然已經扯上關係的話，不管是你是我都有責任，別想耍賴說自己跟事件無關！快──」

木場拉動後膛，子彈被送入膛室之中。

「這個故事的結局，你會怎麼撰寫？」

準星瞄準之處是美馬坂的臉。

美馬坂緊抿著嘴，全身僵直。

木場的手指靠在扳機上。

這個房間裡只有他們倆，沒別的人。

槍聲大概傳不到樓下吧。

木場對這個男人處於絕對的優勢。

現在的話，**能夠殺死這個男人**。

可能殺人的狀況降臨在木場身上。

殺人是非常簡單的事，只要稍微彎曲一下右手食指的關節，命令肌肉稍微收縮一下子即可。跟搔鼻頭的癢差不多，有如痙攣一樣。

木場並不恨美馬坂，也完全沒打算殺他。手槍並不是為了**這種事情**才帶來的。更何況，木場一點也沒有理由殺害美馬坂，相反地，如果他死了反而很傷腦筋。

但是，**這些事都已經無所謂了**。

過路魔，無時不在，無處不在，

在食指上，多施一點力氣的話，

施一點力氣

※

「沒力氣的車子是廢車！」

榎木津大叫。

「冒牌貨畢竟是冒牌貨！阿鳥，這輛車真是中看不中用耶！」

方向盤搖搖晃晃地振動著。

陽子縮著身體。車窗外的田園風光，與現在的陽子一點也不相配。據增岡所言，陽子的年齡是三十一歲，跟我一樣大。但是我怎麼看也看不出來，就連坊間以為的二十五、六歲都不像，看起來只像個剛過二十的小女孩。但是這個膚色透白的女孩與楠本君枝相同——都是為人之母。君枝現在怎麼了？我很擔心那位不幸的母親。

「榎木津先生，在前面轉彎！」

「我才不聽你這個認不得路的路癡指示！」

榎木津彎進了那條小徑，接下來就是筆直的路了。

「就是那棟！」

「喔喔，就是那棟四四方方像塊豆腐的建築物嗎！」

「榎兄，快減速！」

「我沒空管這麼多了，小心自己脖子！」

果不其然，沒辦法完全停下來。

赤井先生製作的達特桑跑車型改造車大幅向右轉彎，但沒有完全彎過去，與美馬坂近代醫學研究所的大門相接觸後總算停下來。

美其名為接觸，其實就是衝撞。

「你、你開車太危險了吧？」

「喂，妳沒受傷吧？我們快走吧！」

榎木津半開半踹地打開門，先讓陽子離車。

陽子的表情因恐懼而顯得僵硬。坐在前座的她想必有如身處活地獄之中吧。

「好，我們走吧，希望妳最重要的人還活著。」

建築物的堅固大門的合葉部分被撞壞了，開了一半。

臉色很差、像快昏倒的鳥口要我快點下車。我完全忘了要跟在那兩人後面。

這棟建築實在是相當奇怪，走廊只有一條，此外就只有兩旁的鐵門而已。前面已經看不到那兩個人。我的腳好像沒力了，走起路來搖搖晃晃的，很快就被鳥口追趕過去。不管是氣力還是體力都比不上他。

盡頭是電梯，右邊則是螺旋階梯。

一個中年男子蹲在螺旋階梯的旁邊。我們通過面前時中年男子什麼也沒說，只是茫茫然看著樓梯。

我跟在鳥口後面。木場人似乎在三樓，門開著。

榎木津，陽子，跟木場。

那個人就是美馬坂幸四郎——嗎？

木場穿著軍服握著手槍。

跟七年前的那個南方叢林一樣。他打算幹什麼？這棟異常的建築物，對他而言跟那個可怕的戰場相同——是這個意思嗎？

在我們到達前，他們之間發生了什麼事？

現場的氣氛的確非比尋常。

直到榎木津打開門之前，這座密室中放射出來的不尋常的緊張感漲滿了整個房間，幾乎就要破裂。現在一口氣被解放開來，這兩個男人都變得恍惚起來。

木場與美馬坂的額頭沾滿了汗水，閃閃發亮。

榎木津走向木場，揍了他一拳。

「大笨蛋，適可而止吧。」

木場沒有回應，取而代之的是閃動他的小眼睛不住地看著陽子。

陽子的視線投注在木場——背後的，美馬坂身上。

「禮、禮二郎，你、怎麼……」

木場大口喘著氣。美馬坂一口氣鬆懈了下來，沉坐在椅子上。

「你們到底是誰？快、快點把這個人帶回去。這個人——瘋了。」

美馬坂的呼吸也很急促。我對美馬坂的第一印象是聰明且理性，充滿科學家的風範。原本一直抱著怪物般的印象，所以見到本人時反而更覺得正常。

「啊，總算見到本人了。我在意你的長相在意得不得了。每個傢伙都帶著你的影子，害我覺得噁心死了！這下子總算暢快了。」

「你在說什麼？你也是刑警？為什麼會帶著——那女人。拜託你快點把這群人帶回去吧。」

美馬坂擦著額頭上的汗水說。

「真可惜不能如你的願。再過不久我朋友就會來了，我們已經約好要在這裡會合。還有，我這個人才不想從事刑警這類充滿暴力的工作。看也知道，我是個偵探。附帶一提這個人是小說家，另外那個則是辦雜誌的！」

「偵探？偵探又是為了什麼得在這裡會合？」

「今天再過不久——**為了終結一切故事**，某個陰沉的傢伙就會到來了。」

那是我的小說中的句子！

「故事？」

「你的、這個女人的、還有這個笨蛋的故事。很快就到了，請等一下吧。」

美馬坂感到困惑。理性越強的人越苦於應付榎木津的言行。

「喂，你也該把那把醜陋的機械收起來了吧。木場修，讓你拿著這種東西肯定不會有什麼好事。還是要我幫你把這個弄壞？」

「說的——也是。」

木場老實地收起手槍。

電燈啪擦啪擦地閃爍，電力供應不安定嗎？

美馬坂不安地抬頭看著上面。

靜寂，不，這是什麼？這股有如地鳴的機械聲是？頭腦好像變得一片模糊。

聽說持續一段時間聽著超出聽覺所能捕捉範圍外的重低音後，判斷能力會變得顯著低落。

難道不能關起來嗎？

美馬坂靜靜地說：

「這場鬧劇打算上演到何時？我有必須做的工作，你在等的人又是何時會來？」

機器聲令我煩躁不安，難道不能關起來嗎？

美馬坂比我更煩躁。

「啊啊，為什麼！為什麼你們要妨礙我！我該去——」

「看診的時間到了嗎？教授。」

京極堂——

黑衣男子站在入口。

京極堂總算到了。青木跟在他身旁。另一個人是誰？此外還有一個警員。

「中禪寺——你來做什麼？」

美馬坂靜靜地對他威嚇。

「來向你打招呼的，教授。你現在能肆無

忌憚地為所欲為，一切都是託我之福，希望你能先向我道謝哪。」

京極堂照例作那身驅魔時的打扮。

這裡對木場而言是戰場的話，對京極堂而言就是——

「我今天，是來驅除魍魎的。」

黑衣男子說。

「魍魎？你在說什麼。你還是老樣子只靠一張嘴皮子就想遊走天下嗎？」

「但要不是我這張嘴皮子，你的項上人頭早就飛了。只不過現在我後悔了，當初不該為你辯護。要是當初你因騙術被人看穿而遭放逐，至少現在也不會發生這種事了。」

京極堂說完，環顧房間。

我受到影響，也跟著觀察起來。大大小小的機器有如墓碑。

木場沒說錯——這個房間就像個墳場。

陽子看著京極堂，她看起來似乎異常的害怕。而我——老實說則覺得有點安心。京極堂看著木場時不知為何稍微瞇起了眼。

「太慢了。京極，我們很快所以趕上了！好，要做什麼就快做。要驅除魍魎就快驅除。用不著顧忌木場！」

榎木津說完露齒一笑，接著說：

「到時候這個笨蛋就會切身地體會到你的親切！」

京極堂也微笑了。

「魍魎是不著邊際的怪物。掐住頭，尾巴就溜掉，抓住尾巴就斷尾逃跑。越知道魍魎你就越不懂牠。所以要驅除就得將之整隻吞下。」

「中禪寺，你說什麼我聽不懂。現在的我沒有時間聽你的長篇大論，你已經嚴重妨礙到我了。快回去吧。」

美馬坂很不愉快，臉頰不住抽動。

「教授你死到臨頭還不死心嗎？我原本想說，如果你的態度很合作，我就盡力不張揚地乖乖離去，看樣子想這麼做也不成了。我自己倒是沒關係，但其他人可是很困擾的。」

「其他人？這些人跟我又有何關係？」

美馬坂帶著無法理解的表情看了全體人員。

「演員總算到齊了。教授，因為你的行動，使得在場的所有人都受到魍魎所害。美波絹子——也就是柚木陽子、偵探榎木津禮二郎、事件記者鳥口、柴田財閥顧問律師團的增岡先生。」

這男人——原來是增岡嗎？

「警員福本、警視廳的青木、木場修太郎。以及另外一人。」

另外一人？

另外一人是指我嗎？

「——啊，我忘了關口。接著，我事先警告你，警察們——」

京極堂看著青木。

「除了青木與福本以外，外面也有許多警員待機。」

外面有警察？

「我想——是用不著擔心你會逃亡，但也不得不防會有人來救你。所以教授，請你最好別輕舉妄動。」

「我不懂，中禪寺，聽你這麼說來，在場的不是刑警就是偵探或律師，可是我的行為跟犯罪毫無關係！」

「真頑強哪。你的確是沒做出什麼抵觸法律的行為，所以警察無法懲罰你。但是**你的患者**卻是殺人犯——」

——患者？

「警方——想要帶走那個人。」

美馬坂瞪著京極堂。

「你要我——把患者交出來？我辦不到，

事關他的性命。」

實在很難理解。

「喂，京極堂，哪裡有患者？二樓嗎？那個患者是真正的犯人嗎？」

「關口，你錯了。我看你身上的魍魎果然是最大的一隻。仔細一想——你的症狀最嚴重。」

這又是什麼意思？至少我自認是在場的所有人當中與事件最沒有關係的。

美馬坂神經質地彷彿在看著髒東西般盯著京極堂不放。

「總之別阻撓我！而且你又從什麼時候開始幫助警察了？這是遊戲嗎？就算我的患者可能跟犯罪有所關聯——也跟你沒有關係！」

「我——對犯罪一點興趣也沒有哪，教授。我的職業不是偵探，而是驅魔師。情勢所逼，我必須替在場全員驅除魍魎。我原本打算一一進行，但是失敗了，魍魎似乎必須得一口氣同時驅除才行。手段可能粗暴了點，但也顧不得那麼多了。陽子小姐。」

京極堂叫了陽子。

陽子依舊以畏懼的眼神看著這名黑衣男子。

「對妳來說或許有點痛苦吧。另外——」

京極堂看著木場。

「大爺也一樣。」

「少瞧不起人，京極。」

木場說完坐到箱子上。

「我不知道魍魎是什麼。你還是老樣子，老說一些讓人聽不懂的話。中禪寺，我再重複一遍，我很忙，我不想聽你最擅長的長篇大論。」

美馬坂意興闌珊地說完，開始調整起身旁的某個裝置。

美馬坂對京極堂，以及京極堂對美馬坂，他們彼此對彼此都很熟悉。

一看美馬坂開始工作起來，我們這幾個紛紛在椅子上或計量器上坐下。

接著，京極堂總算開始說明這漫長事件的「終結」。

「開端，我想是從陽子變成美波絹子的時候開始，是吧？」

陽子沒有反應。

「經歷與柴田弘彌的私奔之後，靠著柴田家細水長流的援助過活的陽子小姐在意想不到的機會下成了銀幕的明星。事實的情況與膾炙人口的說法差不多相同，所以我相信站在那邊的福本警員以及身為美波絹子**熱烈影迷**的木場刑警比我更熟悉才是——」

陽子很驚訝地看著木場。福本也一樣。木場擺出大佛般的撲克臉側過頭去，表現出一副「隨你們講吧」的態度。

「後來，女演員美波絹子的人氣越來越高，不過柴田家對這件事情並沒有表示什麼不滿。或許是因為柴田家認為——一旦有名的話，陽子小姐自己也不想與醜聞扯上關係，相信會更加嚴守祕密；抑或是反正弘彌先生人也死了，其實早就無所謂了？」

「兩種都有。耀弘先生很講義氣。其實在弘彌先生去世時，及陽子小姐已經在女演員的事業上成功、甚至獲得生活上的安定時，甚至更早以前的陽子小姐的母親絹子女士去世時，都有人建議過應該停止對她的經濟援助，但耀弘先生全部駁回了。因為他很頑固地堅持——早就說好要援助到加菜子十五歲為止。所以說耀弘先生自己還曾以為——陽子小姐是故意選擇這一行來表示自己絕對不會暴露祕密的決心。但話說回來，當時的柴田集團的基盤並沒脆弱到會被這麼點醜聞擊倒，底下的人也的確覺得無關緊要，這部分也的確是事實。」

增岡非常快速地說。但話又說回來，京極堂為什麼要帶這個人來？是為了讓他說這段話嗎？不——京極堂剛剛說增岡也受到魍魎的影響，但是在我看來實在不覺得如此。

「原來如此。所以說當時，柴田家與陽子小姐之間會產生爭執的要素已經不存在了是吧？但是，如果僅僅是演出兩、三部電影還無妨，但美波絹子似乎變得太有名了點。」

京極堂接下來看著陽子。

「妳的人氣急速上升。妳的臉不只在銀幕出現，也頻繁刊登在報章雜誌上。接下來，妳還獲得主演一流製作的大卡司電影的機會。結果，有個人注意到美波絹子就是柚木涼子——」

陽子靜靜地忍耐著。既不悲傷，也不痛苦。

「那個人，就是**須崎對吧**？妳被須崎勒索，後來還為了逃避他而離開演藝圈隱居起來。」

「京極，為啥須崎會在這裡出現！」

木場怒吼。

「因為須崎知道『祕密』，而且他知道美波絹子的真實身分就是原本行蹤不明的陽子，所以才會來與她接觸。目的是為了錢，或者是——」

京極堂故意不把話說完，大概想說「或者是為了身體」。

陽子低著頭，一句話也不說。就算這是事實，她也不可能回答吧。

木場瞪著牆壁，接著小聲地說：

「原來右太衛門是——須崎嗎？」

京極堂確確實實地聽到木場的這句話，接著問陽子：

「他是不是對妳說，如果不聽他的話就要讓加菜子知道祕密？」

陽子還是一樣低著頭回答：

「——是的。」

面對著牆壁的木場聽到這句話，突然不高興地大聲吼叫：

「勒索的內容是什麼！京極，你快給我說出祕密的真相！」

木場砰地用力踏了地板。但是他激動的情緒卻輕易地被京極堂否決了。

「時機尚早，凡事均有所謂的**順序**。」

京極堂——並不是來解開事件真相的。果然，他是想用靈媒的方法論來為我們除去魍魎。他曾說過，刻意操作情報公開的順序才是靈能的祕訣。

順序才是最重要的——他說。

黑衣的陰陽師轉身朝向白衣的科學家。

「美馬坂先生，我記得須崎在你身為帝大教授的時期已經是你的左右手。這位須崎先生，如同陽子小姐所言，是位卑劣的勒索者。你長年雇用這名男子當作你的心腹——現在聽到真相，難道什麼感想也沒有嗎？」

「中禪寺，你別老問這些愚蠢的問題。我認同的是他的靈感、技術、知識與理解力。至於須崎是不是勒索者，是不是性格異常，這些問題並不影響他作為科學家的資質。」

美馬坂的語氣沒有變化。京極堂走到陽子面前停下。

「陽子小姐，妳聽見了他說的話了嗎！美馬坂幸四郎就是這種人，妳也該由這個男人加諸於妳身上的莫名其妙的詛咒中解放出來了。還是說，就算如此妳也沒有意思離開他的身邊嗎！」

什麼意思？我好像能懂他所說的意思。

是——

「您——全部都知道了嗎？」

「當然。我盡量努力不說出口來解決事情，但很遺憾的，這已經是極限了，死了太多人了。」

陽子的臉色越發慘白，反射著螢光燈的藍白光線，肌膚看起來就像剛羽化的蝴蝶般半透明。

木場看著這隻蝴蝶。美馬坂將嘴巴抿成一字形看著京極堂。

陽子——絹子是——絹子——對了……

「原來如此！陽子小姐是美馬坂教授的女兒嘛。」

我不由自主地脫口而出。

「什麼！」

木場大喊一聲，隨即又陷入沉默。

京極堂以一副無奈的表情看著我。

「真的嗎！這是真的嗎？美馬坂！」

木場怒吼。

美馬坂沒有回答，而是冷冷地瞪著京極堂。陽子則只是默默地忍受著。

自見到這名女子以來，就一直覺得她好像在忍受著什麼。

增岡快步走向京極堂。

「中禪寺先生，請問這是事實嗎？我的組織也針對她調查過很久，最後還是查不出她的底細。你又是如何得知這件事的？」

京極堂瞄了我一眼，說：

「增岡先生，很遺憾的，這是事實。」

美馬坂硬擠出聲音說：

「中禪寺，你——是怎麼知道這件事的？」

美馬坂的表情變得十分凶惡，但一點驚慌失措的樣子也沒有。我想這件事情就算被知道了對他而言也不痛不癢吧。況且陽子就算真是他的女兒，這件事情也成不了勒索的材料。我說出口後才發現，這件事只是我們不知道的事情，算不上什麼「祕密」。

京極堂回答：

「很簡單哪，教授。因為我**早就知道**了。你不記得了嗎？在決定這間研究所是否該繼續維持下去的那天晚上，你曾經跟我聊過你的私事。」

「嗯，我還記得。但我記得我並沒有——告訴過你妻子與女兒的名字。」

「教授，信封上面不會只寫收信人的名字而已，還有寄信人的名字吧。」

「那種地方——你看到那種地方上的名字，而且還一直記得嗎？我只是拿在手上，甚至還沒遞給你看——」

「但我就是記得。所以說人永遠不知禍從何降，今後務必小心謹慎為上。」

京極堂說完，轉個一百八十度面對我。

「好吧，多虧這個疏忽者搞亂了順序，雖不情願，但我的工作也多少變得輕鬆了點。陽子就是被美馬坂拋棄的女兒，須崎當然見過她。但是這種事情並不足以成為勒索材料。」

「當然。」

增岡立刻回應。我簡直就是個小丑。

「不過這就是『祕密』的伏線。陽子小姐應該就是此時向須崎問了這裡——美馬坂近代醫學研究所——的住址與電話號碼的吧？」

「——是的。」

陽子似乎已經做好心理準備。這個纖細的女性是否能忍受接下來將一一進行的「祕密之洞悉」呢？

「須崎拿來當作勒索的材料的真正的『祕密』——」

「中禪寺，住口！」

美馬坂簡短地責罵。

「中禪寺！夠了吧，接下來我——」

「這件事，與**加菜子不是柴田弘彌的孩子**一事有很大關係。」

「——是的。」

「你說什麼！這是真的嗎！」

這次換增岡慌張起來。

「所以妳本來就是真心地沒打算讓加菜子繼承遺產。」

「——完全沒有這個打算。」

「中禪寺！你——」

美馬坂不知為何憤怒了起來，因為無法忍受女兒的私生活被人公開嗎？

「教授，很難看哪！我現在不得不在這裡講這些原本根本沒必要說出口的話，追本溯源都是你的責任啊。」

「你說我又有什麼責任了——原來如此，我可不會上當！你這混蛋，想讓我親口說出**那件事**來。」

「爸爸！」

陽子痛苦地發出聲音。有如透過玻璃管發出的聲音。

美馬坂則作出莫名其妙的表情沉默下來。

那件事是什麼？

此時——陽子開口了。

「夠了，已經夠了吧？我已經——無法忍受了。對不起，爸——爸。我沒辦法幫上您的忙。」

陽子說完，掩面哭了起來。

增岡毫不留情地接著說：

「妳！陽子小姐，這麼說來妳瞞騙了我們整整十四年？不只如此，妳前陣子還表示妳願意以加菜子代理人的身分繼承遺產！太過分了，這是詐欺！」

「非常對不起。一切、一切都是我錯，一切都是——」

泣不成聲。

增岡聽到這裡似乎也不忍再多說什麼，瞇起眼鏡後面的大眼依序看了我們。

京極堂表情嚴肅地說：

「增岡先生，原諒她過去的作為你也不會受罰的。雖說十四年份的經濟支援，總額算起來的確十分可觀，但考慮到柴田財閥的規模不過是滄海一粟罷了。請將之當作柴田耀弘先生買夢的費用吧。」

「夢？」

「耀弘先生在死前還一直做著自己事實上已經斷絕了的血統仍舊存續下去的夢吧？陽子小姐的謊言可說是贈送給孤獨巨人的最後禮物。不過——那足以買下半個日本的財產當然沒有必要交給陽子小姐。不只因為加菜子不是弘彌先生的孩子，而且——」

京極堂看著陽子。

「——我想，她也已經死了。」

陽子發出不成聲的悲泣。

「反正就算錢交給了這個無欲無求的女性，也只會盡數落入那位先生的口袋罷了。」

京極堂指著美馬坂。

美馬坂一語不發地瞪著京極堂。

「好了，教授，這麼一來**你的計畫近乎全部都失敗了**，已經沒有隱瞞任何事情的必要了吧。你的實驗也到此為止了，快，把患者交給警察吧！」

「你——就是存心想把我當成犯罪者嗎？」

「豈是，我這是在防範你成為犯罪者於未然哪。你差點就詐取到天文數字般的研究資金的犯罪，而沒經本人同意進行的**不必要的外科手術**難道就不算傷害罪？若是因此而死的話更不用說，就是傷害致死了。」

美馬坂以木場形容的爬蟲類般的眼睛看著台上的鐵箱子。

「那也就是說，這次的事件——目的原來是為了詐取柴田家遺產嗎？」

青木說。

多麼典型的動機啊！原來是為了財產。規模雖然不同，但與那些把養育久保的老婦人接回家裡照顧的伊勢親戚們在動機上可說如出一轍。但是，京極堂否定了。

「青木，並非如此啊。加菜子如果沒遇上

那件慘劇，這位女性應該還是會繼續拒絕遺產的繼承。如此一來，增岡先生終究會放棄的。」

「我是差點就放棄了，但是我的組織並不允許我放棄！還害我不知夢到多少次自己擅自改寫遺書，可見她有多麼頑固。只不過現在想起來，與其說她是無欲無求，倒不如說是忍耐不了良心的苛責。」

增岡推了推好幾次眼鏡，講話的速度依舊快速。

陽子斷斷續續地開始說了。

「我只是希望安靜地——生活。對我而言，這種沒有情感起伏的平庸生活，每天重複著相同事情的生活，是無比珍貴的。加菜子跟雨宮雖然是**虛假的**家人，但經長期在一起，感情就跟真的家人一樣——我已經不想再過著充滿了激烈生氣或深刻悲傷的生活了。愛情不正是在這種不斷反覆的平凡日子裡培養出來的嗎？所以，我那時多麼希望增岡先生別打擾我們，讓我們過平靜的生活。」

「我也不是自己喜歡才做的！本來就是妳騙我們才會有這種下場，我是受害者！」

看來這個重責對增岡而言十分辛苦，一副憤恨無處可發的樣子。

陽子繼續說：

「我當時沒想到事情會鬧得這麼大。提議者是弘彌先生，他很同情我的境遇——我那時既痛苦又悲傷，不管誰都好，只求一個依靠。但是那時——在與弘彌先生相遇時，我的肚子裡已經懷了加菜子了。」

「原來妳連弘彌先生也騙了。」

增岡把長期的怨恨全部發洩在陽子身上。

木場斜眼瞪他。

「不是的，弘彌先生全都知道。所以——這些、這些全部都是他想出來的。」

「什麼意思？」

「他不只同情我的境遇，還在知悉一切之下對我求婚。不，就是因為我懷了別人的孩子才會選擇了我。」

「為什麼，怎麼可能有這麼愚蠢的事情！」

增岡的表情很複雜。

「這是真的。弘彌先生嘴上常掛著——祖父是餓鬼、是拜金奴、是資本主義的奴才、我才不認同那種人是我的祖父——等等的話。如果他的意志力更堅強一點的話，大概就會去進行那種運動——我不曉得那叫什麼運動——吧。他總是在說資本主義怎樣怎樣、勞動者怎樣怎樣。」

原來弘彌是無產階級運動者？叫人難以相信，我想他一定是那種只會裝個樣子的假運動家。

「所以他經常誇口要把祖父的財產全部用光，好像真的灑了不少錢。但是他也早就知道祖父的錢怎麼灑都灑不完，結果他的行為跟普通的公子哥兒看來也沒什麼差別。因此他總是被真的具有思想而活動的運動家們瞧不起，又常被想要他的錢的人們利用——我覺得他有點可憐。他是個人很好，愛充面子又倔強，但——非常溫柔的人。他曾經對我說：『讓妳肚子裡的孩子成為柴田家的繼承人吧，讓污濁的柴田之血斷絕吧。所以，請妳**為此**跟我結婚吧——』」

「妳說什麼！」

增岡叫了出來。

「妳是說弘彌先生為了反抗耀弘先生，企圖讓妳腹中不知誰的孩子的孩子作為柴田家的繼承人嗎！多麼愚蠢，多麼愚昧，我——」

弘彌的想法似乎超出了增岡的理解範圍。

「我那時不知道弘彌的話具有多重大的意義，我只是無論如何都想把孩子生下來，所以我需要依靠。當時的我只想著這件事而已。所以當結婚不受認可——這也是理所當然吧——

他要我一起私奔時，我也跟著他去了。被抓到後，我就立刻放棄了。之後，我靠著弘彌先生偷偷給我的那筆錢生下了加菜子。我覺得這樣就夠了。但是——你們並不放過我。」

「為什麼？」

木場還是老樣子，面對著牆壁說。

「為什麼那時妳不說真正的話！妳一開始固執地拒絕援助，卻不肯說出加菜子並不是弘彌的孩子。如果妳那時說了真話，就不會有人堅持要援助妳了。」

陽子沉默了一會兒，小聲地說：

「就算是謊言，我也希望加菜子能有個父親。」

「少推託了！」

木場生氣了。怒火沉靜地，卻又很旺盛地燃燒著。

「妳根本就沒跟加菜子說過父親的事。妳果然還是想要經濟援助、想要那筆錢吧！老實說啊！」

陽子沒看木場，什麼藉口也沒找，老老實實地承認了。

「或許——是吧。您說的沒錯，母親生病的負擔對我來說太沉重了。說實話，有柴田家的援助，真的幫助很大。所以我——」

「啊啊。」

木場似乎想起什麼，憤怒在建築物的振動中被打散了。

「妳也再三對我強調過，自己是說謊者嘛——」

木場再度回歸沉默。

「美馬坂。把陽子小姐——妳女兒追到這種地步的人就是你自己，你真的沒什麼話想說嗎？」

京極堂瞪著美馬坂。我不懂他的真正意思。似乎還沒輪到說明的順序。

美馬坂笑了。

「中禪寺，你的興趣也真低級，在這種場合到處挖人隱私又能怎樣？窮極無聊。」

下一瞬間，美馬坂又回到嚴肅的表情。

「那如果我說：『一切都是我的錯，是我拋下患了不治之症的絹子讓陽子照顧』，你就滿意了嗎？增岡，中禪寺說責任在於我，那麼你要責備就責備我吧，如果你要我們還錢，那我就還吧？」

他不是真心的。美馬坂說這些根本不帶半點真情。

增岡也聽得出來，和木場一樣故意不朝向他，反唇相譏。

「我不相信你有能力償還。難道你要賣掉這間研究所？做不到的事就別誇口吧。只不過——」

增岡接著看著陽子。

「——只不過難道妳就不能處理得更完滿一點嗎？要說真話還是說謊話都行，不管採取哪種方式——都有更好的處理方法不是嗎！」

陽子的視線緩緩地由地板移到木場身上。

「木場先生也——對我說過類似的話。她說要是當初我肯撒一些謊，讓事情完滿結束就好了。」

木場沒有動靜。

他正感受到陽子投注在他背上的視線。

「但是，我再也不想撒新的謊了。我們的生活原本就建立於謊言之上，在謊言上堆積謊言——只會讓我覺得更痛苦而已。但是——雖然我什麼也沒對加菜子說，但我想那孩子知道我是她的母親。那孩子只是什麼都沒說而已。」

木場寬廣的背變成了銀幕，陽子在其上投影出自己的回憶。

「總之，我什麼也不想對加菜子說。所以增岡先生說想跟加菜子直接談時我無法答應。

但是我也害怕——如果真的對增岡先生說加菜子其實不是弘彌先生的孩子的話，他會要我償還**過去支付的援助費**。對現在的我而言，真的沒有能力償還。所以只好採取這種模稜兩可的態度來回答。我在經濟與政治方面很無知，沒想到柴田耀弘這位先生是如此了不起的人物。所以我想，只要繼續拒絕的話，總有一天增岡先生會放棄的。」

「柴田對社會的影響力，我跟妳說過上百上千次了！就算妳不說謊，解決方法也有很多種。如果妳向我坦承加菜子不是柴田的血脈的話，要我幫多少忙我都肯啊！不過只是小事罷了！」

增岡似乎非常不甘心。

「妳為什麼不肯剖心交腹與我商量！我真的就那麼不值得信賴嗎？妳——妳明明連雨宮那個落魄的傢伙都願意相信！我看起來就那麼像凶神惡煞嗎？真丟臉。」

這是真心話。增岡本來就不是什麼壞心眼的傢伙或冷血動物，只不過有點笨拙而已。他正為自己無法傳達真心想法而感到懊悔。

木場背對著增岡說：

「增岡，言語這種東西分成兩種，打得動人心的跟打不動人心的。不管你心中真實的想法是什麼，你的話很難打進人心裡。」

增岡頭也不回，無視於他的發言。

京極堂繼續說。看得到事件全貌的人只有他，沒有其他人能主持這個局面。

「總之，為了讓加菜子避開連夜來訪的增岡先生，妳不得不半強制地讓加菜子外出。雖說加菜子已到了上中學的年紀，家裡為了什麼而爭吵我想她多半看得出來。還好加菜子自以前就喜歡在夜裡散步，所以也不怎麼覺得痛苦。」

陽子懷念地抬頭看著虛空。

「那孩子真的是個好孩子。我真的不懂她

為什麼能如此無憂無慮地成長呢？但是，我也知道那只是在我面前拼命裝出的假相。那孩子很辛酸，很痛苦，心情很扭曲。我什麼也不懂，但雨宮就很瞭解加菜子的事情。聽說在我開始當女演員時，她幾乎每天晚上都會散步，在我辭去工作後也仍沒有停止。但是，反正她也沒學壞——所以我就默認了。」

陽子的語氣帶著哀愁，內在的現實在說出口後變成了故事。她有如剛羽化的蝴蝶，就像是介於美麗與醜陋、幽雅與孱弱中間的女人——

京極堂繼續進行「祕密的洞悉」。

「同時，恰巧在這個節骨眼上，妳的消息**被刊在糟粕雜誌上了。**」

「嗯——」

木場有所反應。

「須崎再度以恐嚇者的身分來到妳的身邊。只不過他沒先找到妳，而是先碰上了加菜子。」

「我想——應該就是如此。」

原本處於懷舊氣氛中的陽子表情逐漸換成懊悔的樣子。

「祕密的真相被加菜子猜中了，她深深地受了傷，並試圖離家。只不過，她應該曾對雨宮說過目的地。」

「你為什麼知道？」

京極堂沒跟雨宮接觸過。當然我們所擁有的關於雨宮的情報都是由木場、陽子及增岡而來。我想他們一定沒人知道這件事。

「待會兒就知道了。」

京極堂接著說：

「加菜子邀了一樣在家庭方面有嚴重問題的唯一朋友——楠本賴子一起離家出走。然後——在賴子的手中——變得半生不死。」

「什麼！京極，你……」

木場聽到之後忍耐不住回頭過來。他的表

情有如幽魂——這麼形容似乎好聽了點，總之是非常憔悴且面相凶惡。這是當然的。我跟鳥口與青木聽到結論時不知有多麼動搖。沒有證據與動機，真的能讓人信服嗎？

「正是如此哪，大爺。這個事件就是如此。**恰巧碰上那種狀況來臨**的賴子將加菜子推下月台。」

第一事件，加菜子殺害未遂事件——

木場的臉上失去了張力，變成一副難以理解的表情。

「原來——如此。」

木場似乎很快就理解了。反而無法理解而驚訝不已的是增岡。

「什麼，是那女孩！那……個……」

「原、原來是這樣嗎！嗚嗚……」

福本警員摀住嘴，淚盈滿眶。

「原來楠本同學才是——犯人？加菜子原來不是自殺嗎——」

說出犯人名字時，陽子訝異得張開嘴。陽子對賴子難道沒有憎恨情感嗎？還是說——要從驚訝轉為憎恨需要一點時間？

「要自殺的人不會告訴家人他正要前往的目的地。也不像有經過偽裝。那麼是否是在中途改變主意了？——那至少也會等到達目的地再自殺吧？在出發前的月台上改變主意是很少見的。」

事情太出乎意料，木場有氣無力地說：

「她們說要去看湖，不過沒跟我說為什麼要去。」

「加菜子告訴過雨宮這件事情，而且雨宮——應該也知道目的地。加菜子並沒打算去多遠的地方。加菜子頂多只是——**想去相模湖罷**了。」

「相模湖？」

好幾個人異口同聲地反問。

「不是狹山湖也不是奧多摩湖，而是相模湖。」

地鳴的聲音扭曲也似地擺盪起來。瞬間，螢光燈一閃一閃地明滅。

「但加菜子沒死，她只是受了重傷。正常而言，這麼重的傷肯定沒救了，陽子小姐與加菜子的悲劇在此就該落幕。但是布幕並沒有被放下，因為陽子的父親是——美馬坂幸四郎。」

在場的全體人士此時都朝美馬坂方向望去。

「接下來要換你來說明嗎？教授。」

「不巧我是科學家而不是你這種詭辯家。只不過，不管你如何賣弄口舌揭發我們的祕密，我也不會受到問罪。就算刑警跟偵探在場也一樣。」

美馬坂在眾人的環視之中，沿著由台上箱子伸出的管線到各自連結的計量器上讀取數值，記錄在手中的紙上。

京極堂悲傷地看著他。

「接到陽子小姐暌違十四年的電話，想必你一定很驚訝吧。你沒想到陽子小姐知道**這個地方**。不只如此，她還對你說**女兒快死了**。對你而言，就算沒碰過面，加菜子也還是無可替代的血親。相信你也一心一意地想拯救她。」

陰陽師語氣變得有點激烈，接著說：

「教授，不是嗎？你因為加菜子是你的血親——不，是**超乎血親**的關係，所以你很想救她。難道不是嗎？如果不是請你訂正，否則你這位可憐的女兒的——」

「魍魎將無法離去。」

京極堂說。

美馬坂則是——

美馬坂則是無視於他的發言。

每當言語停止時，機械聲就顯得格外清楚。

美馬坂面無表情。京極堂更進一步地說：

「加菜子的身體已經不堪使用。她的傷勢太嚴重。你總之先緊急動起手術。陽子與你都提供了幾乎危及自己性命的血液量。這是一場大手術，助手只有須崎一個，如果不是由美馬坂這位天才來進行——且患者是加菜子小姐——絕無成功的可能。」

「從剛才就淨講這些無聊事。」

由我的位置沒辦法同時看到美馬坂與陽子，我朝出聲者望去。

「手術只是技術，沒有必要帶著感傷面對。」

「是嗎？那麼你的技術果然是第一流的。」

京極堂盤起胳膊。

「就我所知，這位美馬坂幸四郎在日本可說是才華數一數二的科學家。他以免疫學為基盤的研究領域跨越了派閥與分野，提供了學界的先達後進數年至數十年的前瞻觀點。也曾提倡過基因操作之類的又如夢想一般的治療法，只可惜太過先進了而遭到抹殺。只是——這時的他頂多因受到敬畏而受人疏遠，絕不是會被趕出學界的異端學者。」

自己的半生被人簡潔地整理出來，美馬坂難道都沒有什麼愉快或不愉快的感覺嗎？

還是說他根本沒那個耳朵傾聽饒舌的詭辯家的話？

美馬坂只是默默地進行他的工作。

「他的挫折是從妻子的病症開始的。肌無力症雖不是什麼不治之症，但以目前的醫學水準其病因尚不明瞭，嚴重的話治癒的機率極低。絹子女士是——重症。美馬坂教授不是遭學界放逐，而是為了治療自己妻子的病症，放棄了一切公務，我說的沒錯吧？教授。」

沒有回答。

我在意起陽子，轉頭看她。

這段故事是她的雙親，同時也是她的故事。

陽子又再度進入忍耐的姿勢。她就只是靜靜地忍耐著，等待這段時間過去。

「美馬坂幸四郎想著對策。妻子的病情一天比一天惡化，病魔腐蝕了她的精神。精神受到肉體的侵蝕，這就是美馬坂最無法接受的事。原本開朗、溫柔的妻子，逐日變得嫉妒、怨恨，不斷詛咒身邊的人，變成了可怕的鬼女。他想治療這樣的妻子，所以他考慮應用他長年研究的活體移植技術來治療。」

「京極堂，可是肌無力症這種病不是移植幾個部位就能治療的吧？」

就我所知，這是一種會導致肌肉異常疲勞、進而衰弱的神經障礙。

「詳情我也是很不清楚。本人在這裡，卻由我來說明老實說有點奇怪，總之這種疾病的原因被認為是位於運動神經的末稍的稱為終板的區域的鹽基性物質——乙醯膽鹼合成不良所導致的。聽說這與胸腺分泌過多之間可能有因果關係。說到胸腺，各位都知道這是淋巴球分泌的大本營。免疫專家美馬坂教授思考出什麼治療法，不是我這等凡夫俗子所能得知的——總之，結果失敗了。此時他察覺到了，不只限於臟器，醫學上的活體移植有其極限，就算未來能消除拒絕反應的發生，若沒辦法經常確保適合的獻體也無法成功。所以就有人提倡使用用**機械**代替，就是人工臟器。但是機械畢竟無法與活體完全相容。因此——」

「因此他想到**把身體整個替換掉**。」

「這是什麼意思？」

「製作一副機械身體，壞了就替換掉。如

此一來便能半永久地不會衰弱。他想，或許獲得了不會衰弱的肉體，靈魂也就不會污濁了。」

「這就是——這就是不死的研究？是軍方投資的技術？」

鳥口問。

「這種事真的辦得到嗎？」

「似乎——已經辦到了。」

京極堂環顧房間。

「人工臟器的概念並不是什麼特別先進的想法，例如人工心肺在十五年前早就製作完成了。記得發明者是吉朋吧？」

向美馬坂問話沒有意義，京極堂自己再清楚不過了。

「雖說開始邁入實用化階段也是最近的事情，而且也只能當作心臟外科手術時的代用心肺。現在在臨床上應該也開始使用了吧？」

沒有回答。

「是有其他醫師思考出人工腎臟或人工肝臟。但包含脾臟肺臟心臟腎臟肝臟胰臟，胃腑腸腑膀胱膽囊三焦，所有一切，連感覺器官也包含在內，只有他想要完全用人工製作出來。平常的醫師只會考慮將人工臟器用治療、手術或臨床手術上，但這個人的想法卻非常與眾不同。」

「有什麼不同？」

增岡開口。

與增岡有關的部分已經結束了，但他仍不由得想知道。

在這裡的全體人士都是深陷於事件的人們。

我們，其實全部都是——蒐集者。

「一般人頂多想到把其他異物置入人體這個箱子之中。這樣的想法是理所當然的。但是天才美馬坂卻打開了人體這個封閉的箱子，並且——在其外側製作了更大的箱子。」

「中禪寺，別用文學的形容方式來表現！別在事實認識上植入不必要的先入觀念或成見！那只會給人愚蠢的印象而已。」

美馬坂安靜但嚴峻地說。

他終於忍受不了京極堂的挑釁了嗎？不，他只是手上的工作結束了罷了。

京極堂笑了。

「那就應你的要求吧。在我看來，你的研究除了代用接受器官以外已經完成了。接下來只剩下臨床實驗。雖說我不怎麼想用臨床這兩個字來說明你的研究。你應該很希望進行人體實驗。每次都使用紅毛猩猩跟黑猩猩，實在很花錢吧。」

「紅毛猩猩與黑猩猩？那種東西很容易入手嗎？」

「我聽小司提過，有個傢伙專門從帛琉等地趁世局混亂走私進來。一頭的價值不菲，不是隨隨便便就買得到的。」

小司是指專營輸入雜貨的司喜久男。

不知為何，他在東南亞的非法地帶很有本事。

只不過真的有人肯掏出大把銀子買猴子嗎？雖說當然是有人買才有人賣啦。

「我從來不過問實驗用動物的入手管道，全部都交給須崎處理。須崎很擅長這方面的事務。總之我做的是動物實驗。木場，懂了嗎？」

美馬坂朝木場的方向說。

木場大腳張開，坐在一個較矮的計量器上。

一看到美馬坂看他，立刻別過頭，說：

「這裡的確有野獸運送進來的傳聞，也有殘骸，我自己也親眼見到了。可是也同樣有傳聞說傷患——也就是說是人類被送進這裡？青木，沒錯吧。」

青木點頭。

「這裡——真的沒進行過不法的人體實驗嗎？真的沒有嗎？京極。」

以木場而言，這個恫嚇似乎欠缺了點魄力。他沒露出擅長的凶惡臉孔，不敢直視美馬坂的眼睛。

「大爺，那些傷患接受的是合法的治療。美馬坂這個人是不會作出那種事的。」

「是——這樣嗎？」

木場果然沒什麼氣勢。

「木場大爺沒說錯，的確曾有幾個不能讓他立刻死去的傷患被送進來。他們都是些隨時死也不奇怪的重傷、重病患者。只不過在某種理由下——例如是證人或犯罪者，這我不是很清楚——必須讓他暫時多活一段時間。總之會被送進來的都是這一類人，而委託人當然也不是什麼普通人物。求求你讓病人多活十天，不，至少三天——美馬坂近代醫學研究所現在是以這種方式營業——」

「這也算——醫療行為？」

「至少不是犯罪行為。應該說——」

京極堂看著美馬坂，他沒有反應。

「——這裡算是一種能讓瀕死的患者姑且活上一段時間的裝置。所以有人入院卻沒有人出院。理所當然。因為只要經過一段時間患者便會死亡。不是被殺了，而是只能活到那時，無法繼續延續生命了。或者是收取的那一點費用本來就無法讓病人支持多久。教授，你一定很不願意吧？我說只能活一段時間太失禮了，你希望我說永遠對吧？」

「我不會受你煽動。」

美馬坂毅然地說。

「但是你的研究很需要經費吧，不是嗎？不只是實驗材料的準備，維持費也很高昂。戰時戰後你很巧妙地籌措到了，軍方、宮內廳、

GHQ，有許多單位注意到你的研究，你成功地不讓他們得知你的研究真相，獲得了研究經費。」

「只不過沒有具備長期、宏觀視野的出資者罷了。」

「現在已經沒有人願意援助你，所以你只好收取鉅額經費，以暫時延命裝置的方式來營業。我說的沒錯吧？」

「你到底想怎麼樣？我的行為在正當的醫療範圍內，我只是收取相對的報酬罷了，一點犯罪性也沒有。」

美馬坂似乎不怎麼冷靜。這應該是他作出的最大的情感表現了吧。

從剛剛一直站著的京極堂總算坐上椅子。

「加菜子小姐受了重傷，全世界大概也只有這個地方能讓她活命。在這層意義下，陽子是美馬坂教授的血親可說是僥倖。經急救措施之後立刻送往這裡可說是正確的判斷。」

我看了福本警員一眼，他當時在現場。也看了木場。他十指交叉抵住額頭，低頭不語。

「然後，教授除了救命以外不作多想，**施行了延命措施**。然後，讓這棟**建築物運作起來**了！」

這道聲音，原來是建築物運作的聲音嗎？

「加菜子的確活命了。但是陽子小姐，妳應該不曉得吧？」

「不、不曉得什麼事──？」

從剛剛便一直靜靜等候著這段可怕的時間通過的陽子，正因恐怖無聲無息地降臨到自己頭上而震驚。

「剛剛教授自己說了，**找不到願意援助到底的出資者**。陽子小姐妳當然不知道這件事吧。在這裡──美馬坂近代醫學研究所，『活著』的意義與我們平時的概念並不相同。」

恐怖的空氣令房間凝滯。這個房間裡、這個建築物裡並沒有空氣的流動，有的就只是振動。

「對美馬坂教授而言，『不死』是**維持生命活動**，而不是**活著**。」

我聽不懂京極堂說的意思。

「而且，這間研究所是研究所而非醫院。這裡並不是**能使患者恢復的場所**。」

不能恢復？

「進入這個箱子之後，只要人在裡面就還能活著，但絕對無法到外面。只能永遠在這裡永生。亦即，只要還想讓患者活著，就必須半永久地**負擔龐大的維持費用**。」

「所以——才會想要詐取財產嗎？」

青木自言自語。

「若不是如柴田耀弘規模超乎尋常的財源，實在不可能讓十四歲少女度過所應得的人生長度。不是一個月、一年而已。不，其實你希望讓她能永遠活下去吧。難道不是嗎？美馬坂先生！」

機械聲，地鳴，重低音，振動。

「既然啟動了，就不能使之停止。機器停止的時候便是加菜子小姐生命結束的時刻。明明沒有使之永續運作的財源，教授卻啟動了這座箱子。是不由自主地啟動了，還是為了實驗，這我就不曉得了——」

——是哪一邊？

美馬坂什麼也沒說，完全無視於京極堂。

現在也——那麼這座箱子裡——？

「我剛剛在樓下詢問過茫然的甲田先生。要運作這座建築需要極巨大的動力。不靠自家發電補足電力實在不夠。需要燃料。而且加菜子的情況很嚴重，幾乎所有機能都得運作才行。全部運作下，一天下來換算起來要多少錢？你那時已經沒有單位援助你的經費了。加菜子雖救活了，但你並沒有能力使她持續活下去。」

原本看著美馬坂方向的京極堂突然扭轉上半身凝視陽子。動作極為快速。

「接下來陽子小姐，妳告訴美馬坂先生關於柴田財產的事。美馬坂先生，這對你而言是雙重的好機會。有了這筆財產的話，加菜子小姐能繼續活下去，同時也能實行你長年渴望的活體實驗。原本是為了拯救妻子而開始進行的實驗，在失去對象後迷失了去向，面臨放棄邊緣。原想拯救的妻子雖死去了，而現在——卻能將繼承了你的血脈的加菜子當作研究對象加以拯救——但是這種想法畢竟太天真了，終究不過是空歡喜一場。」

增岡很快地插嘴。

「中禪寺先生，這又是為什麼？這不是很簡單嗎？完全不需要什麼誇張的機關，也不需要犯罪。只需說句謊話即可，說加菜子願意繼承遺產——即可。我們無法看穿她的謊言，可是她卻連繼續談判的意願也沒有。」

「增岡先生，那時柴田耀弘**還很硬朗**，一點也不像將死之人，想繼承財產**必須等到耀弘先生去世**才行。究竟是加菜子會先死還是耀弘先死，由你帶給他們的訊息判斷起來，耀弘比加菜子先死的機率明顯地低多了。陽子小姐無論如何都需要一筆應急的金錢，所以才會想到靠自導自演的綁架——來詐取贖金。但這也只是一種，孩子氣的點子罷了。」

青木似乎無法保持沉默，他說：

「但是這也太——有欠思慮了吧。沒有比犯罪更不划算的生意了。擄人勒贖，而且還是自導自演，被發現的話絕對很划不來的啊。」

「所以，陽子小姐**並沒有打算付諸實行**。

她自己也知道絕對行不通。陽子小姐，妳原本已經放棄了，美馬坂先生也要妳放棄，對吧？」

「——是的。」

「妳在說什麼！」

木場大聲吼叫，站起身來。

蒼白的陽子嚇了一跳，抬起頭來。

「妳——妳那時的淚水是假的嗎！放棄不就等於接受了加菜子的死亡嗎。在那麼早的時候妳就已經放棄了嗎！加菜子消失時，妳要我尋找，要我幫助妳，難道都是謊話嗎！」

木場朝向陽子的方向盡全力虛張聲勢，硬擠出的聲音雖然悲壯，但他絕不敢正面看陽子。另一方面陽子則是搖搖晃晃地後仰，像是被木場的話推動似地站了起來。

「——不是謊話！」

她的聲音十分悲痛。木場沉默了。

京極堂悲傷地看著陽子，接著對木場說：

「大爺——這個事件等於是你引起的，所以你別再責備她了。」

「我？」

——就是你。

陽子當時對木場說了這句話。

「陽子小姐無論如何都想救加菜子，但是賴以依靠的美馬坂先生向她宣告了絕望。這個裝置只能運作半個月，加菜子的生命只能維持到**八月三十一日為止**。」

「消失的那天——嗎？」

「但是他也對陽子小姐這麼說了：『如果在這之前有錢購買燃料的話，加菜子就能得救』——」

京極堂搔搔頭髮。

「這與隨時都有可能會死的恐怖——並不相同。如果說就算機率雖低但有得救的機會，那至少也還能抱著希望——但也非如此。陽子小姐面對的狀況是**加菜子必定會在八月三十一**

日死亡。這是怎樣的狀況，你們能想像嗎？」

我——無法想像。勉強要形容的話，就像被宣告死刑，等待執行的死刑犯的心情吧。與遭到事故驟死的情況不同，雖然衝擊性較低，但恐怖感會隨時間一刻刻增大，與拷問也很相似。

「而且，最殘酷的是死亡的到來並非絕對無法防止，只要有錢就能讓她無限存活下去，而且一大筆錢就在眼前閃閃發亮。陽子小姐面對的就是這種狀況。在這種狀況讓各位選擇的話——不會想演出綁架才奇怪。沒有人有資格責備她，要抨擊她的行動——實在太殘酷了。」

陽子看著美馬坂。京極堂看了她們兩人一眼，接著說：

「教授，你對陽子的宣告在其他人眼裡就像是要人用生命來換錢一樣。你或許覺得無所謂，但你不認為這已經超越了醫師所應有的標準了嗎？」

「中禪寺，你是明知故問嗎？我早就不是醫師了，是科學家。」

「為了女兒也不願意撒謊嗎？」

「愚蠢至極。」

「陽子小姐的心情——我已經懂了。」

青木說，接著皺起眉頭，說：

「——但我不懂她的做法。她到底想做什麼？那種偽裝綁架是怎樣的計畫？而且還是如此精巧的——」

「什麼計畫也不存在哪。她根本沒想過要執行，那只是她的妄想，是空想。逃避現實的空想，越具體在某種程度上就越有效。陽子小姐藉著這個來掩起耳朵逃避加菜子的死亡倒數聲，來閉起眼睛不看躺在眼前的女兒的悽慘模樣——」

「——她只是製作了威脅信而已。」

「那是——她製作的嗎？」

青木很驚訝，我則是多少猜想得到。

「只消一眼就看得出來吧？」

「我看不出來。雖然那是一份作得很失敗的威脅信，可是不管來源還是剪貼的材料都查不出來。」

青木從胸前口袋中掏出那張照片。

「青木，那個啊，是電影的劇本哪。」

「劇本？」

「要切割印刷物來製作威脅信時，大半都得一個字一個字切割下來，否則很難拼出想要的文章，這也沒辦法。很花時間，細密的工作也很耗神經，要選字也需要注意力。但是這份威脅信很明顯地並沒有花費多少時間與勞力。」

「為什麼？」

「還不懂嗎？你看個仔細，剪貼並非以文字為單位，而是以詞彙。不，甚至還有整句的。『若欲保小命』是一個單位。你說，哪份印刷物的文章會有如此古裝劇味道的句子？那句多半是『若欲保小命，留下買路財』吧。這是古裝電影的台詞。」

「我懂了！是《捕快姑娘續集》的鐵面組頭目的台詞！」

福本大聲喊了出來，一瞬間表情還很興奮，但很快就被周遭沉痛的氣氛所吸收，立刻自我約束起來。

「原來是這樣嗎？我沒看過照片不敢確定。只不過前一句我就很熟了，就是那句法語的部分。青木，上面寫著什麼？」

青木一頓一頓地念了起來：

「伊兒阿魯，敵亞布歐，摳爾。」

「雖然發音很糟一點也不像法語，不過青木也還是念得出來。你學過法語嗎？」

「當然沒有啊。因為上面有標片假名嘛，

當然會念了。」

「之所以會標音是因為**演員也不會念**的關係。這是漱石的作品。《三四郎》中學生集會所的那一段。在集會所碰上的學生揶揄與次郎的台詞。我雖沒看過照片，不過讀過兩、三次原作所以知道。這幕劇並不是很叫人印象深刻的場面，說這句台詞的應該也是小配角吧。所以劇本作家考慮到演員可能不會念，就標上發音了。而信上的『惡魔』的發音標成『デギル』也很特別，現在一般會標作『デビル』，不過漱石則標成如此。想必劇本作家並不怎麼熟外國話，直接引用了原文吧。」

原來漱石的《三四郎》裡有這句台詞啊，我已經忘記了。

「在此我想順便問一件事情，陽子小姐，妳為何會在威脅信上使用那句法語台詞？我這點我實在想不通。妳是否誤會那句的意思了？」

「請問——那句真正的意思是什麼？」

「漱石將之翻譯作『惡魔附身』。」

「啊——我以為那是受到惡魔誘惑的意思。因為我覺得那孩子的一生就像是受到惡魔糾纏一樣——」

「如果照上面所寫的意思，就會變成惡魔是**妳自己**。」

陽子什麼也沒說。

當時我沒聽出來，但京極堂一聽立刻就知道了，而且還一直保持沉默。

「京極堂，你說——那天晚上木場大爺給你看過威脅信的照片，所以說原來你那時一看就知道了？」

「任誰都一看就懂吧！我傳達給你們知道時也提過剪貼單位與標音的問題。我沒想到你們還得等到我在這裡發表演說才想得到。製作者的陽子也一樣啊！她也知道這種東西立刻會被看穿，不，她根本就沒打算使用。」

「——也不是完全不打算使用。您說的沒錯，我的確妄想過——我曾想著——若是順利的話，或許如此幼稚的行為也還是能拯救加菜子的性命。我在攝影棚看過用剪貼製作的威脅信，我忘了是哪部電影了，那張威脅信被拿來當作電影的小道具使用，當時覺得偵探光憑那些字就能猜出犯人很厲害，印象很深刻。所以當我回家拿換洗衣物時，順手也拿了劇本過來。加菜子是個愛看書的孩子，不過我很少看，鉛字印刷的東西，手頭上有的就只有劇本而已。」

陽子聲音細小地說了。

「真的——是妳做的嗎？」

木場的姿勢沒變，但憤怒已經平息了。

「——但是做歸做，我也不可能親手交給增岡，也不知該拿給柴田家的誰——不，通常而言這種東西是送到我的手上才對吧。所以愚蠢的我真的束手無策，不知到底該怎麼辦，不知道該怎麼做才能把這封信換成現金。所以很可笑的，一開始我把贖金的日子貼成製作的那一天——八月二十五日，明明就還沒被綁架——所以後來又把那裡撕下了。另外，劇本上沒有警察這個詞，所以原本是貼『官差』，可是覺得這樣很怪，所以又撕下了。信封上原本貼著『柴田家敬啟』，後來也撕下了。全部撕下後覺得自己很愚蠢，很可笑，就把撕下的鉛字亂揉一通丟掉了。但是一丟，反而覺得異常悲傷、寂寞難耐，還是決定把信完成，就把字又重新貼回去。我本來剪了『九』貼上，但想到九月就來不及了，於是就完全沒心情弄了。接著發呆了一陣子，覺得就這樣擺著也不行，所以正想**將信收回信封時**——」

「原來那不是要拿出來，而是收進去的時候嗎？原來——是我害的嗎？」

木場大聲喊了出來，張大著嘴，看著我、鳥口與青木。

「我——竟然搞錯這麼無聊的小事，而且還……」

不管動作還是台詞都像是喜劇。

京極堂斜著眼看木場。

「常有的事。之前鳥口也說過，如果這是偵探小說的情節倒是很叫人噴飯。但這並不是小說，而且也不是開玩笑就能解決的。在腦筋頑固的木場大爺請求下，警察真的來了。陽子不知該怎麼辦才好的事情，在木場刑警手中代之實行了。」

「我——」

「什麼計謀也沒有的情況下，自導自演的綁架就這樣開始。好死不死，請求來自於警視廳的刑警，神奈川本部自然不敢輕忽。妳很困惑，頂多能再三強調這是惡作劇，卻不敢說其實是自己做的。」

「雨宮他——大概為了庇護我而做了偽證，說那封信夾在門口。他大概真的以為我存心策劃這齣綁架劇吧。」

木場沒動，似乎正拼命地在回想當時的狀況。

「於是，威脅信順勢成了綁架預告信。然後接下來就是——須崎的策謀。」

「策謀？什麼策謀？」

增岡的反應很快，他應該是現場最優秀的聽眾吧。

「令這場不成功的犯罪得以完成的後續策謀。我相信他也把美馬坂教授及雨宮先生捲入他的策謀之中。各位聽好，接下來就是犯罪了，前面那些都只是**誤會**罷了。」

第二事件，加菜子綁架未遂事件——

「須崎這個人似乎很喜歡這種勾當。我跟他不是很熟，不過曾聊過一、兩次。他當時曾對我說：『你的性質很適合當詐欺師，怎樣？

要不要合作賺個一筆啊？』我想這次也是他的點子吧。一般而言沒有人會被這種花言巧語所誘惑，但這筆金額非比尋常，數量太過巨大了，連美馬坂幸四郎這般人物也為之動搖。或者說恰好是順水推舟？真是愚蠢——」

美馬坂注視著台架上的箱子。

「不管須崎說得如何天花亂墜，他跟你們終究非親非故。那種計畫若非外人絕不可能策劃出來。美馬坂先生，陽子小姐，你們為什麼會贊同如此殘酷的計畫？如果你們覺得——既然沒有救了，橫豎都是一死，不用白不用——如果你們真的這麼想的話，你們應該向加菜子小姐道歉！」

「向加菜子道歉？愚蠢！」

美馬坂露出厭惡的表情。

「死人知道什麼！還活著的話，不管在什麼狀態下多少還能採取某種形式的溝通，但死了的話就只是單純的物體罷了。與不帶意識的物體是沒辦法進行意識上的溝通的。珍視與這類物體的溝通行為，或對這類物體祈禱都只是一種低劣的幻想。所有值得珍視的事物其實只存在於祈禱者的意識之中！那只是自問自答，是自我滿足。」

「所謂的滿足在任何時候都只是自我滿足，本來就不可能令他人滿足！」

京極堂嚴峻地說。

「想要用主觀以外的外在標準來衡量滿足或幸福才是一種幻想。你才是想靠這種唯物的態度來矇騙自己的心情！是自我欺瞞。學學剛剛的陽子小姐，老實說自己是被金錢蒙蔽了吧！」

「想要錢就是犯罪嗎？那麼那個叫做柴田耀弘的老人怎麼沒被逮捕？沒有理想沒有目的，只靠著對金錢的慾望而活的人不是數以萬計嗎！我本來就什麼也沒做，加菜子本來就是該死才死的！」

「爸爸！」

美馬坂聽到陽子的聲音沉默下來。

增岡說：

「中禪寺先生，可是我聽說要求的贖金是一千萬，這雖不算一筆小數目——四人平分是二百五十萬。現在大學畢業領到的第一筆薪水是一萬一百六十圓左右，所以這筆金額大約是二十年份的薪水。說不想要是騙人的，但真的那麼有魅力嗎？我想這筆金額遠遠不及這座研究所的維持費吧？還是說雨宮辭退好意？那也差不了多少，用非比尋常來形容，我實在無法接受。」

「增岡先生，當然不是如此。須崎策劃的不是詐取贖金，而是**以加菜子的死亡為前提**的——財產詐取。」

「你說什麼？加菜子死了的話遺產不就——」

「不是差點就由他們繼承了？」

「啊啊！原來如此！也就是說，加菜子在八月三十一號死亡，如果耀弘在那之前先死了就另當別論，但這種事情是無法確定的。所以讓加菜子在死前受人綁架，變成生死不明的狀態。只要無法確定死亡就能繼續進行財產繼承的交涉——這就是他們的計畫嗎？但是，雖然現實恰巧如此發展了，但耀弘先生並不一定會立刻死亡，而加菜子長期行蹤不明也會被視為死亡。況且，我的組織也不見得會認定柚木陽子作為代理人。這個計畫可說漏洞百出。」

增岡以極快的說話速度露了一手推理的功夫，還指出計畫的漏洞。

京極堂補充說明：

「不過，任誰都知道耀弘先生來日不多了——事實上也的確去世了。除此之外都如增岡先生所說的一樣。所以我想，如果計畫順利的話應該會定期送來通知加菜子平安的威脅信吧。」

「威脅信？這種東西能證明什麼？」

京極堂一無所懼地笑了。他暫時跳過這個問題，大概公開這方面情報的順序還沒到吧。

「是沒錯。我不知道他們在實行之後做過多少考慮，不過我倒是瞭解在這裡發生過什麼事情。」

京極堂走到手術室的門前停下。

「加菜子消失的那天——在須崎計畫中自然是越早越好，不過我想——選定八月三十一日，應該是考慮到陽子小姐盡可能讓加菜子多活一天也好的心情。總不敢說她已經活得夠久了吧？因此八月三十一日無疑地就是這座箱子停止之日——同時也就是加菜子的生命的臨界點。另一方面，威脅信是在二十五日變成了預告狀，而就在當天之中，須崎構想出了這個計畫。陽子小姐，我沒說錯吧？我沒有關於須崎的情報，所以若是有錯，希望妳能為我訂正。」

陽子看著京極堂的肩頭，開始用小聲說：

「須崎先生說——有辦法**讓加菜子繼續活下去**。」

「有辦法？」

京極堂發出問號。

「您——中禪寺先生您剛剛說這個計畫是以加菜子的**死亡為前提**，但其實不太對。他對我說或許有辦法能讓加菜子活下去又能詐取遺產，問我願不願意賭賭看。因此在聽到這些話後，我——動搖了。」

「原來如此。那麼我收回前言吧。妳說的的確比較能讓人理解，但是——」

「用不著收回前言也沒關係，須崎先生考慮出來的方法真的不知道能不能成功，而且說不定我只是被騙了而已。所以就算有可能能讓加菜子活下去，計畫的進行依然是以她的死亡為前提。就如您所說的一樣，總之先讓加菜子消失一段時間，讓她變成生死不明才行。我真是殘酷的母親，但就算如此，我——」

陽子沒哭，代之的是大量釋放出了些什麼，精神在一口氣間消磨殆盡。美馬坂說：

「須崎有須崎的獨自研究。他的研究不僅成功率低，科學上也沒有意義。但成本低廉，僅此如此。」

陽子咬著嘴唇，凝視著病床。

加菜子當時就是躺在那張病床上嗎？那是一張只由鐵管構成的質樸病床。上面設了什麼機關？魔術的謎底又是什麼？

「原來如此。須崎有獨自的生命維持法嗎，這下子我總算恍然大悟了。」

京極堂又開始說下去。恍然大悟是什麼意思？

「陽子小姐刻意透露自己與柴田家的關係讓神奈川縣警知道。當然這是考慮到縣警們會把加菜子綁架預告的情報傳遞給柴田家知道的行動。過去以來一直將增岡拒於千里之外，這時卻主動去聯絡似乎有點奇怪，且由警方來通知這個消息，柴田家應該也會覺得可信度較高。這個企圖成功地命中了。耀弘先生的地位在神奈川特別重要。」

「等等，中禪寺先生。」

增岡開口打斷他的話。

「根據我這邊的記錄，神奈川縣警們來拜訪我們是八月二十六日。照你所言，那個助手須崎想出計畫是在威脅信被木場發現，警察來這裡之後，也就是八月二十五日晚上。他僅花了一晚就策劃出這個計畫而且還說服了其他三人，這難道不會不太合理嗎？他應該更早就開始策劃了吧？那個不知道能不能成功的延命法也不可能是臨時才想到的，總是需要準備吧。就我所知，如此珍奇的綁架事件從來沒發生過。」

增岡有如機關槍般連續提出好幾個問題。

京極堂毫無窒礙地回答。

「你錯了，這次的事件真的一點準備也沒有，毫無計畫性。只不過須崎是科學家，我想他應該早就想要實驗這個獨自的延命法，所以早就有所準備也說不定。但是其他的則全部是臨陣磨槍。就算是更早就開始策劃，也絕對不可能比加菜子小姐受傷以前更早，頂多十天以前。」

「可是那也還是比一個晚上還好吧——」

鳥口說。

「——要讓人從密室之中消失，如果不是魔法便一定有謎底，要設計機關不是得花相當多的時間嗎？」

「什麼機關也沒有。」

京極堂說完看著美馬坂。

「沒什麼，想要帶出外面而不被任何人發現很簡單就能辦到。須崎根本沒用什麼頭腦，他靠的只是小聰明罷了——」

京極堂的眼窩外圍有一圈黑影。

他的眼神令人聯想到能劇《東方朔》（註一）裡的惡尉（註二）。

「大爺——」

木場被叫到，抬起頭來。

那麼這邊這位應該就是大癋見（註三）吧。

註一：內容大致如下：漢武帝的臣下東方朔吃了西王母庭裡三千年才結一次果的仙桃而得到九千年的壽命。他將仙桃獻給武帝，在武帝面前與西王母一同跳起祝賀之舞。

註二：能劇面具的一種。尉面是老翁的樣子，又分白式尉、黑式尉、三光尉等等種類。惡尉是種表情恐怖的尉面。《東方朔》裡使用的是鼻瘤惡尉。額上靜脈隆起，眼神銳利，鬍鬚剛硬而有威嚴，多用來演出神仙等充滿威嚴的角色。

註三：能劇面具的一種。癋見的下顎突出，上下唇緊閉，瞪目怒視，鼻孔賁張。為大癋見、小癋見、猿癋見等面具的總稱，多用來表示鬼神、天狗之類的角色。大癋見通常是天狗的角色，在恐怖之中多少帶點滑稽之處。

「——你說曾在加菜子第一次手術後向須崎問過話，他那時怎麼回答你？麻煩你盡可能正確地回想起來。」

木場用他粗大的手指摩挲下巴。

他正在努力回想。

我相信木場一定不知反覆回想過這個事件多少次吧。

一絲不苟又頑固，專記得小地方，他就是這種人。

「他好像說——血管的——選別很辛苦。不過大動脈**弓**與胸部的動脈**吻合**情況良好，所以沒問題——大概是這樣吧。」

「請你說明一下吧，美馬坂先生，這是什麼意思！」

黑衣的京極堂怒氣沖沖，聳肩站起。

黑鴉，他是隻大黑鴉。

白衣的美馬坂也跟著站起，與之針鋒相對。

他則是——白蛇嗎？

「就是你聽到的意思。大動脈弓是人體血管中最粗的一根血管，是大動脈的一部分。大動脈是由心臟輸送血液到全身循環的最主要血管。由左心房上方的動脈圓錐向上延伸的部分叫做上行大動脈，往下的則叫做下行大動脈。上行大動脈與下行大動脈結合的弓形部分就是大動脈弓。而胸部的動脈應該是指胸大動脈。如名所示，這是胸腔內的動脈。穿過橫隔膜的大動脈裂孔後改稱作腹大動脈。所謂的吻合是指將血管連結到同一臟器的另一部位，或者是將不同的臟器連接起來的意思。血管很多，所以要分辨哪條是哪條十分困難。須崎所說的就是這些事情罷了。」

「我就是在問你——為何大動脈弓必須跟胸大動脈吻合？」

「就算我說明了你們就能理解嗎？剛剛的說明這群人都已經不見得——」

「別小看我們，美馬坂先生。其他還做了什麼手術？把下行大動脈結紮起來了？還是下行大靜脈？」

「中禪寺，隨便對專門外的事情插嘴可是會嚐到苦果的。為了你自己好，你還是去念你的『速驅除之』、『速淨化之』的祝詞吧。」

「美馬坂先生，你這句話是挺有意思的，但比起『謹請天之斑駒豎耳傾聽』，左鎖骨下動脈或總腸骨動脈還是比較好理解。總結來說，須崎說的意思就是用動脈的血液來供應胸壁對吧？為什麼要做這種事？你——」

「因為那孩子的情況很危險，不這麼做——」

「肺與心臟沒事，所以為了盡量減少燃料的消費量，你並沒有使用人工心臟對吧？」

美馬坂神經質地皺起眉毛轉過頭。京極堂朝向我們。

「各位，我剛剛也說過，這位天才科學家扭轉了常識，幾乎完全成功地創出了人造人。美馬坂教授評論我剛剛的形容很文學味，完全沒這回事，我的形容極為寫實，他打開了人體這個封閉的箱子，**在其外側製作了更大的箱子**——」

京極堂看著天花板，接著依序看了我們。

「這棟建築物本身就是他創造的**人類**。」

「我們在人體之中，你們坐著的就是腎臟肝臟脾臟和胰臟！」

我不由自主地抬起屁股，青木站了起來，鳥口則是整個人飛跳了起來。

「什麼！」

反應一向最快的增岡這次反而慢了一拍，發出奇妙的叫聲後扭頭看看四周。

「人體的效率非常優秀。例如說我們只需

兩顆腎臟大小的體積就能完全過濾代謝作用的廢物與超過所需份量的過剩物質。如果要用人工機械來代用就會變得很大，且人工透析機器再怎麼小也放不進人體裡。肝臟是人體的臟器中最大的，但相對的這個人體綜合科學工廠的機能也驚人的多，想用機器取代哪怕多少台都不夠。光是只具備除去血液中的有害毒性物質機能的機器就已經很巨大了。所以一般的醫師只會想到要盡量將人工臟器縮小化或用在暫時代用性質上。如果把收納在人體裡的東西全部拿出在外的話，就會變成大約三樓高的建築物。就像——現在所看到的這樣。」

「中禪寺，你的解說太草率了。」

「不巧的是我並不是來朗讀醫學書的，這些無聊的解說便以足矣。無須說明，親眼見到就知道。這座堅固的要塞——你建造的人工人體是多麼的醜陋。遠遠不及——美麗而天然的人體。」

「那是你的價值觀。我對美這種相對的觀念沒有興趣。」

美馬坂多少顯得有些狼狽。

「中禪寺先生，這、這是怎麼一回事？我、我不懂。你說美馬坂是多麼優秀的科學家，做出多麼了不起的東西，又是如何被軍方放逐的過程我已經十分瞭解了。我也認識到這裡是怎樣的地方。可是、怎麼會、這實在——」

這實在——增岡發著抖，又重複一遍。

「中禪寺先生！」

青木說。

「到了這種地步——我已經不會驚訝了。所以請您詳細為我們解說吧。」

增岡、鳥口和福本等人臉上均泛出濃厚的疲勞之色。

在這個箱子裡——生命會變得越來越疲

累。

榎木津呢?榎木津不在。從什麼時候就不在了?

「我懂了,美馬坂——」

唯一坐著的木場站了起來。

「——你——該不會……」

我則是——

我則是已經達到了極限。

「京極堂!我還不懂。這次我從一開始就是個旁觀者,只是個旁觀者,就算現在也是。但是我已經受不了了。我窺視到太多人的人生了。快讓這齣戲劇閉幕吧!這是你的責任!照這樣子繼續下去的話——」

「**我好像快要變成久保了!**」

我第一次大聲叫喊出來。

近乎於嘶喊。

重低音。機械音。地鳴。地響。振動。

箱子、箱子、箱子。

箱子、箱子、箱子。箱子、箱子、箱子。箱子箱子箱子箱子。

這個箱子裡到底裝了什麼!

如果這棟建築物真的是巨大的人類,我們等於是在其中窺視了不該窺視之物。不,等於是跟青木的那次戰慄的經驗一樣,我正站在近似於**那個聖域**的地方。

這種故事,我已經再也受不了了!

「加菜子在八月十六日當天,一被送到這邊,她的心臟與肺以外的**全部臟器立刻被取出來**。取出的理由當然是由於許多臟器已經破裂、破損或受傷之故,但最主要的原因還是加菜子已經不具備維持這些臟器並使之恢復的生命力了。停止供應血液到橫隔膜以下的部位,肝臟、腎臟、胰臟全部都被取出來,加菜子被**掏空**了。」

「嗚——」

福本掩著嘴蹲下。

「這、這種事——真的辦得到嗎？」

「除了這裡沒地方辦得到吧。也就是說，加菜子本來早就死去了。加菜子只是被人勉強**維持生命**而已。木場大爺跟福本見到的是她的殘骸。那時——本體是這個箱子。這個箱子才是加菜子。」

接下來是鳥口，他忍耐不住，倒在椅子上。

「所以說很簡單。在綁架事件發生的三天前再度施行的手術是留下胸椎，切除剩餘的脊椎及骨盤，另外就是**四肢的切斷**。」

「四肢的切斷？手跟——腳？那麼……」

青木說完，暫時考慮了一會兒，總算理解了意思。

「那，加菜子這女孩子不就是在**還活著的狀態下遭到解體**了？跟牛、豬一樣被人切——切成好幾塊！」

青木自己說完似乎也受不了了。

「真有這麼混蛋的事情嗎！」

青木怒吼。

「這種事、這種事真的該受到原諒嗎！」

「沒辦法，這是為了維持生命才動的手術，是正當的醫療行為！你們知道嗎？加菜子的心臟已經衰弱到不足以運送血液到四肢末端了。不切除多餘的部分，那女孩就存活不了。」

青木似乎想說什麼又說不出口，木場接著說：

「美馬坂！不只手腳，甚至連腸子都被切掉了，這樣活著到底還有啥意義！這還是人嗎？普通人手腳被切斷的話撐不了三天就死了！你這麼做也沒辦法讓她一直活下去吧！就算作了這種手術頂多能多活一兩天！把人的身體像醃鮭魚一樣亂切一通，你還算個人嗎！」

「愚蠢！難道說只有五體健全的才算人類？不管身體缺損了哪些部位，只要還有生命，人類就是人類！生命的尊嚴依舊不變。加菜子只是被切除了受傷的部位罷了！就算只為了一分一秒，醫生的任務就是盡力使人延命。」

「美馬坂先生！」

京極堂大喝一聲。

「你的主張很正確，我也贊同你的看法，並不打算針對此反駁。但是，你把問題置換了。」

美馬坂靜靜地帶著亢奮。

木場帶著凶惡的表情昂然而立。

京極堂朝向木場前進了兩、三步。

「木場大爺也該撤回剛才的話。請你也考慮考慮作母親的不管女兒變成什麼樣子，也還是希望她能活下去的心情。你看陽子小姐，你看著她還能說出剛才的話嗎？」

木場依言看了陽子。

將身子縮成一團的陽子——這隻剛羽化的蝴蝶還在凝視著加菜子躺過的病床。

「我相信一定有人會對美馬坂教授施行的醫療行為有所異議。這是解釋上的問題，跟現在無關。青木、鳥口，還有福本，你們似乎都受到了很大的打擊，但這就是現實。接下來我們必須正視這樣的醫療行為，正視這樣的現實來討論問題。現在應該作為議題的並不是這件事。」

「京極堂，可是！」

「關口，你也一樣。他所施行的是醫療行為，你想從中找出駭人聽聞的恐怖性是沒有意義的。我們不應該把價值觀帶入科學之中。如果你從中見到了噁心的幻影，那是你把自己內在的污穢注入了科學這種無性格的框架之中而已。那是你自己本身的樣子！」

我……我想看到的是……

魍魎是什麼？

青木聽了京極堂的話後恢復了冷靜。

「說的——也是。中禪寺先生說得沒錯，我太激動了——真抱歉。可是，就算這是正常的醫療行為也罷，我還是有無法理解的地方。為什麼必須**把切下來的手腳丟棄**呢？」

京極堂面無表情。

「並沒有遭到丟棄哪。右手掉落只是單純的事故。而左手，是要拿來當作威脅信的材料——對吧？陽子小姐。」

「威脅信？是你、你剛剛說的，要拿來當作被綁架後加菜子的生存證明？」

增岡勉強振作精神。

「京極堂，可是！那為什麼就能當作活著的證據？」

「就是可以哪，對吧？陽子小姐。」

陽子點頭。這當中又有什麼機關？

「威脅信上面應該會印著加菜子的左手手印——不對，應該會把手指一根根切下送過來——要當作生存的證據這樣比較好。我想他們原本的計畫是如此。記得加菜子指紋可以由匾額中的手印來確認——」

「——沒錯。」

木場擺著臭臉說。

「那麼就能夠肯定了。須崎原本就是打算如此做的吧？」

京極堂瞪著美馬坂。

「中禪寺先生，可是這樣並無意義吧？這種做法當不了存活的證據。警方再怎麼無能也還是能判斷，那是在死後才切下還是活著就切下的。」

增岡說。青木也跟著說：

「是的。如果須崎的延命法很隨便，或者

須崎自己原本就是如陽子小姐所說的一般，以加菜子的死亡為前提來策劃的話，那麼這麼做是很愚蠢的行為。不，在這之前，加菜子就算沒死——手部不是已經早就切下了？就算由切下的手臂更進一步地將手指切下，斷面上也還是檢測不出活體反應的，所以——」

「說得沒錯。送這種東西來不就反而是證明了犯人已經死了？這種計畫無法成立的。」

「一般而言的確如此。」

京極堂無聲無息地移動到箱子的墳場。

「但是，美馬坂先生，我記得你在戰爭中曾經做過讓演習中遭到事故而斷裂的士兵手指維持生存的實驗。那次——記得是存活了八天吧？」

「你真的專記得這些無聊事。那只是——遊戲罷了。而且，我並沒有採用——那種方法。」

「是嗎。那麼這就是須崎的點子了？」

「京極堂，到底怎麼回事？麻煩你說明白點。難道真的有方法能讓切下來的手臂保持存活嗎？」

我又開始覺得不安。

活著的手臂？如果真的有這種東西——我——

陽子說：

「是的。他——很得意地說那就是重點。說若有什麼萬一，**只要手還活著**就沒問題——」

果然，活著的手臂存在的！那麼——

「活、活著的、手臂？」

青木發出奇怪的叫喊。

京極堂質問美馬坂。

「教授，你覺得如何？肢體被切下後還繼續維持生命活動的話，那隻手臂該算活的？還是算死的？從這隻手臂上切下指頭的話，算活著就是傷害罪，死了就是損害屍體。」

重低音。箱子運作的聲音。

「只要還維持著生命活動，就算那只是人體的一部分也仍不算死亡。但是那不是人類，而是人類的手。」

「原來如此。」

「手臂在被切斷的瞬間就算不做什麼處理也仍還活著。但就算把那一瞬間延續成一分鐘，一分鐘延續成一天，手臂也仍只是手臂。縱使能維持生命活動，只要欠缺作為生命體的主體性，那就不是生物——也就是說，那並不是人類。所以這種為了研究而研究的研究——是愚蠢至極的研究。是只能運用在威脅恐嚇這類低劣的行為上的技術。我對這種技術，一點興趣也沒有！愚蠢。」

美馬坂對虛空之中投射出輕蔑的視線。

看來這道視線的對象似乎是他的愛徒。

「真的辦得到嗎！」

增岡訝異地說。

「須崎所謂的獨自的生命維持法就是指這個吧？」

面對京極堂的詢問，美馬坂不知為何很老實地回應了。

「中禪寺，須崎這傢伙的確是跟你說的一樣，在進行著**讓人體的一部分維持生命的研究**。浸在培養液裡，接上最低限的機械，勉強使之維持生命——原本這種技術是為了移植用臟器的遠距離輸送用而開發的。但是包含活體移植，我早就對這些研究失去了興趣。單單手臂維持生命一點意義也沒有。那是無意義的生命。人類之所以能成為人類是因為有意識。但是，須崎拾去了我捨棄的研究——他說應用這種技術或許能讓那孩子延命一段時間——約一個月。他提議只要在這段時間籌措資金，最後再讓她恢復原狀即可。我不贊同這種方法，因為成功率極低。」

「但是你最後還不是參加計畫了！漂亮話

說一大堆，最後還不是想要錢？」

木場背對著他說了，差點沒吐起口水。

美馬坂無視於木場的發言。

木場見到美馬坂的忽視，反而更亢奮。

「你不是說就算只有手臂也還是算活著！把手指一根根切下來能當加菜子活著的證據！這算身為醫生該做的事嗎！不，這算身為人該做的是嗎！加菜子不是你的——孫女嗎！」

木場再度過熱起來。

這棟建築的振動不知加熱過他的內部多少次。

「這一點關係也沒有。的確，須崎想要做的事情雖屬科學實驗行為，但稱不上醫療行為，只是無聊的遊戲，所以我對這種行為一點興趣也沒有，但我同時也不具有任何感傷。如我剛才說的，就算還活著，那也不是人類，而是人類的手臂。就算原本曾是人類，就算那是與我有血緣關係的活體，這些事實與行為本身並沒有任何的關係。況且在與腦髓分開之後，就算還活著，要切要刺都不會痛。我只是在說須崎撿了我**捨棄的部分**而已。」

美馬坂轉而將原本投向須崎的輕蔑視線朝向木場後如此說了。

「你、你難道沒有罪惡感嗎？」

青木說。

我想美馬坂並不具有這種觀念。

京極堂說的沒錯，科學是個什麼也沒裝的箱子。

從中能找出什麼價值並運用，端視使用者的心態。

而美馬坂幸四郎這名怪物太接近這個箱子了——

反而變成了箱子**本身**。

因此與美馬坂牽扯上關聯的人，全在其中看到了自己的黑暗——

因而戰慄不已。

京極堂說：

「青木，你不該以罪惡感或人情等尺度來衡量這名男子。你這麼做的話只會讓你感覺到餘味很糟，這就是——魍魎。」

這就是——魍魎？

這是什麼意思？

「右手跟雙腳——和腰部——後來不是被丟棄了嗎？那是事故還是？」

鳥口像是在自言自語般發問了。

「這我上次也說過，那不是丟棄而是水葬。葬在加菜子受傷前想去的地方——由對她抱著深厚愛情的雨宮先生親手執行。」

「雨宮？」

對了，雨宮仍舊行蹤不明。

可是卻沒人提到他，為什麼？

「陽子小姐不管女兒變成了什麼模樣都希望她能活下去，但是雨宮與木場大爺剛剛的心情很相近，他不忍心繼續看到加菜子的可憐模樣。從他身上可以感覺到不同於陽子小姐面對女兒的另一種心情，應該——沒錯吧？」

陽子回想著。

「那個人——雨宮他或許比我更愛加菜子也說不定吧。他說過好幾次——如果一定會死，不如讓她美麗地死去。我原本也以為自己——做好心理準備了，但終究還是放棄不了。」

「增岡先生不是來過這裡嗎？剛好是木場先生第二次來探病的那天。當時——您詢問過加菜子的狀態對吧？」

「嗯，我是問過。當時我聽你們說再過一個月就能復原，沒想到卻是只剩十天。真是過分的詐欺。」

增岡已經冷靜得多了，或許是因為周遭的情緒高揚過頭了吧。

「我可沒說謊！」

美馬坂嚴峻地說。

「我對你說的是——再過一個月，只要狀態還不錯的話，混濁的意識就能復原。如果當時**實驗**繼續進行的話，意識早就已經恢復正常了。」

「那並不是問題所在。我是在說——你明明就知道她一定會死，卻沒向我說明。」

「你來的時候繼續維持生命的希望還沒斷絕。我聽陽子說了遺產的事情，所以那時認為還有希望。只要有資金，想讓她活多久都沒問題啊。」

「但是我那時也說明過耀弘先生的健康狀態良好——啊，我是離開前才說的，而且還是偷偷地告訴陽子小姐——啊啊。」

增岡大大地嘆了一口氣。

「我應該先說這件事才對。」

增岡說到這裡閉上了嘴，眼珠朝上看著陽子。

陽子的眼皮略微鬆弛，以溫柔的眼神看著眼前的箱子，吐露了至今未曾對任何人訴說過的真心話。

「是的——我那時本想跟增岡先生談繼承的事，到最後還是說不出口。然後——在聽過耀弘先生的健康狀態後，我絕望了。所以我才會想到要假綁架。我——一想到這個主意就再也停不下來——於是就對雨宮先生提了這件事。他一開始是說，說如果能拯救加菜子或許也不錯，但是——」

陽子苦惱地顰起眉頭。

「——當時他不知道加菜子是在**什麼狀態**下存活下來的。他一定沒想到加菜子整個內臟都被掏出來了吧。他一直說著等加菜子傷治好了就要去做什麼什麼，要去哪裡哪裡玩，滿口這類的話。還說：『加菜子想看湖，所以等痊癒了就先去看湖吧，記得她曾說過想去相模湖，到時候三個人提著便當一起去吧』。」

便當，如此稀鬆平常的詞語，在我耳裡聽

來卻顯得如此令人悲傷。

「──長期的共同生活中，雨宮成了家人。不，他跟加菜子的關係比我緊密得多了。因此，考慮了一整晚後，我覺得非常悲傷。加菜子即使沒死，也沒有機會去看湖了，當然也沒辦法吃便當了。因為，那孩子連胃腸都沒了啊！所以，我覺得雨宮有點可憐，第二天就對他說了加菜子現在的狀態。結果他一直念著『怎麼這樣』、『這樣不行』、『這樣不對』──從那天起，我失去了能商量的對象，覺得自己好像快瘋了──但就算如此，我也還是不希望加菜子死去，一個人做起了威脅信。但是雨宮他在警察來時，為了庇護我還是撒謊了。他對我說：『我只是外人，妳是母親，會希望孩子活著也是正常的』。後來──」

「陽子，別說了，我不想聽這些話。」

「不，爸爸，已經夠了。加菜子，已經不在了。」

陽子虛弱地抗拒了父親的話。

「後來，就跟中禪寺先生說的一樣，須崎來了。他說：『任由加菜子就這樣死去真的好嗎？這場意外一定是柴田的陰謀』。又說：『照這樣下去資金就要見底了，加菜子活到這個月底就一定會死。警察好不容易陷入了混亂，我們就趁亂行事吧，這也算是告慰加菜子在天之靈』，然後──」

雖然說夠了，陽子還是有滿腹的話想說出口。

「雨宮很反對。他說這樣加菜子太可憐了，非常反對。他也很反對截斷手腳。我一開始就聽說可能會截斷，想說如果能因此多活兩天，那就切斷吧。雨宮先生則認為──反正終究不免一死，不如讓她盡量保持完整地死去。聽他這麼一說──我迷惘了。但是須崎又對我說──加菜子不會死，只是從大箱子移到小匣子而已。只要錢到手了就立刻為她恢復原狀。

當然她是不可能走路了，但還是能說話，所以先把錢——」

「真是胡扯一通。就算真能存活下來，沒有胃部沒有腹肌也不可能正常地說話。」

京極堂自言自語道。

「須崎的方法——應該說計畫才對吧？是以切斷手腳為前提。雨宮——迷惘了很久，最後要求切下的手腳**給他**。他希望至少能帶手腳去看湖。」

陽子眼睛的焦點變得模糊。

「手腳切下後，雨宮拿著從甲田先生那裡拿來的鐵箱——這裡有很多，聽說是戰前——這間研究所剛成立時——陸軍還很期待父親時——為了能依照甲田先生的設計精準地製造出機器所做的大量試作品——」

不會吧？這裡的箱子是……

「據說精確度非常高。」

這裡的箱子——也是兵衛做的？

「大小也剛剛好。」

肯定沒錯，放在這裡的為數眾多的箱子都是御筥神的作品！

我突然覺得很想嘔吐。

「雨宮先生拿來這些箱子——說要當作加菜子的棺材，要沉入湖底得用鐵的才行。他說：『就由我帶去杳無人煙的寧靜的湖裡沉眠吧』。」

京極堂說得沒錯——那真的是水葬。

「那麼左手打一開始就被須崎拿去了？」

「是的。應該是被須崎拿去處理——一開始就不在了。然後，雨宮躲躲藏藏地迴避著警察的耳目——不，應該說裝作若無其事的樣子，那樣還比較不引人注目——把加菜子的手腳放上須崎的卡車——」

「果然是卡車嗎？」

京極堂的猜想很正確。京極堂說過——載貨台的鎖壞掉了。

「那輛卡車的載貨台的鎖鬆掉了。福本，我沒說錯吧？」

福本連點好幾次頭。

「木場大爺提過，福本在剛來到這裡時，不小心跟須崎的卡車發生擦撞。福本，大爺——注意到了對吧？而且他還去確認載貨台損傷程度。」

福本異常地畏縮。

「對、對不起，我沒提這件事。」

「算了，那只是我的職業病。」

木場的回答倒是十分冷漠。

京極堂繼續說：

「但是也因此，雨宮先生的儀式泡湯了。山道蜿蜒難行，裝手部的匣子因而掉落了。」

「左手——原來不是被回收了，而是自一開始就沒有啊。」

鳥口像是在作確認般地發問。

難怪找不到。

「雨宮回來時臉色發青，他說手——不見了——只剩下箱子而已。」

被木材行老闆發現了。

「愚蠢至極，多麼愚昧的感傷。辦什麼水葬——我早就表示反對，果然如我所料引起了騷動。就跟平常一樣丟進焚化爐裡燒掉不就好了？」

美馬坂自言自語地打斷了陽子的話，以爬蟲類般的眼神看著木場。

「當時焚化爐應該沒辦法使用吧？」

京極堂說。木場聞言，說：

「因為——我在那裡吧。」

京極堂所說的是這個意思嗎？

至少木場半夜並不在那裡吧。

「如果是這樣——我真慶幸我守著那裡，否則加菜子的骨頭就得跟那些猴子埋在一起了。」

陽子帶著悲愴的眼神看著木場。

「之後雨宮與須崎就經常吵架。認識他的十四年來，我第一次看到雨宮如此大聲吼叫。雨宮從一開始就與須崎不合，也對須崎曾經恐嚇我一事感到很憤慨。雨宮並不知道恐嚇的理由，也從未過問，就只是擔心我與加菜子。所以他本來就很討厭須崎了。因為顧慮到加菜子所以才一直忍耐下來。而且也因為有很多警察在，還不至於發展成互相毆打，但兩個人經常針鋒相對——就在那時，須崎說出了**那件事情**。現在回想起來，雨宮似乎從那時就開始變得怪怪的。原本非常反對的他從那之後卻安靜下來了。」

那件事情？

又是**那件事情**，從一開始就刻意隱蔽起來的「祕密」。

「接著，八月三十一日來臨——」

消失之日。京極堂說魔術沒有機關。

木場又坐上較矮的箱子。

兩肘乘放在兩膝上，雙手相合抵在額上，靜靜地閉上了眼。

然後，他開口說：

「所以說，當時我看到的加菜子——已經**只剩一半**了嗎——」

「沒錯。她當時的身體已經遠小於常識中的印象。她——只剩下能恰恰好塞進那個匣子的大小。」

京極堂指著美馬坂旁邊台上的匣子。

高約四十五公分，寬約三十公分，長約二十四公分左右——

「她那時應該受過外科手術處理，讓那些大小管子能一口氣取下來。因此我想他們當時的做法是——」

「掀開床單。」

——美馬坂在入口等候準備完成

「拆下連接在加菜子身上的管線與點滴。」

——突然發出喀啦喀啦的小碰撞聲

「放入匣中。」

——碰撞聲變成咚、砰的極大聲響

「把偽裝用的石膏拋在地板上。」

——接著轉而變成慘叫

「同時蹲倒在地上大聲喊叫。」

——美馬坂翻開帳棚

「然後美馬坂先生，你實行了揭幕式！」

——你們做了什麼好事！

京極堂站起來，作出拉下布幕的動作。

——病床上空無一物。

「這段過程花不了幾秒鐘。木場大爺去調查病床時，你說——有股說不上來的古怪感，那是因為病床上只有上半身跟石膏的部分有凹陷的關係。石膏本來就只是擺著而已，丟到地上立刻摔得粉碎。至於其他東西，當然也不怎麼凌亂。」

「所以說須崎拿來的機械箱子——就是用來裝加菜子的小匣子嘛？」

聽到鳥口的話，青木的臉色立刻變得十分蒼白，我想他肯定是回想起來了。

回想起**同樣被塞在箱子裡**的少女們。

「須崎不知道在這之前早有人先見過加菜子，熟練地完成預定的行動，將加菜子移到小箱子後依計畫等候數秒，拔掉連接在小箱子上的細管，迅速離開。沒受到他人注意，也沒人覺得他可疑。加菜子離開了這個粗糙的巨大身體，朝**另一個身體**的方向前進。」

「另一個身體？那是什麼？」

「我想應該就是焚化爐。」

京極堂回答。

「什麼意思？」

「按照計畫，匣子裡的加菜子原本應該會先藏在焚化爐裡——我沒說錯吧？」

美馬坂背對大家，保持緘默。

陽子回答：

「我想——應該是如此沒錯。」

「須崎認為——一直守著這裡的木場大爺，在聽到騷動的聲音後一定會朝加護病房前進——事實上則是人早就在這裡了。只要大爺不在這裡，這附近就不會有其他人。大小也很恰當。我想在兩、三天前早就做好收容的準備。等木場刑警回去後，半夜想怎麼處理都沒問題。我原本一直想不通須崎為什麼會死在這裡，後來才想到是這個原因。裡面裝設的不是焚化爐，而是須崎式簡易生命維持裝置對吧？」

「這麼說來……」

「我說無法焚燒加菜子的右手雙腳的理由就在於此，而非木場大爺在的緣故。同時——加菜子的左手應該也收藏在那裡。」

「嗯——」

陽子沒有回答，但她的沉默彷彿是在肯定京極堂。

「——京極，你說那隻手當時還活著——嗎？」

木場姿勢不變，開口發問。

「或許該說——被強制維持著生命才對。」

「所以說，我就是一直在加菜子上面睡午覺了。」

木場小聲地說，聲音裡帶著顫抖。

「這——喂，這該算啥罪？喂，增岡，這是你的專門吧？」

「嗯——」

增岡不知該如何作答，碩大的雙眼充滿血絲。

「這、這個嘛，如果是已經詐取到遺產或綁架贖金的話還沒話說，嗯——這似乎只能討論算不算正當醫療行為而已——」

「原來如此。喂，青木，你能原諒這種行

為嗎？福本你咧？沒觸犯法律的話，我們警察真的啥也幹不了嗎？只能說句『原來是這樣喔』就回去嗎！」

青木——似乎還陷於那些箱子裡的女孩們的幻影之中。

福本則乖乖地保持沉默。

「喂！你們說話啊！」

木場再次爆發了不知第幾次的怒火。

「京極，你說該怎麼辦！你這傢伙，每次都等一切都結束了才出面！這件事可以就這樣算了嗎！」

「當然可以！」

京極堂很乾脆地讓木場徹底死心。

「木場修，你聽好，你的敵人——是你自己。敵人打從一開始就不在外側。這個柚木加菜子偽裝綁架未遂事件是犯罪，這點毫無疑問，但是美馬坂幸四郎可說等於與這件事沒有任何關係。他只是在人生觀或價值觀上與我們不同罷了。對於這點，我們不該抨擊也無法檢舉。我像現在這樣扮演這幕鬧劇的丑角——原本也是不應當的行為。」

「中禪寺，沒想到你倒是有自知之明。所以說也玩夠了吧？這齣鬧劇該閉幕了。」

美馬坂說完，極緩慢地轉向我們。

「很可惜地，這齣戲尚不能結束，請你再多演個一回吧。這齣劇總共由四幕，不，是五幕所構成。還剩三幕。」

黑鴉對白蛇如此說。

「你這傢伙，每次老是玩這招。」

木場心有不甘地說完，閉上了嘴。

「好，接下來主角該換人了。下一幕是加菜子綁架暨須崎殺害事件。」

京極堂有氣無力地說著。他的主持毫不留

情，疲憊的我們只能任憑他牽引。但是——期望這種狀況的其實是我們，這位饒舌的迷宮引導人不過是順應我們的希冀，勉為其難出面罷了。

「這點我不懂耶。雖然上次中禪寺先生也這麼說，但加菜子實際上不是已經被綁架了嗎？怎麼又是綁架未遂呢？這當中是怎麼區分的，我真的想不透。」

鳥口勉強打起精神發問。

「在陽子小姐作出契機，木場修太郎將之起動，須崎演出下成立的加菜子偽裝綁架案——以詐取遺產為目的的這場**扭曲**犯罪，完完全全地失敗了。」

「你說什麼！不是成功了嗎！加菜子像魔法一般地消失，沒人看破機關，而且要不是受到阻止，他們差一點就成功騙得遺產了耶。」

「關口，難道說你以為須崎把自己的死亡也策劃進計畫之中嗎？那是不可能的，那絕對是出乎預料的意外。」

「第三故事的主角是——雨宮典匡。」

「雨宮！」

陽子的反應超乎預期的大。

「原來是他，可是……」

「我不知道雨宮這個人是個什麼樣的人物，完全不知道他在考慮什麼，他的人生以何為志。但是這些事情並不重要。不僅限於這次的事件，他在這十四年間，一直安守著配角的身分，從來沒有人以他為中心來討論過。至少，現場的關係人士都是以這種定位來詮釋他——」

京極堂看著增岡。

「增岡先生，你認為雨宮是個笨蛋吧？」

「以我的人生觀與經驗法則來做推論的話，他的確是個大笨蛋。不懂得把握良機，沒人要求卻表現得過分忠誠，主動讓出幸運給他人，過度的自我奉獻，對於勞動不願收取正當的報酬，沒有明確的人生觀就這樣受到環境左右過了一生。他把自己的命運託付給他人，卻沒因此獲得恩惠，不管抽什麼都是抽到下下籤。他不是不幸，而是不知道何謂幸福。而且最後還犯下大罪。任誰來看，他都是個笨蛋。」

增岡一口氣迸發完這堆話後又嘎然停止。

陽子間不容髮地為他辯護。

「請您不要說他壞話。他——是個好人。」

增岡哼了一聲。

「的確，用好人來形容他是再適合也不過了。共同生活了十四年，分文不取地援助妳們的生活，這樣的人當然是個**好人**。好人。如此普遍的讚美，就算是路人也說得出口。要是真的這麼好，妳怎麼不跟他結婚算了？妳一點也不覺得他不好，是因為玩弄他人生的人就是妳自己。妳只是在有意識無意識之中感到責任罷了。共同生活了那麼久，妳對他又有什麼瞭解？妳什麼也不知道吧。這就是真實。中禪寺先生說得沒錯，他是個永遠的配角。」

增岡鼻孔怒張，極力述說。

看來對增岡而言，雨宮這名男子的存在超乎了他的容許範圍。

如果認同他的存在價值，就會造成自我崩壞。

陽子悲傷地頻蹙愁眉，簡短地抗議：

「增岡先生，您說得太過分了。」

「但這名配角正是本回的主角。」

京極堂再次說了這句話。

「增岡先生，他看起來的確像是隨波逐流，但只要改變一下觀點，整個狀態就會為之一變。請以他為中心思考看看，把他所處的狀況當成**那正是**他所期望的來思考看看，那麼你就會發現他過著一路順風的人生。他生活在周遭的人們為他打造的幸福環境之中。」

「他所期望的？期望什麼？」

增岡的臉頰不斷地抽搐，作出厭惡的表情。

「不自然的家庭，扭曲的關係，有所距離的關係，對他而言或許無一不是愉快的。而且我想他愛上的人並非陽子小姐，而是加菜子。陽子小姐對他而言不過是加菜子的母親罷了。他真心愛上了自嬰兒時期開始照顧的、有如女兒般的加菜子。他能以真正的親子所無法作出的方式愛她。若問為何，因為雨宮只是個外人。」

增岡似乎還無法理解。

「我不知道他對加菜子的感覺是什麼。反正知道也沒有意義，我也不想知道。不管是父愛還是戀少女癖，總之**他喜歡加菜子**，想要跟她一起生活。於是乍看之下或許會覺得他是個笨蛋，但不管是對柚木母女們不求回報的獻身，或對柴田家超乎必要的忠誠，其實都可以視為是他為了求得自己的無上喜悅所付出的全心全意的行動。他主動追求幸福，並獲得了幸福。」

「那麼——雨宮這個人直到發生**這種事**為止可以說過得很幸福——囉？」

鳥口說。

「我認為就是如此。例如說，須崎雖然是為陽子小姐帶來恐怖的恐嚇者，對他而言卻無關緊要。恐嚇行為本身對他而言並不怎麼嚴重。只有當問題影響到加菜子身上時，他才會有所反應。陽子小姐退出演藝圈後也一直隱瞞著被恐嚇的理由，但他卻從不過問。就表示，他一點興趣也沒有。他對妳的退出也沒表示過意見對吧？反正恐嚇者能因此離去即可。因為不管陽子小姐要從事什麼工作，對他自己的幸福來說一點關係也沒有。」

陽子——的表情很複雜。

「因此在發生這種事情後，感到最痛苦的

人，是雨宮。」

「雨宮——典匡。」

增岡開始一點一滴地崩壞了。

「他長期以來的幸福被人一一破壞了。加菜子本身被人毀壞了。雨宮體認到以**舊有的方式將**無法獲得幸福。」

「所以？才作出報復行為？」

增岡快速地問。他急著想知道結論。

「非也。他決定親手葬去加菜子來結束一切。拿了手與腳，到湖岸舉行儀式，以此作為一切的終結。但是，手臂卻不見了。」

福本抖動了一下，滿身是汗。

「因此雨宮強烈地感到煩悶。原本性格溫厚的他才會與須崎爭辯不休。」

「所以他才會殺死須崎？如果雨宮那麼愛慕加菜子的話，須崎可說是他的偶像的破壞者。難怪，原來如此，真可憐。」

增岡拼命地想維持自我。

「這也不對。對雨宮而言，須崎是破壞者的同時也是救世主。須崎是唯一具有能力拯救加菜子性命的人。所以他絕不會想要殺死他。剛剛陽子小姐說過，雨宮似乎已經完全放棄了加菜子存活的可能性，但是那是因為他原本以為加菜子已經到了他所不能企及的世界。但是此時須崎說了，加菜子的言語能力或許能恢復。這表示，他正是能為期望新型態幸福的雨宮帶來一縷光明的人。頂多吵吵架，不可能想要殺死他。如果他真的有如此強烈的想法，他應該先阻止這個計畫的發生才對，而如果這種動機能驅使他殺人，那麼他應該會在更早的時期就殺了他才對。」

沒錯，探討動機是沒有意義的。雨宮恐怕也是——

「那到底是怎麼回事！」

增岡無法理解吧。

「雨宮喜歡加菜子。須崎大概是揭發了關

於她的祕密——沒錯吧？陽子小姐，在與雨宮的爭吵之中，科學家須崎搖身一變，成了卑鄙的恐嚇者，把**那件事**說出口了。」

那件事是什麼？這個祕密被公開的時機何時才會到來？

「須崎——」

本欲發言的陽子被美馬坂所打斷。

「須崎是個優秀的科學家。」

京極堂對他的話一笑置之。

「教授，須崎這個人哪，是個想成為你這種人卻當不成的人。他當不成真正的科學家。他以前曾經說過，將來要繼承美馬坂之名。如果你沒捨棄地位與名譽的話，須崎原本打算**跟陽子結婚**繼承美馬坂的姓氏。可是你卻捨棄了地位與名譽——而且還捨棄了更難以捨棄的事物。原本以你為目標的須崎失去了你，一頭跌進科學的迷宮裡。而——雨宮在聽了這樣的須崎的話後深深地受傷了。他在這之後肯定產生了變化。但是他的情感並非憤怒，而像是喜愛的事物遭人毀謗時的悲傷心情。就跟現在的陽子一樣。」

「他原來是軟、軟腳蝦嗎？」

增岡似乎無論如何都要說雨宮的壞話。

「非也，非但不是軟腳蝦，還極具勇氣。」

「什麼意思。」

「他**去跟手臂見面**了。」

「你說什麼？」

「他去焚化爐跟加菜子的左手見面了哪。去跟那隻預定在好幾天後拿來當作威脅材料的加菜子的活手臂見面。他在眾多警官來來去去之中，享受無語的禁忌幽會。不僅如此，他還想把手偷走——」

「幽會？為、為了什麼？偷走、幹嘛做那麼噁心的事——」

「他逐漸學會了**獲得新幸福**的方法。」

京極堂瞥了我一眼後，又轉頭回去看著增

岡。

「增岡先生，不管是否大幅背離了你的人生觀，而世人又是以何種眼光看他都無所謂，雨宮可說比在場的任何人都還熟知如何獲得幸福的法門。不管他身置何種環境，他終究能融入環境之中，讓自己感到幸福。他是積極**肯定現實**幾近於瘋狂的人！」

「幸福——」

「但這次的狀況實在過於特殊了，要順應環境還是花了他一些時間。但是驚人的是，他已經適應了如此特殊的環境了。不是將污穢驅除淨化，而是使自己奮勇向上——」

搖晃吧，緩緩地搖晃吧

一二三四五六七八九十

「雨宮單獨由加護病房離開，去見**新的加菜子**了。綁架的騷動對他的幸福一點也沒有影響。只要不是他所能獲得的東西，他就一點興趣也沒有。」

「為什麼故意選在那種時間——他明明知道計畫的步驟吧？」

青木說。嘴唇發青。

「因為木場大爺當時不在那裡——理由就是這麼簡單。然後雨宮發現了，也到達了他的新幸福。」

「到達？了——」

增岡的精神不斷擺動。增岡與雨宮之間原本相隔了無限距離的精神，現在正快速地縮小距離。

「焚化爐裡的手臂，跟他送往相模湖途中死去的手臂不同，仍美麗地維持著生命。在與手臂見面時他到達了該處——」

「——就是，彼岸。」

「啊啊。」

增岡右手撫著額頭叫了出來。

接著輕微地顫抖著，說：

「那傢伙**去了那裡了**嗎？而且——還打算帶著那隻活著的手臂離開。那麼做肯定會讓手臂死去，——他卻——毫不在乎是吧？」

增岡也一樣到達了那個境地。

「應該是吧。雨宮拿著在路上回收的右手用的匣子，想把左手收進裡面。這時，須崎帶著**收納加菜子的匣子**來到焚化爐。須崎肯定很驚訝，並立刻化為憤怒。理所當然。因為當時正實行著犯罪計畫。不管警備再怎麼疏失，毫無防備地打開焚化爐，甚至還打算將手臂拿出來，自然是不可原諒的行為。而且，手臂如果真的讓他拿出焚化爐的話很快就會死去，計畫——勢必會失敗。」

「所以兩人爭吵起來了？」

鳥口——並沒有到達。

「不，雨宮被斥責之後暫時放棄了。但是，他發現了比手臂更具衝擊性的聖物。」

「雨宮拿起原本打算用來裝手臂的鐵匣子毆打須崎。」

——有稜角的棍棒狀金屬原來是細長的鐵匣。「取回加菜子，一起奔逃了。」

「呀啊啊啊啊！」

陽子扭曲著容貌，發出難以置信的尖銳叫聲。

「加菜子、加菜子——」

——患者——不見了。

真的被人帶走了。

我已經無計可施了。

加上須崎——也被殺了。

所以，無法挽回了。

「呀啊啊啊啊啊啊啊啊！」

陽子抱著頭，把體內殘存的生命幾乎全部釋放出去。

原本有如一顆頑石默默不語的木場受到她的悲鳴的洗禮後，總算又開口了。

「所以說妳那時的話——那時對我說的話真的不是謊言，難怪妳還期待加菜子或許能活著回來。看來我覺得是真實的事情，果然是真的。妳的話——」

木場看著陽子。

「多少有打進我的心裡了。」

「沒錯。不期而然地，陽子小姐被趕進了與楠本賴子相同的立場。以加菜子為中心的兩種相反的情感——一方面希望她能被發現，一方面又恐懼她被發現；一方面希望她能活下來，另一方面又期望她死亡。雖然計畫失敗，陽子小姐失去了加菜子，但表面上綁架卻**成立了**，**或許**能成功詐取到遺產；同時，如果把事實告訴警方的話，**或許**就能找到加菜子，但是她否仍活著卻**很難說**。如果因而同時獲得加菜子的屍骸與犯罪者的烙印，一點意義也沒有。一切都顯得不明不白的，意志的向量總是同時作用於正反兩方。她們這兩個帶有強烈的相反願望的女性，只能隨時把自己置於兩種方向都可前退的曖昧位置上。」

「與賴子相同——嗎？」

「但是立場曖昧的人，若是身旁有著具有強烈意志的人的話，往往會受到他的牽引。陽子的身旁有著一個強烈不希望計畫被發現，且強烈希望獲得遺產的人——」

京極堂再次有如黑鴉一般站了起來。

「那就是你，美馬坂先生。」

美馬坂也站了起來。

「沒錯！中禪寺你說的完全沒錯，但是沒有證據能證明你的推理。我只是在腦中懷著慾望，沒有人能懲罰我。我實際上什麼也沒做，什麼也沒說！中禪寺，你剛剛自己也說了，就算你們齊聚在一起抨擊我，我也不會動搖我的信念，而法律與道德也無法處罰我！」

「這點小事我當然知道。但是你的存在影響了陽子，令她作出偽證也是事實。熬過警察嚴苛的追問與近乎拷問的偵訊，你的女兒為了提供你豐厚的研究資金撒了不必撒的謊，強忍著原本不需忍受的苦悶！」

黑鴉大大地晃動了翅膀，看著褪殼的蝴蝶。

白蛇封閉起心靈，把頭別了過去。

「歷經了恰巧又與賴子相同的半個月猶豫後，陽子小姐決心詐取遺產。契機就是神奈川本部的石井警部動員其所有的衰弱記憶力做成的警備配置圖。她一看就知道警備很草率。她想，既然如此——外部的人士應該也很容易入侵吧。於是陽子小姐撒了謊，編造出架空的犯人——說實話，那不過只是幼稚的謊言罷了————企圖擾亂搜查。原本頂多只是一笑置之的謊言，在這個莫名其妙、有如魍魎一般曖昧的古怪事件中卻發揮了十足的效果。事情出乎想像地順利，結果也促使增岡出面前來洽談代理繼承的問題。雖然失去了加菜子，取而代之入手的事物卻很可觀。一切超乎預期地順利，除了木場修太郎這個活躍的存在以外。」

「原來我——真的是妨礙者嗎？」

陽子在釋放出一切後只剩下空殼子，透明的皮膚中包裹的是一片空虛。

「當然不是。」

京極堂代替她回答。

「楠本賴子與柚木陽子，這一對彼此相似的具兩面性的女性確實擾亂了事件，但此時又有另一個被害者登場了，就是久保——竣公。」

——久保竣公。

第四事件，武藏野連續分屍殺人事件——

「雨宮帶著匣中的加菜子與她的手，多半是由森林穿越逃離現場。接著他到達車站，搭上電車逃亡了。不過或許他本人並不覺得是逃亡吧。」

青木面無表情地說：

「搜查員開始發揮機能大概是犯行發生的兩小時後。就算只靠徒步慢慢走，應該也移動了相當大段的距離了。」

鳥口接著說：

「而且，就算他帶著那種鐵匣，相信也沒人想到裡面裝了屍體吧。肯定——沒受到懷疑吧。」

「不是屍體。加菜子那時**還活著**。」

「啊啊！」

陽子癱軟地倒下了。

「為什麼說還活著，可是，她不是離開機器了——」

我像是被人潑了一桶冷水般不寒而慄。

「加菜子施行過手術，也做好了止血的處置，心肺機能正常，不會馬上死的。只不過我不肯定她是否有意識——」

美馬坂簡短地、極為簡短地回答：

「有意識。活個一天左右——應該沒問題。」

那麼、那麼、那個——

「雨宮朝西方出發」

離開都會的返鄉列車裡空空蕩蕩——

「是與匣中的加菜子的私奔之旅」

一名男子悄然坐在面前的座位——

「第二天早上，他與前往伊勢的久保竣公」

他的膚色蒼白，看不出是年輕還是年老

——

「在同一班列車上碰面了」

男子帶著一個箱子——

「久保見到了匣中的」

從箱子裡傳出聲音。

「還活著的加菜子」

匣子裡恰恰好裝了個美麗的女孩。

啊，原來活著呢。

不知為何，非常羨慕起男子來了。

「那篇、那篇小說——〈匣中少女〉裡頭寫的，原來**全部都是真實**的嗎！」

下一個癱倒的人是我。榎木津幻視到的，久保的、記憶裡、

——那個在窗子裡探視的女孩子是誰？

果然是加菜子嗎？

「匣中的少女把度過扭曲人生的新進幻想作家也一起帶往彼岸了。他就跟他小說中描寫的一樣，被加菜子的幻影所迷惑，想盡辦法要得到一個相同的少女。最後，他決定自己動手做。」

「**這就是動機嗎！**」

青木猛然站了起來，椅子跟著飛跳了起來。

「那麼，那些女孩們果然是被人**活生生**砍下手腳嗎！這混蛋！這種事情、這種事情我絕不容許！實在太愚蠢了，叫人無話可說。不用想也知道肯定做不出來的嘛！瘋了。凶器是柴刀，用柴刀從連接處將手腳一刀砍下，這樣哪可能活得了嘛！嗚……」

青木高聲大叫很快又蹲下，表情痛苦不堪。他的傷還沒好，根本沒好。

「沒有人會相信如此不合常理的事情能辦得到。就算是久保，原本也不可能相信——在看到加菜子以前。要是他沒遇到雨宮，見到加菜子，**那個惡魔也不會降臨在他身上了**。」

京極堂以帶著黑眼圈的凶惡眼神瞪著美馬坂。

「你的確什麼也沒做。」

然後又轉回面對大家說：

「里村的見解非常正確。久保做過實驗，也試過刀。我不知道他是綁住女孩還是先讓她們昏迷，總之他先砍掉手，但這很困難。第一個女孩因為還不熟練，所以砍失敗了。這個階段，就算少女還有意識，大概也會因劇痛而失去意識。砍斷第二隻手後，他逐漸習慣了。不過切砍的動作雖熟練了，但等到砍下腳的時候，少女已經因過度失血而——死了。久保並不是在殺死後急忙砍下，而是少女們在**被砍下手腳中逐漸死去**。他——並沒有殺意。」

「可、可是，他完全沒處理傷口的話，肯定會……」

鳥口似乎也快崩壞了。

「久保**手指斷掉時也是沒做處理就自行癒合**了。常識下人人都知道——手腳被砍下一定會死。可是這個常識在加菜子這個活證據面前，什麼效力也沒有啊！」

「求求您，中禪寺先生，別再說了。」

青木以趴在地上的姿勢向他哀求。

「我再也忍受不了了。」

「好吧，我不說了。那麼，第四個事件就此結束。接下來的最後一個事件的主角就是你，美馬坂幸四郎！」

京極堂背對著美馬坂說。

「喂，事件不是只有四個——」

「剛才不是就說過了？關口，今天早上——變成五個了。好了，美馬坂先生。」

「把放在**那裡**的久保交給警察吧。」

京極堂指著美馬坂身邊的平台上的匣子。

久保──

匣子裡面裝的是久保嗎？

那時我的心中似乎浮現了某種形狀。

那是隻長耳、頭髮光亮秀麗的，

魍魎。

「中禪寺，我應該一開始就說過了。事關人命，我不能把患者交出去。」

「反正這棟建築物很快就要停止了吧！久保帶來的錢撐不了三天，而你也拿不到柴田的遺產了。」

　美馬坂站起來。他爬蟲類的眼睛裡依舊不帶情感的色彩。

「京極堂，這是怎麼回事？」

「榎木津在『新世界』把加菜子的照片給了久保。久保在這次的機緣下得知了『那個女孩』的名字，沉溺於觀賞照片之中。此時──楠本賴子來了。賴子很驚訝。久保從她身上得知，有這麼一號能完成了自己不斷失敗的實驗的人物與這間研究所的存在。」

「楠本賴子──」

　青木喃喃自語。

「後來賴子的實驗也失敗了，久保創造的匣中少女全都腐朽，變成了久保最痛恨的污穢且不完全的狀態。因此，久保決定向先達討教。久保下定決心準備好他繼承來的所剩財產──所有一切能動用的金錢，來拜訪這家美馬坂近代醫學研究所。在出發之前恰好碰上青木。久保一一打倒了青木、木下這兩位頑強的刑警，來到此地。」

　美馬坂依舊不為所動。

「美馬坂先生，我其實比任何人都還認同你的偉業。就算是這次的事件，如果你後來沒有失控的話，我本來也不打算出面的。但是你做得太過火了。或許你的所作所為很有意義，在學問上也極具價值。但是只要你還維持這種態度來面對這個世界，就會不斷產生犧牲者。你在不知不覺間潛入了許多人的內心空隙之中，讓許多人的人生變得一塌糊塗。雨宮典匡、久保竣公、須崎太郎、楠本賴子、楠本君枝、被殺害的三個少女與其家人、寺田兵衛——就連木場修太郎也差點因為你從刑警變成犯罪者。不只他而已，這裡在場的全體人士都在縫隙之中見到了不該見的事物。不，應該說被迫見到才對。請你適可而止吧，現在立刻中止這場活體實驗吧。」

京極堂靜靜地以不輸美馬坂的氣勢向他威嚇。

「住口，中禪寺，你懂什麼？這些問題都是他們自己主動靠過來才產生的，我說過好幾次了，我什麼也沒做。醫生切割患者的身體是犯罪嗎？為了維持生命切除多餘器官很駭人聽聞嗎？別把我的行為跟久保的殺人魔舉止混為一談！」

一來一往的爭論停止了。

地鳴。匣子裡的生命脈動。這是，那個，那個匣中男子的，生命之音嗎？

我們現在身處於久保的內部嗎？

另外一人——久保竣公從一開始就與我們同席。他在那個匣子裡，而且，現在也還在。

想看。**我想看匣中的樣子**。

我無論如何都想看看匣中的久保竣公。

「我可沒將之混為一談哪。我只是在對你忠告罷了。」

「忠告？」

「美馬坂先生。你的目的推至極限，就是把腦之外的部分全部以機械取代以達到永生是吧？」

「沒錯。人類不需要會變醜變衰老，進而污穢了精神的不完全肉體。肉體不過是容器，是暫時的住處。如果有永恆不變的肉體，就能讓人類變成只需進行純粹精神活動的完全意識體。沒有無聊的雜念，也不必與愚昧的社會產生瓜葛，是無上幸福的千年王國。」

「問題就在這裡。」

京極堂嚴峻地說：

「你是科學家吧？我贊同身為科學家的美馬坂幸四郎，但並不贊同身為傳教士的美馬坂幸四郎。科學是技術，是理論，但卻不是本質。當科學家談論幸福時，他就不該裝出科學家的面貌。無上幸福的千年王國——這種話不是你該說出口的。」

「為什麼？中禪寺，你是輸不起嗎？」

「我是在為你驅災解厄哪，美馬坂先生。」

京極堂原來打算從美馬坂身上除去科學的詛咒嗎！

如同他剝奪了增岡身上的虛榮與優越感一般。

那青木是被驅除了什麼？福本呢？鳥口呢？

京極堂在不知不覺中在他們身上驅走了魍魎嗎？

那麼木場呢？陽子呢？還有我自己呢——？

我開始緩慢地移動起來。

京極堂正與美馬坂以視線交戰，我必須伺機而動。

「你就那麼討厭變醜的絹子女士嗎？肉體的衰弱會導致精神的衰弱是當然的。但能拯救她的並不是這種醜陋的匣子，而是你的忍耐、包容與理解。你完全不做這些努力，不願意正視現實，逃避到學問的世界。想治療絹子女士的純粹心情，不可能變成如此惡魔般的結果。

你是將患了難治之症的妻子與女兒趕出家門的殘忍的人，你應該先承認這點。」

「少自以為是地評論他人，與你無關，我無心聽你說這些愚昧的虛妄之言。」

「我並不期待你會誠心悔改哪，美馬坂先生。我並沒有自以為是。我——一點也不在乎你，因為你是很堅強的人。我擔心的是陽子小姐。」

「請您停止吧，中禪寺先生。別、別再說了。」

陽子阻擋在兩人之間。

她顯得虛弱不已。

「我父親把他的一生託付在這個實驗上，求求您、求求您讓他將之完成吧——」

「陽子小姐，醒醒吧。妳們已經沒有繼續運作這個匣子的金錢，繼續下去的話只會讓妳的父親淪為殺人者。」

「可是將他拿出去也是死路一條啊。」

「沒錯，妳的父親早知如此卻仍執意實驗。」

「在還能動的時候，求求您在還能動的時候——」

陽子倒在地上。

「讓他盡情實驗吧——」

電燈閃爍著。

木場悄然站起。

「京極，夠了，讓你擔心太多了。接下來是我的——不，是我們的工作了。裡面裝著久保是吧？」

「木場先生！別過來。」

陽子站在美馬坂與木場之間。

「讓開。」

木場的視線看著陽子的腳尖。

「求求您，反正、反正裡面的人無論如何都要死的話，求您等他死了再逮捕吧。在死前讓我父親……做研究……」

「陽子，妳說什麼傻話！我怎麼可能被逮捕！我什麼也沒做。」

「陽子小姐！」

京極堂站在陽子身邊。漆黑的男子，與透明潔白的女人。

「夠了吧。妳已經沒必要跟這個男人有任何瓜葛了。妳的心已經在動搖了，頑固並不見得是好事。」

陽子面無血色，變得完全蒼白。

「木場修！你來照顧她吧。」

京極堂朝木場用力推了陽子一把。木場抱住差點跌倒的陽子。

「京極！幹什麼？」

京極堂定定地看著木場。

「我的工作還沒結束，先請警察在一旁稍候吧。陽子的魍魎十分**頑強**。美馬坂先生，我有事要問你。請你在陽子小姐面前清楚地回答。」

京極堂看著陽子。

「陽子小姐！請妳仔細聽好。」

但美馬坂依然毫不動搖。

「什麼魍魎，愚昧。我沒什麼好愧對自己的事，你想問什麼就問吧。」

京極堂打算做什麼？

「你當然知道加菜子這個女孩子吧？」

「已經夠了！中禪寺先生，我什麼也沒對父親說過。所以父親什麼也不知道，如果他知道的話恐怕——」

陽子在木場厚實的臂膀中掙扎，木場流著汗閉著眼睛。

美馬坂以雄渾的聲音回答：

「陽子說的並不對。如果你想問**那件事情**的話，我當然知道。而且我是在**知道之下仍去做的**。」

陽子突然停止了掙扎。

「我想也是。那麼你為什麼要救加菜子？

因為她是無可取代的血親？還是基於尊重生命的醫療行為？或是其他？」

「當然是為了實驗。只不過她如果沒被送到我手上早就死了，結果上說來算是被我拯救了。只不過是——實驗體碰巧是與我有血緣關係的人罷了，不管是患者是誰都一樣。」

「陽子小姐，妳聽到了吧。這位美馬坂先生就是這樣的人。妳心中的美馬坂的形象不過是種幻想。」

陽子凝望著父親，父親只是看著機械。

「陽子小姐，妳已經沒有理由繼續包庇這個人了。無疑地，妳的父親美馬坂所做的非人道的行動正是一切不幸的開始。因為他的行為，妳才會離家出走，妳的母親才會苦悶不堪。也因此，後來妳才會與柴田弘彌演出了虛假的私奔，導致妳必須背負著十四年來必須不斷說謊的枷鎖。陽子小姐，妳才是這個男人的被害者。不，最可憐的應該是加菜子吧。加菜子她——」

「加菜子她——」

什麼？**那件事情**到底是什麼？我想知道。我想知道這對父女的祕密。

「中禪寺！這女人是我的女兒，女兒幫助父親又有什麼不對。你別想多嘴。我沒打算停止這場寶貴的實驗。我已經徵得患者的同意，這是正當的……」

「美馬坂！你、你做了什麼！」

木場放開陽子，推開京極堂。

「快住手，大爺，你去照顧陽子小姐吧。」

「囉唆。」

木場逼近。

「給我說！」

京極堂連忙抓住木場的肩膀想將他拉回。

「住手，別問！你知道這件事也沒有任何幫助！別妨礙我辦事。」

「住口！京極，你不過是跟事件無關的局

外人。局外看戲的人別想插嘴！」

「笨蛋，你去看好陽子小姐吧。」

「讓開！」

在木場強大的腕力下，京極堂被推得飛了出去，撞上計量器。

「既然法律沒辦法制裁你，吃我這招！」

木場揍了美馬坂一拳，眼鏡被打掉了。

「剛剛只是預習，這是加菜子的份！」

美馬坂被打飛出去，倒下來時撞上了平台。

台上的匣子搖晃，原本整齊排列的止血鉗及手術刀一一散落在地板上。

「別再打了！」

陽子纏住木場背後。

「求求您，木場先生，他是……」

木場抓住美馬坂的領子一把將他拉起。

「沒必要說出來，陽子小姐，千萬別說——」

京極堂恢復態勢，青木與鳥口也加入亂局之中。增岡茫然地站著。

福本不知為何守住出口，我則又更走近匣子的旁邊。

「放開，你的女兒是……」

「加菜子是……」

「別說，陽子小姐！」

「**加菜子是，爸爸的孩子**。」

木場原本高張的情緒倏然，消失了。

京極堂抓住木場的肩膀讓他面向自己。

「世上有很多事不需要問出來！如果能讓她不必開口的話，再過不久——」

「原本再過不久，這個人的魍魎就能驅走了……」

美馬坂搖搖頭站起來，步伐蹣跚地坐上椅子。

「加菜子是——我與陽子之間的女兒。但是那也不代表什麼。中禪寺，我是醫生，不管是父母還是兄弟，躺在病床上我都一視同仁。」

「你的主張並沒有錯，但是你做得太過火了。」

生命的吼叫聲。轟轟的巨響。

疲勞感。木場大口呼吸，肩膀上下起伏。

「美馬坂，你這混蛋、凌辱了你的親生女兒嗎。你這算什麼醫生！算什麼科學家！我才不原諒你。你、只因為、治不了老婆的病、就……」

木場氣喘吁吁地說。

「陽子小姐，你不是被趕出去，而是——自己離家——出走的嗎？」

增岡已經不再擺出一副律師姿態。

「你把又是親生女兒，又是孫子的加菜子，用你那雙手親自——在活著的狀態下解體了嗎？」

青木按著胸口抬頭瞪美馬坂。

我緩緩地繞過去，移動到美馬坂的背後，匣子就在旁邊。

我好想看——匣中的久保。

「美馬坂，我一定要殺了你這混蛋。」

木場的手擺在收起來的手槍上。

「住手。」

京極堂說。

「各位——中禪寺先生、木場先生，請別——責備我父親。」

陽子說完幽幽地站起來。

「不是父親的錯，一切都是我不好。」

「陽子，別說了。」

「沒關係的。是我主動誘惑父親的。我愛

上了父親，我想從母親手中奪走父親。一切──都是從我的邪念開始的。」

陽子有如水蒸氣下的景物般搖搖晃晃地走近美馬坂。

「我很討厭母親。我討厭一天天變醜的母親，討厭得不得了。就算是平時雄赳赳氣昂昂、富有知性又偉大的父親，在母親面前也只是個奴隸。母親患了難治之症，那不是父親的錯，可是母親卻責罵、輕蔑無法治療她的父親，而父親只能不斷忍耐。我無法容忍，好幾次都覺得母親死了算了。父親捨棄了名譽與地位，把自己的一生獻給了母親。但是他的心意卻一點點也沒傳達到母親心裡。我哀憐這樣的父親，我覺得他好可憐。所以、所以──我才會覺得那樣的母親不配跟父親在一起，所以──」

站在美馬坂背後的我，正面看著靠近過來的陽子。

那就像是電影裡的情景，沒有感動，單純只覺得美麗。

陽子繼續她的獨白。

「所以，我才會想要安慰父親。我深愛著父親，同時我的容貌也與過去美麗的母親別無二致。」

「住口，陽子，我不想聽妳的感傷──」

「我會離開家並不是因為我被趕出去，而是父親主動離開的緣故。他看破了這個腐爛的生活，為了潛心研究而走。是的，父親愛著母親。即使是得到那種病症，變得如此醜陋的母親，父親也仍深愛著她。所以他才會想盡辦法，想要盡快開發出治療法。我好不甘心。我恨母親，想欺負她，將她折磨到死。反正只要我不照顧她，那女人很快就會死了，要殺她易如反掌。我對她**在立場上擁有絕對的優勢**，我想殺隨時能殺，但是我終究還是下不了手。我每天每天在她耳旁說著怨恨的話。當時的我有的是年輕，她則什麼也沒有。」

陽子走過了美馬坂身旁。

我這時才第一次感覺到恐怖。

這裡不是我能入侵的空間！

我害怕起來，這裡是不可開啟的，隱密之匣。

但是，

「母親知道父親的住處，可是說什麼也不願告訴我。我對於只告訴母親住處的父親感到很悲傷，對於已經如此崩壞卻又藕斷絲連的夫婦羈絆感到很嫉妒。」

陽子緩緩地搖晃著。

匣子小幅度的振動隨著她的搖晃轉化成大型的晃動。

「當我知道我懷孕時，我真的很高興，無論如何都想把孩子生下。因此，那個柴田的提議對我來說是順水推舟。私奔——有一半是真心的。我本來就不把母親放在眼裡。後來雖然失敗被抓到，反正錢拿了就好，之後的援助金也只是順便。我是不怎麼聰明，但笨歸笨也並非完全沒有慾望。」

增岡取下眼鏡擦汗。

知識與教養，在這個匣子裡什麼用也沒有。

「加菜子是個好孩子。雨宮很熱心地幫忙我照顧母親——但我最後還是對母親見死不救。聽雨宮說，母親入院之後曾寄過好幾封信給父親。她的手部活動不便，所以是請護士為之代筆。我聽到這件事非常不愉快。不過我有加菜子，也不認為自己輸給母親。反正只要丟下她不管，那女人遲早會死——」

是京極堂提過的要求離婚的信。

「因此她入院之後我只去醫院兩次。後來死了也不覺得悲傷。十幾年來，我把這一切藏在心之匣裡，蓋上蓋子，閉著眼掩著耳，才總算能讓自己覺得過得有點幸福。或許全部是雨宮的幫忙吧。中禪寺先生剛剛說的沒錯，他是個很幸福的人。我在他的幫助下，總算覺得自己活得像個人。在那之前，我覺得自己是鬼，不，是更加莫名其妙的，雖恐怖卻又模模糊糊的東西。」

魍魎。那就是魍魎。

我心中的魍魎也，動了起來。

「須崎自我孩提時代就經常在家裡出入。一開始我見到他來攝影棚時很驚訝。他對我說，他知道我有孩子，還說他知道父親是誰，要我給他點錢。那時的我很遲鈍，驚訝歸驚訝，但沒立刻想到這件事如果公開會造成什麼影響，也沒想到那是他在對我勒索。後來，須崎死纏爛打地跑到攝影棚好幾次。不過說是勒索，其實要求的金額也沒多少，他向我索求肉體關係時我拒絕了，他也很快就放棄。不過在拒絕太多次金錢上的勒索後，他說要讓加菜子知道，所以我立刻隱身了。」

美馬坂的背部一動也不動。

陽子背對著美馬坂朝向我。她的眼神渙散，瞳孔之中開放著無間地獄的入口。剛羽化完畢的蝴蝶現在正徘徊於迷宮之中尋找出口。

「——在現在的家裡與加菜子和雨宮度過的那幾個月，是我一生中過得最像個人的生活。所以增岡先生來洽談遺產事宜時——我真的覺得很困擾，希望他能早點回去。我之所以沒老實說加菜子不是弘彌的孩子，理由一點也不複雜，就是因為雨宮先生同列席上而已。雖然他再過一年就結束他的責任了，不過他曾經說過，任務結束之後還是想跟我們一起生活，而我也如此期望。所以，我不希望讓他知道事實——加菜子是與我的親生父親生下的有違倫常的孩子。雨宮是因為一心以為加菜子是弘彌先生的孩子才會一直待在我們身邊，事到如今我說不出口，也不希望因為說出真話而破壞了今後的生活。但是我也不能讓加菜子繼承遺產。我不希望加菜子成為柴田弘彌之子。我希望那孩子永遠是我愛過的第一個人，同時也是最後一個人——美馬坂幸四郎的孩子。」

「所以說加菜子——是你的女兒，也是美馬坂的女兒——亦即妳的親生妹妹。妳雖說了很多謊言，卻也一直呼喊著真實——」

京極堂說。

「所以說——妳並不是因為崇敬母親才將藝名取為絹子。陽子小姐——是因為妳想要**取代**你的母親，想取代美馬坂絹子吧。妳想要成為美馬坂幸四郎之妻絹子——所以才會取這個名字的。」

「是的。美波是從美馬坂的美與父親出身地的神社而來的。」

「是德島的彌都波能賣神社（註）嘛。」

「您真的什麼都知道呢。」

陽子以她鮮紅的嘴唇笑了。

「加菜子不在之後，我才總算瞭解了母親絹子的心情。我是——全世界最過分的女兒。一想到母親是在什麼心情中死去的，我就痛苦得幾乎要昏迷。木場先生——來我家的那天，我寫了致給母親的道歉函。威脅信的時候也一樣，木場先生總是在這種時候出現，在我最悲傷的時候現身。」

我看了木場。

他的表情隱藏在計量器、機器構成的肝臟腎臟背後，無法看清。

「我把長期以來切割出來的父親照片放回原本一起拍照的母親身邊——我向佛龕裡的母親道歉。道歉了不知多少小時，哭到眼淚乾枯，最後——我下了決定。」

「什麼決定？」

是木場的聲音。

「我果然還是——喜歡美馬坂幸四郎。壓抑的情感幾近瘋狂般地滿溢而出，伴隨著殘酷的現實，**那股情感**又再次回到我的心中了！」

陽子總算回頭，看著美馬坂。

木場站在美馬坂的對面。

美馬坂與陽子面對面。

現在任何人都注視著他們兩人。

現在的話，現在的話——

我朝匣子伸手。

匣中有

「想幹什麼！」

美馬坂發覺了。

「關口！住手！」

京極堂向我恫嚇。

「你想窺視匣子還早一百年哪！難道你也想跟久保、雨宮一樣到**另一側**去嗎！」

另一側的世界——幸福就在那裡——

「如果你真心希望如此我也無所謂，在場的人似乎全都希冀著另一側的世界。聽好，那是幻想，是不該被開啟的東西！」

我全身失去力量。

軟趴趴地跌坐在地上。

就像過路魔離開後的賴子一樣。

「京、京極堂，魍、魎、魍魎到底是什麼？」

「關口，魍魎就是境界線。抱著輕率的心情接近可是會被帶往另一側哪。」

「我、我……」

我在不知不覺間，與久保一樣變成了蒐集者。在窺視了許多人的內心後。在知道了太多祕密後。

京極堂以銳利的眼神看著我，接著又看著站在原地的美馬坂與陽子。

「至於科學，也是一種境界線。美馬坂先生，若是放任不管，你也會到另一側去！你要

註：彌都波能賣是罔象女神的萬葉假名（假名發明前借用漢字的表音方式）名稱，念法相同。

去隨便你，至少把陽子留在這裡！你剛剛也聽到陽子的告白了，他是這一側的人。這是你身為父母的——」

「中禪寺，感謝你逆耳忠言的再三叮嚀，但我終究是聽不進你的忠告。」

美馬坂似乎看開了。

「什麼？」

「我要跟陽子一起下地獄。」

「爸、爸——」

美馬坂朝向京極堂。

「陽子，夠了，我已經十分瞭解妳的心情了。」

「爸爸！」

「會變成現在的情形不是妳的錯，是我缺乏理性，沒能拒絕妳的誘惑所造成的。中禪寺說得沒錯，我得向絹子道歉。因為——」

美馬坂不看陽子地說：

「——因為，我也**愛上妳了**。」

京極堂的表情顯得十分悲傷。

「所以，我更不能停止這個研究。因為這是為了我自己與陽子——妳的研究。」

陽子心情激動，木場接近她。

美馬坂與京極堂對峙。

「中禪寺，你說我潛入他人人生的縫隙，打亂了他們的一生。如果要這麼說的話，未經同意闖入並打亂我的人生的人就是中禪寺秋彥——」

美馬坂甩下巴指著京極堂。

「**你啊**。」

「呵，這倒有趣。」

很意外地，京極堂竟然笑了。

「你知道你玩弄的那些詭辯是多麼令身為科學家的我困擾嗎？我是科學家，我在奉物理法則為絕對準則的世界裡思考、生活著。你—

——卻打亂了這個規則。我處理的對象不是原子也不是中子，是人類。醫學必須將人類視為物品來處理。如果說開刀會痛、吃藥會苦就不治療的話，受傷、生病都好不了。你根本就知道這個道理，卻又毫不在乎地向我開啟了精神世界的大門。你並非渾然不知，而是明知故犯。我多麼想對你還以顏色啊！對於身為科學家的我而言，眼睛並非心靈之窗，而是眼球與視神經。是鞏膜與脈絡膜與視網膜與水晶體與睫狀體與玻璃體與角膜。我在瞳孔深處看不到心之黑暗也看不到希望之光。所以你看！這個人工人體是我創造的。你不管說再多都無法創造出永遠的生命！可是我創造出來了，再過不久就能完成。科學是境界線？少瞧不起科學，科學是真理，是本質！」

「美馬坂先生，那只是**幻影**哪。」

京極堂為什麼能若無其事？

「你其實已經看過了吧？」

「看過什麼！」

「當然是瞳孔深處的光與暗。所以你移植不了映著心之黑暗的角膜，不，是變得辦不到了！所以你才會在活體移植的研究上挫折，所以你才會完全捨棄當初原本想平行研究的免疫與基因操作及生命科技，只能全心全意投注在如此醜陋的人工人體的研究上！」

「中禪寺，住口！」

美馬坂開始混亂了。他聽了陽子的告白後，他那固若金湯的防禦總算開始崩了一角。由其縫隙中窺見黑暗，京極堂難道毫無所感嗎？

為什麼這個黑衣男子不會被帶到彼岸！

但是美馬坂仍舊很**頑強**。

「但是中禪寺，你也給了我一個提示。世界並非只有外在的世界，**腦中還存在著**另一個內在的世界。那是脫離一切物理定律的世界。而且認識外在世界的器官也是腦。只要刺激腦的某些部分，即使沒有體驗過也能擁有相同感覺。我們可以靠電流的訊號來創造出與實際體驗相同的記憶。也就是說，這個外在世界全部都能置換成電流的訊號。那麼，只要腦能永遠存活就等同於不死。所以我才要捨棄人體這種污穢不完全的載體，創造出完全的腦的載體！」

「那你那個匣子就是完全的載體嗎？」

京極堂朝美馬坂走近一步。

「正是。再過不久即將完成。雖然你說沒有裝置可取代人體的接受器官，但這種東西是沒有必要的。我已經設計出實際上沒看過沒聽過沒嗅過也能獲得相同刺激的裝置，這個實驗需要能正確表示意志的實驗體，所以無法以類人猿代替。」

「你打算用久保來實驗嗎？」

「打開頭蓋骨，埋入電極，即使切斷視神經也能看到景色，能聽到音樂卻不需要鼓膜、蝸牛、柯帝氏器。怎樣！很完美吧。在這裡有永遠不會衰滅的無上幸福！」

他的聲音完全超乎了尋常。

「瘋了──」

鳥口說了這句，向後退了幾步。

增岡以像是在看怪物般的眼神看著美馬坂。

青木站起來。

京極堂說：

「鳥口，他的精神很正常。他很認真地這麼想。」

由我這裡看不到美馬坂的表情。

京極堂更向前踏出一步。

「美馬坂先生，你辦不到的。你的理論錯了，而這裡也沒有那種裝置！那只是你的妄想！」

「中禪寺，你很不甘心吧。那些嘴上胡扯著什麼靈魂的救贖、永遠的真理的宗教家們到頭來還不是只有一死！你也一樣，只有一張嘴皮子，只會詭辯罷了。」

「美馬坂，你知道嗎？意識並不是只有腦所創造出來的東西。人類之所以為人類，是因為他保有完整的人體，腦髓只是個器官。部分有所欠缺的話的確還能彌補，但只剩腦部的話什麼也不會留下。身體與靈魂是密不可分的。」

京極堂又更走近一步。

「腦髓也只是一個部分。把腦當作人的**本體**，就跟以為靈魂**藏在人體裡面**一樣可笑。沒有現世自然沒有彼岸，沒有肉體自然也沒有心靈。」

「你只是輸不起而已吧。」

京極堂接近到臉幾乎要與美馬坂相貼，美馬坂被他的氣勢所攝伏，後退倒在椅子上。

「美馬坂先生，既然你還不肯接受，那我告訴你一件有趣的事吧。」

他的聲音有如私語一般低沉。京極堂把臉靠上去，美馬坂的鼻尖與京極堂的肩膀幾乎快要相碰。他在美馬坂的耳旁，以那極端低沉的嗓音說：

「——腦只是鏡子。連接在機械上的腦所生出的不是腦的原主的意識，而是**所接續的機械**的意識。好了，不實驗也不知道。如果說做了之後才發現真是如此的話，你——該怎辦？」

美馬坂有如壞掉的放映機所播放出來的慢動作影像，以極為緩慢且不自然的動作轉頭看著京極堂。

他的眼睛張大得不能再大。

「**你說謊，這種事絕無可能。**」

「豈是謊言，**這可是我說的哪。**」

在這短暫的間隔中，時間暫停了。

至少那股轟轟不絕於耳的機器聲在我耳中消失了。

「如果你在一瞬之間相信了我的話，美馬坂先生，你就輸了。這就是詛咒，是你的領域中無法使用的我唯一武器。」

美馬坂陷入了茫然自失的狀態。

「好了，就到此為止吧。陽子小姐的痛苦告白就當作是閉幕吧。久保與加菜子不同，是不需動手術的健康體，所以你勢必會被問罪。只要你還住在這個世界，你就必須贖罪。」

木場與青木靠近他。

「好了，走吧，美馬坂先生。久保——還活著吧？」

「當然，但是——其實這棟建築的燃料只能再撐幾十分鐘，終究要死。我是殺人者。」

美馬坂的**那個**已經被驅除了嗎。木場走近久保的匣子。

「但除了這裡以外，也沒有別的地方能讓他活下去了。」

美馬坂說完看著匣子。

木場伸手要拿匣子。

不對，還沒**被驅除**！

這時陽子撞向木場。

「不行！」

「做什麼？」

木場抓住陽子的肩膀將她制服。

美馬坂站起來。

「陽子！」

果然，美馬坂還……

「來吧！陽子。」

「不行！別過去。」

「讓我去。」

不對，美馬坂的眼神很正常。

「陽子！中禪寺剛剛說的是謊言！我的研究沒有問題！一直以來讓妳吃了很多苦，現在總算可以結束了。只要這個實驗成功，接下來就輪到妳了。到沒有毀謗沒有中傷沒有辛勞沒有犯罪，不管道德還是倫理都不再有意義的世界去吧。放心，我也會一起去，沒什麼好怕的。每天都能給妳美妙的記憶。在那裡父親與女兒的關係不再有意義。在那裡，任誰都能相愛！我也想讓加菜子享受到那個世界，這件事是我唯一的遺憾。對了，送給妳加菜子的記憶吧。這麼一來……」

「美馬坂先生！你……」

「中禪寺，你就一個人留在**那裡**吧！陽子！來吧，我愛妳！」

「別去！」

木場用力抱著陽子，不讓她離開。

突然間，他睜大了他的小眼睛看著陽子。軍服上兩道紅色線條竄流，滴到地板上。

「木……場先生……」

「陽……」

「請……原諒我……」

陽子離開木場身邊，快速搶走了台上的匣子奔向美馬坂身邊。管線霹哩啪啦地發出聲音一根根脫落，各種顏色的液體化作飛沫灑落一地。

美馬坂抱著陽子的肩膀趁這一瞬間的空檔逃到牆壁邊。

「痛！」

木場的側腹插著手術刀。

木場向前倒下，青木跑到他身邊。

「陽子小姐！這樣做真的好嗎？」

京極堂大叫。

福本慌忙跑到外面，打算去呼叫其他警員支援。鳥口代替他守著門口。

我一步也動彈不得。

陽子叫喊，其聲足以撕裂喉嚨。

「我要跟這個人一起下地獄！我的故事，由我自己來閉幕！」

誰也不敢動。

陽子抱著匣子，靠在美馬坂身邊。

帶著悲壯的表情，她的臉龐有如化妝後一般美麗。

「陽子。」

「爸爸，這樣一來就能繼續實驗了。」

「──我知道了。走吧，妳不後悔吧。」

鳥口感覺到警官的到來，正當要打開門的瞬間，兩人移動了。

「啊啊，電梯！」

我拼了命地大叫。

除了鳥口以外，只有我的位置能看到電梯。

「住手！他們想死啊。」

佈滿了墓碑般的臟器之匣與血管的地面令全體的動作緩慢。

等到鳥口趕到時，電梯的門已經關起來了。

「糟了！」

陽子與久保與美馬坂消失於電梯之中。

「放心，下面也有警官守著。」

抱著木場的青木大叫。增岡恢復了冷靜，喊說：

「看清楚！不是到下面，是上面！」

「上面？」

這棟建築還有上一層嗎？

「從電梯可以到屋頂！」

電燈一閃一閃地明滅著。

「螺旋階梯只到這一層。」

福本帶著木下及數名警員進入房間。

轟轟聲與重低音。全都，停止了。

※

匣中化作一片完全的黑暗。

被騙了。

被那個狡獪又殘忍的科學家欺騙了。

並沒有打算殺死她們。只是想把她們裝進匣子裡。

為什麼會死了？或許女人從一開始就是死的吧？自古以來，人類一直都是為了變得衰弱、腐敗而呼吸、吃飯。只是讓她們的這個過程提早到來罷了。

只要乖乖地自己進入箱子裡就不會死了，因為精神腐敗了身體才會跟著腐敗。

討厭被人烙上犯罪者的印記。

到底是放進去的方法不對？是箱子不對？還是**拆下**的方法不對？所以，在被警察抓到前，

想問出正確的做法。

科學家說：

「只有一個辦法能讓你不被人當成犯罪者。」

「就是讓你自己——成為受害者。」

不懂他的意思。

「我教你人體所應有的正確型態吧。」

「人體之中有太多沒必要的部位了。」

「不管是內臟、骨頭還是肌肉都只是為了讓腦髓存活的機械。人體只是腦髓的載體。」

「如此脆弱而危險的載體沒有存在的必要。」

「我們該更換更堅固、更持久的載體才對。這麼一來，我們便能存活上百年、上千年。」

「你能區分夢與現實？」

「如果你一生只活在夢裡，你何以得知那就是夢？」

「好了，我來為你切除**多餘的部分**吧。不

必擔心，我辦得到。這麼一來世人就不會認為你是凶惡的犯罪者，而是可憐的被害者了。別怕，我很清楚你想做什麼。你只要安心地在這個匣子裡度過第二個人生即可。」

「好了，進匣子吧。」

胸中雀躍不已。

果然辦得到嘛。只不過是做法錯了而已。

覺得有點高興。

總算能跟那個女孩子，跟柚木加菜子一樣了。

進入匣子了。

腦髓似乎要融化似的，意識一片模糊。但是不管過了多久，頭腦中的迷霧依然不散，幸福與不安的境界線搖擺不定。

手腳動不了。聲音發不出來。

匣中一片黑暗，什麼也看不到。

只聽得到發電機轟然作響的聲音，與管線裡的液體流動聲。

要在這種狀態中度過上百上千年嗎？

呼吸困難。

頭腦麻痺。像觸電一般麻痺。

想叫人也叫不出聲音。喉嚨乾燥似火燒。

想使盡丹田的力氣才發現，**沒有腹部**。

覺得好可怕。這是地獄。這是永恆持續的無間地獄之拷問啊！

一億年份的後悔與懺悔席捲而來。

啊啊，真羨慕那些女孩們。那些女孩們就是知道會有這種下場才早早就死去的吧。

對了，植物，當作是植物就好了。植物的雜亂意識能讓人變得幸福。

不，或許礦物也不錯吧。希望擁有那種無限接近無機物的硬質靜寂。

但是我是有機物。

不，我是久保竣公。

還是說，我已經不再是人了？

在我的內部，動物與植物以及礦物開始共處一處。

名為久保竣公的事物已經不再存在。擴散。

有如霧般，我充滿了這個匣子的各個角落。

我成了匣子的形狀。

充滿了各個角落，恰恰好成了匣子的形狀。

這樣一點也不幸福啊。

被我殺死的女人們的腐敗臟腑充滿了我的腦髓。不是人，也不是木石。

在管線中流動的混濁汁液是腐肉的肉汁。

我是大啖腐肉而活的木石之怪。

沒錯，我是魍魎。

我是充滿於匣子之中的莫名其妙的怪物，魍魎。

所以我的實體不在於我，而是在於匣子。

我是，**魍魎之匣**。

聽到許多人聲。

救救我啊，我不是匣子，我是人啊。

在太陽穴上用力，似乎感覺到我身為人類的輪廓變得明瞭一點了。用力，再更用力一點。

「呵。」

我只能發出這個聲音。

聽見科學家跟人爭辯。

是誰？

我盡力專心聽。

——這是妄想。

——不實驗也不知道。

我絕望了。

被騙了。

我被那個狡獪又殘忍的科學家欺騙了。

那個男人，美馬坂幸四郎果然錯了。

我只是活體實驗的材料罷了。

根本沒有什麼永恆持續的無上幸福。這裡只有無間地獄。

放我出去，把我從這個匣子裡放出去。

血管連接的也是匣子，

氣管連接的也是匣子，

一切的臟器，都是靠發電機運作的匣子。

我變成匣子了。

匣子是為了收納東西而存在。

變成匣子**本身**也沒有任何意義。放我出去，放我出去，把我從匣子裡放出去！

突然搖晃了起來。接在胸口上的大小管線發出霹哩啪啦的聲音脫落。

「沒問題了，永遠的幸福等著我們。」

住口！我不會再被你騙了！

蓋子打開了。

美馬坂的臉出現在眼前。

※

燈光恢復後見到榎木津站著。

「榎兄，你——」

「小關，你的表情是怎麼回事！簡直像個

被活埋的礦工嘛！怪了，怎麼大家都一樣！」

「你怎麼還那麼不慌不忙。」

「誰不慌不忙了！我剛剛才在樓下阻止了老頭的上吊，並且還把老頭破壞得一團糟的電線緊急修理過後才趕來的耶！我可是立了大功勞啊！怎麼了，木場修，你受傷了嗎？」

「閉嘴，你這個沒用的傢伙。電梯呢？」

「沒問題，能動。」

京極堂打開電梯的門，引領大家進入。

屋頂恰似一座正方形的舞台。

太陽西斜，光輝燦爛的——不對，是皎潔明亮的月亮出來了。

照明只有月亮。

月光的聚光燈照耀著。

陽子茫然自失地站在舞台。

表情彷彿**附在身上的妖怪已離去**般地安詳。

電梯出口附近有個匣子掉在地上。

匣子裡裝滿了大量的不像血液也不像體液的液體。液體散落四處，一直延伸到陽子腳下。

她的腳下躺著美馬坂幸四郎的屍體。

表情驚駭萬分。

他的脖子被久保竣公，不，被久保竣公的殘骸**緊咬不放**，不像是這個世間所應有的光景。

久保的脖子上清楚地印著指痕。

陽子為了扯下而用力勒緊過吧。

那是我認識的久保的臉。只是，久保已剩不到一半了。

原來這就是匣子裡的東西嗎？久保看起來是那麼的可憐、渺小。我感到極度的悲傷。裝過他的匣子，應該也是他的父親兵衛製造的吧？

兵衛知道這些事情嗎？

美馬坂幸四郎被自己期望的永遠生命的實驗材料咬死了。

久保竣公變成了與自己熱切期盼創造出來的匣中少女們相同形狀，也死了。

唯一存活的陽子在月光的聚光燈下，靜靜而立。

靜寂。那股聲音已經停止。

木場制止了要向前邁進的青木，然後看著京極堂。

京極堂來到陽子面前。

「陽子小姐。我覺得有點遺憾。我原本並不希望讓他死去。」

陽子微笑了。

「給您——添了許多麻煩了。或許還有別的路吧——但我已經選擇這條路了。雖然您提示了我許多可走之路——請原諒我。」

然後，深深地低頭。

京極堂就這樣靜靜地退後，催促木場上場。

木場看著陽子。

陽子抬頭，作出有些悲傷的表情。

「木場先生——對不起，請問您——沒事吧？」

「我沒事，這點小傷算個屁。」

木場與陽子的視線交叉了，我想這是他們自相遇以來的第一次。

木場向前。

「父親——死了。他則是被我殺了。」

「嗯，看就知道咧。沒受傷吧？」

陽子點頭，伸出雙手。

「美馬坂陽子，以殺人暨傷害之罪名逮捕。」

木場拿出逮捕繩將陽子綁起來。

「拿逮捕繩應該是妳比較擅長吧。」

「咦？」

「惡黨，束手就擒吧！」

木場說了這句話後，以他那張凶惡面孔笑了。

我想木場正想著，今後能與陽子正常地交談了——吧。

榎木津也在現場。

增岡在他背後。福本、鳥口、還有青木都靜靜地站著。

京極堂看著美馬坂的臉。

他肯定很討厭扮演這種角色。因為，一切的故事畢竟都不是屬於他的故事。

不知京極堂是以何種心情送別美馬坂的。

我似乎多少能理解。京極堂與美馬坂是同類的人。美馬坂自己進入了故事之中，又早早就到了另一側去，所以我這位古怪的朋友想必有些不甘心吧。

月光明亮地反射著太陽的光線，照射在屋頂上的屍骸上。

或許死過一次的光芒不會帶給生物任何的影響，但不知會為這兩具躺著的屍體帶來什麼影響呢？

陽子在木場的陪伴下緩緩地下了舞台。

我為了擺脫這股過分的靜寂感，按下了升降機的按鈕。

在背後月的視線的注目下。

11

十月十四日，我的單行本《目眩》的樣書完成了。我帶著贈書爬上暈眩坡，拜訪京極堂。

老實說這半個月來，我幾乎成了廢人。並不是事件影響，而是我自己的關係。我本來就是這種人。不過在這段期間，鳥口曾來訪過幾次，向我報告事件的後續消息。

技師甲田祿介知道一切內幕。

他知道自己造的是什麼機械，也知道用在什麼地方——

甲田十分清楚美馬坂的研究的重要性，他在人品上也很欽佩美馬坂幸四郎，認為他是個天才。但是很意外的，他是個熱心的淨土宗信徒，所以對於美馬坂的思想本身長期以來抱持著強烈的疑問。

他說，他在聽到加菜子被如何處置後就對一切生厭了。甲田當然認識生前的絹子。也很快就察覺到陽子與加菜子的關係。

醫學並非只靠理論存在。支持理論的技術也是不可或缺的。因此，那間研究所可說有一半是甲田的作品。他莫名的就是無法忍受這點。也不是說真的造了多邪惡的東西，但就是覺得難以忍受。

甲田在短時間內就跟雨宮親近起來。

或許是因為雨宮跟甲田一樣出身於技術領域吧。

然後，甲田完全厭惡起自己的工作了。

久保來訪時，美馬坂指示甲田再次啟動匣子。

甲田訝異於美馬坂要對沒有受傷的男子做什麼，知道了他的所作所為後感到十分煩悶。

「要是我沒做這種東西的話，那個青年就不會變成那樣了。這也是我的錯。」

據說他是這麼說的。

年老的技工面對多數的闖入者，預感到結局的來臨，企圖自殺。

那間研究所的加護病房也兼集中管理室。機械的本體分成一樓與二樓。鐵門中全部都是人工臟器。甲田按照順序一一將之破壞。我想那是美馬坂在看過計量器的數值之後的事情。甲田最後破壞了動力室的配電盤，等燃料用盡的同時上吊了。

可笑的是，榎木津從頭到尾觀察著他的行動。等他全部破壞殆盡上吊了之後才出面阻止，修理好配電盤，確保由外部供電之後才上樓來。

他這次總共阻止了兩個人的上吊。

木場如自己所說的一樣，只受了輕傷，別說是入院，連醫院也沒去。反而青木還比較嚴重，聽說肋骨的裂縫裂得比入院前還嚴重。不過這位青年不愧是前特攻隊隊員，十分強健，十天後就出院了，還與京極堂一起來拜訪我家。

我剛好為了單行本的討論而出門。聽妻子說，他看來氣色很好。

木場似乎沒受到什麼處分。看來我們在乘坐榎木津的瘋狂飛車時，京極堂已經跟大島警部疏通過了。

他還真是個不容小看的男人。

報章雜誌完全沒有關於這個事件的報導。只作了分屍殺人事件的犯人自殺──的虛假報導。幸虧，前天晚上發現的久保的手腳並沒發表那是久保屍體的一部分，結果變得十分曖昧且不透明。而且在自殺的消息之後，關於久保的醜聞報導也嘎然停止。不知是背後受到壓力，還是說媒體的關心也不過爾爾。

不知陽子受到了什麼處置。

《實錄犯罪》當然掌握了真實，可是等了

又等，一點也感覺不到他們有心報導。別說是報導，現在連下一期的刊物都還沒發售。附帶一提，增岡說榎木津拿到的偵探費不必還，所以全數都歸他所有，只不過右手進左手出，全都落入了赤井書房的口袋裡。

當然，是當作那台冒牌達特桑跑車的修理費。聽說社長赤井打算用這筆錢來改造成豐田汽車的轎車。

榎木津躺在京極堂的客廳裡。

連鳥口也在。聽說在事件之後他三天兩頭老往這裡跑。

屋主則是十年如一日，擺著一張臭臉看著難懂的書。我坐到我的老位子上，從包袱裡拿出兩本剛印好的著作。京極堂很高興地——或者說，大笑著呼叫夫人過來，說：

「大家看哪，這是關口的書啊。」

不知是在褒獎我，還是在把我當傻子耍。

「裝訂很不錯。雖然肯定會滯銷，但真的是本好書。恭喜了。」

說完又笑了。看來應該是在把我當傻子耍吧。

夫人則真心誠意地為我高興，泡了杯熱紅茶給我。接著也笑著說：

「這下子得好好慶祝一番才行呢。」

榎木津躺著，看也不看一眼地說：

「也給我一本吧。」

鳥口雖然客氣地說要自己買，不過京極堂立刻接在他後面說：

「那就在我的店裡買吧，這本就賣你了。」

聽到他的風涼話，鳥口立刻回答：

「唔嘿，這樣太過分了啦，那我不就真的得買了。」

鳥口果然還是想要迷糊啊。

「對了對了，聽說福本辭掉警察的工作了

耶。」

鳥口突然想到似地說了。

「好像改行去牙刷公司上班了。」

消息還是一樣靈通。

「然後楠本君枝把那間房子賣了。寺田兵衛把信徒喜捨的錢全部歸還了，不夠的部分就靠賣掉那間住了三代的道場充數。至於二階堂壽美用掉的部分就不追究了。」

大家都賣了原本住的箱子嗎？

「兵衛似乎等偵訊結束就要出家喔。反正他也沒犯罪，很快就沒事了吧。而君枝女士則是打算等安定下來之後要搬到高圓寺的公寓住。」

「你怎麼什麼都知道啊。」

「這是我賴以維生的技能嘛。」

「哎，說的也是。喂，京極堂，那陽子小姐——結果怎麼了？」

京極堂略揚起單邊的眉毛，說：

「應該有酌情量刑的餘地吧。那種狀況也適用於心神喪失狀態。更何況為她辯護的是增岡先生，更是叫人放心。他很優秀，也很瞭解陽子小姐。只不過事件本身真的沒有什麼好說的。木場大爺又得寫一堆悔過書報告書的，肯定又會發牢騷說想活動筋骨吧。」

「不知木場大爺——能不能打起精神。」

看過愛上的女人的內心黑暗，又親手將她逮捕。

心裡肯定很難受吧。

我是再清楚也不過了。

「大笨蛋，你一點也不懂木場修這條漢子！」

榎木津站起來。

「——那傢伙像塊頑強的豆腐，給他三天就又生龍活虎了，生龍活虎。個性執著卻又不怕打擊，而且還極端習慣失戀。」

雖然是莫名其妙的比喻，不過我好像懂他

想表達的意思。

「榎兄，這麼說來，那時你說的陽子深愛的人是——美馬坂教授嗎?還是……」

原來不是木場嗎?

榎木津一口氣喝乾紅茶，

「大笨蛋，那種事誰還記得啊?」

他說。

天氣已經完全進入秋天。這個家的貓似乎已經不再到簷廊上睡午覺，見不到牠的蹤影。

我問京極堂一件那之後一直很在意的事情。

「喂，我說啊，魍魎到底是什麼?你那時說什麼魍魎是境界線之類的，那是什麼意思?另外，你的驅魔最後算成功了嗎?」

京極堂揚起單邊眉毛看了我一眼。

「你這傢伙理解力真差耶。魍魎這種東西啊，本來就不是會附在人身上的妖怪，所以本來就驅除不了。」

「驅除不了?那不就……?」

「魍魎啊，本來就是在澤川之地模仿人的聲音來迷惑人的妖怪。有外型卻無內在。什麼事也不做。是人類本身變得迷惘。」

「人類本身?」

「那你驅除的是?」

「沒什麼，我只不過是搖晃他們內心的中心部分，把多餘的東西晃落而已。像這樣緩緩地搖晃。」

那我多餘的東西也被晃落了嗎?

「關口，沒必要想得太複雜。比如說山就是異界，是他界，是另一側的世界。海也亦然。但澤川不同。自古以來低地濕地澤川湖沼之類的地方都是境界線。所以魍魎才會站在境界線上迷惑人類。魍魎出於水，巡繞周邊，但就是不到中央來。因此他不出於土。勉強由邊際到中央露臉的話，就會害自己陷入只能從土中挖屍來吃的境地。」

「那你對御筥神說的那些裝神弄鬼的話又是什麼？謊話嗎？」

「我不是早說過了？我只有兩件事沒做過——沒說過謊跟沒綁過和尚頭（註一）」

「你上次不是說是丸髻（註二）？」

京極堂連呼「好像是這樣，好像是這樣」，大聲笑了。鳥口也跟著笑了。

「關口啊，總之，魍魎是屬於境界線上的怪物，所以不屬於任何一方。隨便對他出手就會受到迷惑，小心一點比較好。你這種人特別容易受到**另一側**的魅力所蠱惑。」

京極堂恢復認真的表情說。

過了不久，很難得地伊佐間屋來拜訪京極堂。

他說這近一個月來都在山陰地方旅行。還買了一堆很符合他作風的、不知在哪買到的珍奇民間工藝品當作禮物，我選了個河童倒立模樣的玩意兒。

問他釣魚之旅如何，他回答：

「嗯，釣魚很棒。」

問他釣到多少，他回答還過得去。然後勉強改變話題說：

「這事先不管，我碰到一個怪人了。我們住同一旅館，嗯，真的是個很怪的傢伙。」

看來是沒釣到了。

「我是在島根的川合這地方住宿時碰到他的，那裡有間叫做物部神社的神社，啊，中禪寺你應該聽過吧？」

「十月九日有廟會嘛？我記得那裡的廟會好像會舉行騎馬射箭的表演？」

聽他這麼說就知道他肯定很清楚。

「對對，一堆插了旗子的馬跑出來，然後還有巫女跳舞。我就是去看這個。廟會前一天，跟那傢伙住同一間旅館。那個人看起來一臉愉快的樣子，嗯，看起來好像真的很幸福。只不過衣服髒了點就是了。天氣已經變冷了，他還穿開襟的襯衫，沒有外套，底下穿著皺巴巴的燈芯絨褲，滿臉傻笑。然後……」

開襟配上燈芯絨？

「還帶著這麼大的鐵箱子。」

匣子——？

「然後他一直很小心翼翼地抱著。連廟會也帶箱子去看。偶爾還會打開蓋子，對箱子裡面說：『看，是馬喔』或『巫女在跳舞了』之類的話。很奇怪對吧？就像是夜市的——」

伊佐間屋後來的話我都聽不到了。明明他就在我眼前，卻好像不斷在遠離。

帶走加菜子的雨宮，在逃亡的最後到了島根縣。

沒有換洗的衣物，身上的錢應該也用盡了。

到底是怎麼去的。

而且——

由伊佐間屋的話聽來，他果然還是成功獲得了幸福。

他適應了環境。

伊佐間屋還在說。

「——啊，很好笑吧。實在太可笑了，我就問他那個箱子裡放了什麼，結果——」

我浮現不可能的想像。

想像匣中的加菜子還活著，帶著日本人偶般美麗的臉龐，恰恰好收在匣子裡，以鈴聲般清澈悅耳的聲音說：

註一：此句原文中，說謊的「說」與綁髮的「綁」同音，為同音俏皮話。

註二：一種日本傳統女性髮髻。多為已婚者所紮。

——呵。

然後對我微笑了。

「——結果他說：『被您注意到了嗎』，並打開箱子給我看，裡面是——」

裡面是，

「裡面放了黑抹抹的像是魚乾的東西。」

「這——」

鳥口說。

「——通知木場先生比較——啊，應該沒用吧。」

雨宮是殺人犯。

但是就算知道此事，木場也不會去逮捕他。

雨宮他——

「雨宮他就算被逮捕送入監獄，也能適應環境獲得幸福吧。」

對他而言，法律一點效力也沒有。

「或許吧。」

京極堂說。

「美馬坂費盡心思努力想得到，卻得不到的事物，雨宮卻早就得到了——」

他後面的話很難聽清楚。

不過我想，他想說的是這樣。

——美馬坂真笨哪。

「雨宮現在也很幸福吧。」

「應該沒錯。要幸福其實還不簡單？」

京極堂望著遠處。

「只要別當人就成了。」

這傢伙的性格真是扭曲。那麼最遠離幸福的就是你，第二則是我了。

榎木津又睡了。京極堂在看書。鳥口跟伊佐間屋聊天。

我想像著。
獨自走在荒涼大地上的男子。
男子背上的匣子裡裝了個美麗的少女。
男子心滿意足，不斷、不斷地走下去。
即使如此，
我還是，不知為何——
非常羨慕起男子來了。

解說一

匣蓋未啟之前，魍魎究竟為何？

——關於《魍魎之匣》

／臥斧

「所有不可思議的外表都是騙人的。箱子真正的不可思議之處，不是外在，而是內在。」

——《馬戲團離鎮》*p.164*

在京極堂系列的第一作《姑獲鳥之夏》裡，有這麼一段場景：

關口巽對京極堂一直摸來摸去的罐子很好奇，於是開口詢問；京極堂回答說那是個骨灰罐，裡頭裝了佛舍利，甚至當著關口的面打開壺蓋取出一顆白色粒狀物，拋進嘴裡吃掉，把關口嚇了一大跳。事實上，那個壺裡裝的是點心，但京極堂告訴關口：「不過，在我打開蓋子前，這個點心也有可能是骨頭喔。」

這段是京極堂向關口解釋「測不準原理」的引子，不過在我讀完《魍魎之匣》後想起，倒有另一種趣味。

「測不準原理」的主要精神在：「當觀測行為發生時，也會影響被觀測之物；是故在觀測行為發生之前，被觀測之物為何種狀態，是不可確認的。」京極堂拿罐子和點心來講，是種與「薛丁格的貓」類似的比喻，因為「測不準原理」其實應用在微觀的量子力學裡，在巨觀的世界並不完全成立——我的車子，並不會在我沒看著它的時候以變形金剛或漢堡的樣貌存在。

但從另一方面來看，這個譬喻，恰好也提及了「箱」與「箱中之物」的關係。

箱子所顯示的樣貌不等同於箱中之物，就算是個骨灰罐，也不代表裝在裡面的一定是骨頭；電視機裡沒有裝著唱歌跳舞演戲報新聞的小矮人，魔術師所展現的空箱其實有我們看不見的內裡機關。如果我們有機會捧起一顆人腦，會有種自己碰觸了某種禁忌的感覺，但我們真正在意的是：這團一千四百克左右的箱子，裡頭其實裝載著某個人的真正內裡。

其實，以任何型式被閱聽的故事，也都是一種箱子。

無論是以音符旋律、動態影像、色彩圖像、口述或者文字記錄的故事，都是某種內容的載具，閱聽者則以聆聽、觀賞或者閱讀的方式，在腦中將箱蓋揭開，一探箱中之物的究竟。箱子的型式為何其實並不重要，重要的是，這個箱子是否能夠準確而有效地封存或保護箱中之物。

《魍魎之匣》的開頭，就是一篇故事中的故事。

這篇名為〈匣中少女〉的小說，描述「我」在列車上巧遇一個帶著箱子的男人，箱子裡居然裝著一個沒有手腳、只有胸部以上、但仍活著的美麗少女……與《姑獲鳥之夏》幾乎全以第一人稱主述者關口巽觀點為軸的方式不同，《魍魎之匣》的主線很多，先以這篇小說中的小說開場，再來是兩名美少女柚木加菜子與楠本賴子之間的奇妙友情故事；接著《姑獲鳥之夏》當中的刑警木場修一郎帶出另一條敘事線：他在結束工作深夜搭著電車返家時，遇上了加菜子跌落軌道、被進站電車撞成重傷的事件；然後才是依然以第一人稱方式敘事的關口巽出場：他在前往出版社洽談自己作品單行本出版事宜的時候，先是經編輯介紹，認識了新出道的天才小說家久保竣公，再是遇上正要外出取材的記者中禪寺敦子，聊起最近鬧得沸沸揚揚的分屍案件。

關口回家時，完全不知道，自己正要成為這個故事的一部分。

糟粕雜誌《實錄犯罪》的記者鳥口守彥在關口家中守候，希望關口替《實錄犯罪》寫篇報導，邀請關口一起到犯罪現場取材，而他打算採訪的刑案，正是敦子口中的分屍案件。想當然爾地，他們在取材的現場遇到敦子，在三人一起返家的途中，因為迷路而誤闖一個怪異的研究所，卻意外地碰見木場，又在不明就理的情況下被驅離；過了幾日，分屍案件被發現的手腳愈來愈多，鳥口再度來訪，關口想起自己也打算找人討論關於單行本中各篇作品置放的順序，於是帶著鳥口一起出發，前往京極堂的舊書店。

系列作真正的軸心人物——中禪寺秋彥／京極堂，直到此時才正式登場。

上述的角色與各自的遭遇，看來已經十分紊亂，而《魍魎之匣》中必須解決的事件支線，在京極堂的整理下，更高達四至五條，其中有的看似相關實則不然，有的以為無關但卻有部分因素交集重疊。已經息影的偶像女星、進行不明實驗的醫學天才、宣稱能將帶給信徒不幸的「魍魎」收伏封印於箱中的新興宗教、

傳聞中帶著箱子四處行走的謎樣黑衣男子……所有混雜的線索最後全都集中到京極堂的手中，再由他一一解清除魅。

不僅替劇中人物破除迷障，京極夏彥甚至對讀者做出驚人之語，直指類型小說當中的一些迷思。

在《姑獲鳥之夏》中，京極堂否定了理性的「所見即所得」原則，而在《魍魎之匣》裡，京極堂最語出驚人的否定，則是針對「動機」。雖說「動機」是思考推理犯罪因由的重要關鍵，但京極堂卻認為：惡念人人有之，要當真構成犯罪，除了可能隨著社會價值觀及道德標準一起變異的人定律法之外，還有許許多多其他要件。動機可能隱忍許久，可能微不足道，而我們老是對動機進行追查的舉動，只是為了方便自己的瞭解，而創造出來的某種約定俗成之見罷了——這類奇妙的觀點在故事裡常可讀到，它們乍看之下與常識相悖，但在京極堂長篇解釋後又自成道理。

要塞進《魍魎之匣》這故事當中的東西很多，所幸它們看似紛雜，實則以清楚的主題一以貫之。

從一開場的〈匣中少女〉故事開始，「箱子」的意象就出現在《魍魎之匣》故事中的每個角落：木場自認是個「沒放糖果的糖果盒」、「盒子很堅固，……一旦掀開來看卻是空的」；外觀長得像箱子的詭異研究所，以箱子封存惡靈的除魔儀式，分屍案塞著部分人體的精密箱子……每個角色或者沉迷於製造箱子，或者執著於擁有箱子似能夠安居的屋舍，但過於執迷的結果，卻只是擁有了箱子的外在，而忽略了隱伏其中、悄悄孳長的異物。

這些異物，一如傳說中形體未明定義不清的妖魔，晦暗未明、獸類長相的魍魎。

日本著名的漫畫《攻殼機動隊》，英文名稱叫《*Ghost In The Shell*》，直譯為《殼中的靈魂》，直指「載具（箱子）」及「靈魂（箱中之物）」並不等同、需分別視之的觀點，這也是這部科幻作品探討的主要課題；而《魍魎之匣》則直接打開了故事中角色們的載具外蓋，帶領我們直探隱微難明的內裡人心。在京極夏彥筆下，《魍魎之匣》的故事時而妖魅、時而搞笑、時而幽默，時而哀傷；當連自己都不明白的內裡被掏揀公開之際，身為載具的箱子們，是否真的已經有了面對它們的準備？當所有線頭收攏到京極堂手中、即將一舉逆轉所有表象的真相現身之際，身為讀者的我們，是否能夠接受魅障破除之後，那些赤裸難堪的私密核心？

匣蓋未啟之前，魍魎究竟為何？我們不得而知。

但在未明的黯裡終於見光之時，身為箱匣的我們，或許才有機會明瞭，某種存在的意義。

作者介紹

臥斧，雄性。想做的事情很多。能睡覺的時間很少。工作時數很長。錢包很薄。覺得書店唱片行電影院很可怕。隻身犯險的次數很頻繁。出了六本書。喜歡說故事。討厭自我介紹。

解說二

向推理的朱夏 獻上祝福

／山口雅也

那年夏天的意象有如路面煙氣一般在我腦海裡緩緩搖晃。

那個意象逐漸轉化，變成了殘留於我腦中「夏」這個字的一連串聯想……一九九四年的夏天——在峇里島度過的那個夏日假期，在那裡閱讀的《姑獲鳥之夏》這本小說，以及深不可測的作者，京極夏彥……

那年夏末，完成了預定於秋天付梓之拙著《*Mysteries*》之排版稿校對工作，總算獲得解放的我替自己安排了一個久違的假期。我遠征峇里島，去享受水肺潛水之樂。但是好不容易花了大把鈔票遠渡重洋來到南方島嶼享受這場豐盛旅行，在抵達島上的翌日別說是潛水，我卻連海邊也沒去。

起床時我不經意翻起了《姑獲鳥之夏》的書頁，就這樣一頭栽進這個有趣的世界裡。顧不得身旁滿臉無奈的潛水伙伴，我一整天就這樣躺在飯店的泳池畔耽溺於閱讀之中。

讀畢，我大大地嘆了一口氣，抬頭仰望峇里島被夏末晚霞染紅的美麗天空，我想著，「——不，夏天不會結束」。是的，夏天不僅不會結束，對今後日本推理小說界而言，有如烈火般熊熊燃燒的夏天或許才正要到來。夏天——為了向陰陽五行思想致敬，特稱之為——「朱夏」的盛況即將來臨……

※

早在半年前，出現了《姑獲鳥之夏》這本偉大小說的傳聞已在編輯、作家等業界人士之間廣為流傳（正如妖怪傳聞一般）。就我所知，雖然讀過《姑獲鳥》書稿的人感想不盡相同，可以肯定的是每個人都同樣受到了衝擊。

可是待《姑獲鳥之夏》出版後，業界的反應卻意外地冷淡。姑且不論銷售量，幾乎沒有人想替這本書寫些什麼書評。說來也有些慚愧，當時（也不過只是幾年前的事）的書評領域不管在器量上還是體制上，均無力承受這種破天荒的作品並給予正當的評價。

我認為京極夏彥的作品內容豐饒歸豐饒，並不至於難以理解。例如說作品中乍看像是作者吊書袋的議論，其實很輕易地就能發現此為構築作品世界所必要不可或缺之支柱。證據就是作者為了讓所有讀者都能理解，費了很大力氣，盡量把這些部分寫得周到易懂。我當時還曾為了為什麼如此簡單易懂又有趣的作品不受眾人賞識而覺得無可奈何、義憤填膺過呢。

該年年終之際，有幸得與京極夏彥會餐，在與他的一席話中我表達了對《姑獲鳥之夏》未能獲得妥當評價之不滿，但京極本人的反應卻表現得十分超然。初次見面的京極夏彥這位作家身上看起來什麼東西也沒有附著；反之，我卻像是……現在回想起來，對於別人對作品的評價感到煩悶的我，或許可說已被名為「京極作品」的妖怪所附身了吧。

但是，用不著我這等人物擔憂，幾個月後出版的第二作《魍魎之匣》很快地就讓京極夏彥一舉成名，躍入主流作家群中——

※

京極作品無比有趣，而且簡單易懂，卻一言難盡。我在前面也提到過，京極作品雖不難懂，但內容實在過於豐富，有太多路徑能攀登這座巨峰了。

我並不願意將京極作品侷限在推理小說的領域裡，不過在此我還是想先以作為偵探角色的京極堂（中禪寺秋彥）這條路徑來探討本系列有何獨到魅力。

京極堂是陰陽師。

——這點是我想率先強調的。那麼，陰陽道又是什麼？那是一種基於中國古代道教思想，認為「萬物均存有陰陽之兩種極性（或說是力之原理），滲透於一切之中並支配一切」，用來說明災異、吉凶的方術。

讀過小松和彥的《憑靈信仰論》便知陰陽師很有意思。平安時代以降，陰陽道發展成日本特有的咒術宗教，陰陽道的術士——陰陽師似乎擁有兩種面貌：一種是「驅除咒詛」者，他們負責為人驅走詛咒或附身妖怪，是受到社會歡迎的「巫醫」；相反地，另一種則是善使「咒殺」、「詛咒反彈」者——他們也是能透過詛咒的方式帶給對方災厄的「邪術師」。陰陽師在這兩種面貌中都操縱著名為「式神（職神）」的守護・役使靈來完成任務。

京極堂的搜查方式近似於推理小說中的「安樂椅偵探」。所謂的安樂椅偵探是指故事主角的名偵探坐在安樂椅上不親身行動，透過部下在外收集的情報或線索來進行推理。京極堂基本上做法與之相同，不過既然作者京極夏彥並沒有被推理小說這隻「妖怪」所附身，我相信他並沒有刻意要創出新型態的「安樂椅型偵探」。我認為要觀察京極堂與其所操縱、使喚的偵探團——木場、榎木津、關口等人的關係，必須參照陰陽師與役使靈「式神」的關係。

而當事件來到最終階段，總算登上舞台的京極堂所扮演的角色與其說是偵探，依然更近似於陰陽師。平常桀驁不馴、充滿自信的京

極堂在這裡並不說自己是來「解決事件」，而是謙虛地說自己是來為相關人士「驅除妖怪」。京極堂的做法在本書一開始的部分也略有交代過，一言以蔽之就是以巧妙的說話技巧（毋寧說是精神控制）令對象重新認識到自己的所處狀況。

我們能在一些說明體系中見到「妖怪附身」這個現象。比方說，即使實際上是患了某種異常的疾病，以「狐狸附身」這種不科學但具有一定邏輯性的說明方式還是能使事態變得安穩下來。京極堂經常在事件初期指示出附身於事件的相關分子身上的妖怪名稱，但又表現出並不想過度深入的態度，這種態度與其說是偵探應該更接近陰陽師吧。

（以下，部分內容觸及事件的真相，請於讀畢小說後再行閱讀。）

但是當事態糾結、迫切到無法以對附身妖怪命名來應付的時候，京極堂便會放下身段出面驅魔。做法就是剛才提到的，運用巧妙的說話技巧的方式來解決問題。不過有趣的是，陰陽師京極堂除了受到社會歡迎的「巫醫」角色（通常的偵探角色）以外，有時也會表現出「邪術師」的面貌。在本書的終局，京極堂一一駁倒事件中心人物的主張之後，最後在該名人物的耳旁悄悄地說：「這就是詛咒，是在你的領域中無法使用之我唯一武器」——京極堂明明白白地說了，這是「詛咒」。他跨越了「驅魔師」的身分，對對手施展了「咒殺」、「反彈詛咒」的本領。受到陰陽師可怕詛咒的對手理所當然地產生了精神崩壞。在這個段落中，他再次跨越了普通偵探角色告發犯人及基於審判的社會性制裁等級，展現出陰陽師所特有的熾烈無比的懲凶方式。

值得注意的是，前面引用的京極堂台詞

中出現的「你的領域」指的是「科學」，京極堂在此面對的對手是個科學家，這個「黑衣陰陽師轉身面對白衣科學家」（黑與白——不正恰似陰陽道中的陰與陽？）的場面令人留下了深刻印象。但若問我立場上似乎與科學對立的陰陽師偵探京極堂是否就是舊時代的遺物，倒也不見得。京極堂平時是個極具常識的人，受過量子力學或佛洛伊德的精神分析學等現代科學之洗禮，並且有時也能見到他徹底理性主義的一面。但是另一方面，他也通曉民俗學、妖怪學、神祕學這些專門處理現代理性主義所無法完全解釋的人心幽暗面的學問。因為陰陽師偵探知道這個世界是由陰（非理性）與陽（理性）的兩極成立的——換句話說，就是這個世界欠缺陰陽任一方均無法成立。

——這就是陰陽師京極堂的祕密。

在此我想提出我向來的主張。我認為優秀的解謎型推理小說中，必定存在著理智（logos）與情感（pathos）的攻防。理智指理性的、持續的心靈活動，是言語，是邏輯。在推理小說中就是指在事件解決的場面上偵探所展示的一連串推理。情感則指無法完全用邏輯來解釋的激情，或是指根植於人性深層、難以用言語表現的心之幽暗。我認為「如何以理智來逼近情感」是現代推理小說的重要課題之一。但是這個課題同時也是本格解謎型推理所不得不背負的十字架——畢竟「人類終究不是能完全用理性來解釋的生物」。

但是京極堂因其陰陽師的職業特性，打從一開始便將此難題納入視野之中。陰陽師偵探明白地瞭解到這個世界是由陰（情感）與陽（理智）之兩極所構成。他懷著獨到的術法，足以撼動那些僅信奉現代理性主義的偵探所無法捕捉到的妖怪（情感）並將之驅除。同時對讀者而言，在經過京極堂的驅魔後，他們總算領悟到妖怪的真相就是人心的幽暗，而棲息在自己心中這隻名為「謎團」的妖怪也隨之受到驅除。若以固有的推理小說觀點來看，京極堂所表現出的機能可說世所獨有，也是根源於東洋，足以向世界誇耀的名偵探體系。

想到京極堂這名稀有的偵探時，我不由得會聯想到另一名人物。

該人物之名乃是山片蟠桃。蟠桃生於江戶時代（十八世紀中葉），為大阪豪商升屋家的掌櫃，是名個性獨特的市井學者。同時，他也是名身處現代化過程前的日本，卻能批評傳統的靈魂觀、宇宙觀，並理解地動說與進化論的深具先見之明的學者。在體現其思想的著書《夢之代》卷末，他寫了一首饒富興味的和歌：

此世無神無佛亦無怪
亦無奇妙不可思議

雖然京極堂並不否定「怪物」之存在，但這首和歌第二段徹底理性主義的說法不正與京極堂的名台詞「這世上沒有什麼不可思議的事」——完全相同嗎？

京極堂並不是個有如蟠桃般徹底注重理性主義的人物。但是理性主義者蟠桃（陽）與舊時代的非理性世界（陰）對峙的形式，恰與這位陰陽師偵探的世界觀符合節。

只看京極堂的名台詞就輕易斷定他是一位「理性主義者」似乎過於莽撞。用我的話來說，京極堂（以及作者京極夏彥）乃是誕生於理性（陽）與非理性（陰）熾烈的辯證攻防下的「超理性主義者」。

——並且，我也在此見到了推理小說的未來。

推理小說的確還有未來。與京極夏彥一同到來之推理小說的朱夏才正要開始。

——一九九九年　夏

作者介紹

山口雅也，推理作家，一九五四年生於日本神奈川縣。大學時代即相繼發表推理相關隨筆與評論。一九八九年出版處女作《活屍之死》，一九九五年以《日本殺人事件》獲得第四十八屆日本推理作家協會獎。山口文章風格極具實驗性，經常在文中構築起超現實世界，並在其中以特有的邏輯思維鋪設謎團、展開故事。

國家圖書館出版品預行編目資料

魍魎之匣（下）／京極夏彥著；林哲逸譯. --.初版.- 臺北市；獨步文化出版：家庭傳媒城邦分公發行，2007〔民96〕
面 ； 公分.（京極夏彥作品集；03）
譯自：魍魎の匣
ISBN 978-986-6954-75-7
861.57 96013232

京極夏彥 作品集03

もうりょうのはこ

魍魎之匣（下）

原書名 魍魎の匣
原出版社 講談社
作者 京極夏彥
翻譯 林哲逸
責任編輯 戴偉傑
發行人 涂玉雲
總經理 陳蕙慧
行銷業務部 尹子麟、林毓瑜
版權部 王淑儀
出版 獨步文化
發行 城邦文化事業股份有限公司
台北市中正區信義路二段213號11樓
電話：(02) 2356-0933 傳真：(02) 2351-9179; 2351-6320
英屬蓋曼群島商家庭傳媒股份有限公司城邦分公司
台北市中山區民生東路二段141號2樓
讀者服務專線：(02) 2500-7718; 2500-7719
24小時傳真服務：(02) 2500-1990; 2500-1991
讀者服務信箱 service@readibgclub.com.tw
劃撥帳號：19863813
戶名：書蟲股份有限公司
總經銷 大和書報圖書股份有限公司
電話：(02) 8990-2588; 8990-2568 傳真：(02) 2290-1658; 2290-1628
香港發行所 城邦（香港）出版集團有限公司
香港灣仔軒尼詩道235號3樓
電話：(852)2508-6231 傳真：(852)2578-9337
E-mail：hkcite@biznetvigator.com
馬新發行所 城邦（馬新）出版集團
Cite(M)Sdn.Bhd.(458372U)
11, Jalan 30D/146, Desa Tasik,Sungai Besi, 57000 Kuala Lumpur, Malaysia
電話：(603) 9056-3833 傳真：(603) 9056-2833
妖怪插圖 王正凱
封面設計 木子花
排版 浩翰電腦排版股份有限公司
印刷 中原造像股份有限公司
2007（民96）8月初版
定價400元 ISBN 978-986-6954-75-7